混凝土电杆生产工艺
设计　质量控制

姚 杨　张 鸿　编著

黄河水利出版社

内 容 提 要

本书主要介绍混凝土电杆的生产工艺、要求及其特点和原材料质量要求、设计方法、成品的质量检验要求及其质量控制，并附有材料试验方法、设计计算用表等，是集混凝土电杆生产、施工、设计、质量检验为一体的一部综合性实用型的参考书，可供生产施工技术人员、产品质量检验人员以及设计人员参阅和使用。

本书根据混凝土材料新标准、设计新规范以及《混凝土结构工程施工及验收规范》GB50204—92结合混凝土电杆检验、设计、生产实践特点编写，综合性较强，涉及面较广，尤其在有关设计的章节中提供了简便、可靠、实用的简化公式及其图表供读者方便、快速地采用与运算。

前　言

混凝土电杆是电力架空输变电线路、广播、邮电、通讯以及照明线路上广泛采用的一种水泥预制构件。尤其在电力架空输变电线路上使用的混凝土电杆更是具有特殊的地位与重要性，因为它关系到整条输变电线路以及人民生命财产的安全。

混凝土电杆的生产虽然在我国已有几十年的历史，生产技术也在不断地发展与完善，产品质量也有很大的进步与提高。但由于混凝土电杆是一种特殊的重要的工业产品，综合性强，牵涉面广，它的特殊地位使它有别于一般的水泥预制构件。随着国家有关标准、规范的修订和颁布，对电杆质量提出了更高的要求，迫使电杆在生产工艺、设备以及材料、技术、设计等诸方面不断提高与改进。

然而，由于混凝土电杆的生产、施工、设计及质量控制等技术是一个较边缘的学科，鉴于目前尚无一部完整的系统的集生产、设计、检验、质量控制为一体的多功能著作，生产一线的施工技术人员缺乏这方面的参考资料及理论指导，因此，我们着手编写本书，意图是系统实用地将电杆生产所涉及到的有关内容，加以简明扼要地阐述、汇总，以满足广大生产与施工技术人员的需要。

由于编者水平有限，时间仓促，书中难免存在不足之处，恳请广大读者批评指正。

本书由同济大学材料科学与工程学院张冠伦教授校核，在此表示衷心感谢。

编著者

1998 年 5 月

目　　录

第一章 原材料及其质量要求

第一节 原材料的基本性质

一、基本物理性质

（一）密度、表观密度和堆积密度

1. 密度（ρ）

密度是材料在绝对密实状态下，单位体积的质量。

$$\rho = \frac{m}{V}$$

式中　ρ——密度（g/cm^3 或 kg/m^3）；

　　　m——材料的质量（g 或 kg）；

　　　V——材料在绝对密实状态下的体积（cm^3 或 m^3）。

说明：

①在砂、石检验中材料的质量是指砂、石干燥至恒重状态下的质量。

②绝对密实状态下的体积是指不含任何孔隙的体积；因绝大多数材料（如砂、石等）都含有一定的孔隙，对于这些有孔隙的材料，测定其密度时，应先把材料磨成细粉（越细越好），经干燥至恒重后，用比重瓶（李氏瓶）测量其体积，然后按上式计算公式计算出密度值。

③"密度"与"比重"的区别："比重"是旧的量纲，现已不再使用；在新的标准规范中已统一用"密度"代替。

过去比重的定义是：材料在绝对密实状态下，其重量与同体积的 4℃水的重量之比。

2. 表观密度（ρ_0）

表观密度是指材料在自然状态下，单位体积的质量。

$$\rho_0 = \frac{m}{V_0}$$

式中　ρ_0——表观密度（g/cm^3 或 kg/m^3）；

　　　m——材料的质量（g 或 kg）；

　　　V_0——材料在自然状态下的体积（cm^3 或 m^3）。

说明：

①材料在自然状态下的体积包含了材料内部孔隙的体积。当材料含水时，它的质量和体积都会发生变化。一般测定表观密度时，以干燥状态为准（试验中测定的通常为烘干至恒重）。如果在含水状态下测定应注明含水情况。

②过去习惯用法为容重（如在烘干状态下测定的容重称为"干容重"）或视比重；试验中尚有恒干状态与饱和面干状态之分。而材料按自然堆积体积计算，其单位体积的质量称为"松散容重"。

③在混凝土配合比设计中，一般以"表观密度"近似代替"密度"。

3. 堆积密度（ρ'_0）

堆积密度是指材料在堆积状态下，单位体积的质量。

$$\rho'_0 = \frac{m}{V'_0}$$

式中　ρ'_0——堆积密度（g/cm³ 或 kg/m³）；

　　　m——材料质量（g 或 kg）；

　　　V'_0——材料的堆积体积（cm³ 或 m³）。

说明：

①材料堆积状态的体积包含了材料的内部孔隙以及材料颗粒之间的空隙，通常用容器的容积来表示，容器的容积视材料的种类和规格而定。

②过去习惯用法为"松散容量"。

（二）空隙率、孔隙率及密实度

1. 密实度（D）

密实度（亦称紧密度）是指材料体积内被固体物质充实的程度。

$$D = \frac{V}{V_0} \quad \text{或} \quad D = \frac{\rho_0}{\rho}$$

式中　D——密实度；其他符号的含义同上。

2. 孔隙率（P）

孔隙率是指材料体积内孔隙体积所占的比例。

$$P = \frac{V_0 - V}{V_0} \times 100\% \quad \text{或} \quad P = \left(1 - \frac{\rho_0}{\rho}\right) \times 100\% \quad \text{或} \quad P = 1 - D$$

密实度或孔隙率的大小直接反应了材料的致密程度。材料内部的孔隙的构造可分为连通的或封闭的两种。按孔隙尺寸的大小又可分为极微细孔隙、细小孔隙和较粗大孔隙。孔隙的大小、分布、数量及构造特征对材料的性能产生很大的影响。

3. 空隙率（P'）

空隙率是指颗粒状材料在堆积状态下单位体积的颗粒之间的空隙所占的体积。

$$P' = \frac{V'_0 - V_0}{V'_0} \times 100\% \quad \text{或} \quad P' = \left(1 - \frac{\rho'_0}{\rho_0}\right) \times 100\%$$

与空隙率相对应的是填充率（D'），即材料在某堆积体积中被颗粒填充的程度。

$$\text{计算公式} \quad D' = \frac{V_0}{V'_0} \times 100\% = \frac{\rho'_0}{\rho_0} \times 100\% = 1 - P'$$

（三）吸水性和吸湿性

1. 吸水性

吸水性是指材料吸收水分的性质，吸水性的大小由吸水率来表示。

$$W_{吸} = \frac{m_0 - m}{m} \times 100\%$$

式中　$W_{吸}$——材料的吸水率（%）；

　　　m_0——材料在吸水饱和状态下的质量（g）；

　　　m——材料在干燥状态下的质量（g）。

上述吸水率公式是指重量吸水率，另有体积吸水率。体积吸水率是指材料在吸水饱和状态下的体积占自然状态下的体积的百分率。材料的吸水率与材料的孔隙的大小、数量及构造特征均有很密切的关系。如微细连通孔隙，吸水率较大；而封闭孔隙及虽是连通但较粗大的孔隙，则吸水率相对较小。

2. 吸湿性

吸湿性是指材料吸收空气中水分的性质，吸湿性的大小由含水率表示。

$$W_{含} = \frac{m_1 - m}{m} \times 100\%$$

式中　$W_{含}$——含水率（%）；

　　　m_1——材料在含水状态下的质量（g）；

　　　m——材料在干燥状态下的质量（g）。

材料如砂、石中的含水率与空气的湿度变化有很大关系，而与空气湿度达到平衡时的含水率称为平衡含水率。由于材料在阴天、晴天、雨天中含水率变化幅度很大，因此在混凝土配合比计算中，应先测定砂、石的含水率。

砂石的含水状态见图 1-1。

图 1-1（a）——全干状态，不含水分；

图 1-1（b）——气干状态，内部核心含有部分水份；

图 1-1（c）——饱和面干状态，表面干燥，颗粒内部的孔隙为水饱和，此时骨料的含水率称为饱和面干含水率；

图 1-1（d）——湿润状态，不仅内部孔隙为水饱和，而且表面尚有部分水，由于骨料含水率不同，在拌制混凝土时，将影响混凝土的用水量和骨料用量。计算混凝土配合比时，一般以全干状态骨料为基准。

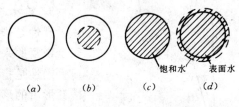

图 1-1　骨料的含水状态
（a）全干状态；（b）气干状态；（c）饱和面干状态；
（d）湿润状态

（四）耐水性、抗渗性、抗冻性

耐水性是指材料长期在饱和水作用下而不破坏，而且其强度也不显著降低的性质。一般用软化系数表示；

抗渗性是指材料抵抗压力水渗透的性质，一般用渗透系数 K 或抗渗标号 S 来表示；

抗冻性是指材料在吸水饱和状态下，抵抗多次冻结和融化作用（冻融循环）而不破坏，同时也不严重降低强度的性质。一般用抗冻标号 D 表示。

材料的抗渗性和抗冻性与孔隙率、孔隙的大小、孔隙的构造特征等均有很大关系。孔隙率小及具有封闭孔的材料具有较高的抗渗性和抗冻性；若是细微且连通的孔，则对抗渗性和抗冻性均不利；若孔隙吸水后还有一定空间，则可缓解冻融的破坏作用。

二、力学性质

1. 强度

强度是指材料在外力（荷载）作用下抵抗破坏的能力。当材料承受外力作用时，内部产生应力。外力增大，应力也随之提高，当应力达到一定值时，材料将破坏，此时的应力值称为极限应力值，亦即材料的强度。

根据外力作用方式不同，材料强度有抗压强度、抗拉强度、抗弯强度、抗剪强度等等。

如混凝土的抗压强度、钢筋的抗拉强度。

不同种类的材料具有不同的抵抗外力的特点。即使相同种类的材料，强度也会随着孔隙率及构造特征的不同而不同。一般说来，孔隙率越大的材料强度越低，其强度与孔隙率具有近似直线的比例关系。

如混凝土其抗压强度较高，而抗拉强度较低，仅为抗压强度的1/10左右，而钢筋的抗拉强度就很高，在建筑工程及预制构件上就是充分利用两者的长处，将它们有机地结合起来。

2. 脆性与韧性

脆性是指材料在外力作用下，当外力达到一定限度后，材料突然破坏，而破坏时并无明显的塑性变形，这种性质为脆性。

韧性是指材料在冲击、震动荷载作用下，材料能吸收较大的能量，同时也能产生一定的变形而不致破坏的性质。

砖、石材、玻璃、陶瓷等属于脆性材料，钢材属于韧性材料。

脆性材料的变形曲线见图1-2。

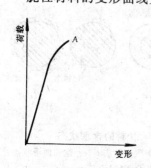

图1-2 脆性材料的变形曲线

3. 弹性与塑性

弹性是指材料在外力作用下产生变形，当外力取消后，能够完全恢复原来形状的性质。这种完全恢复的变形称为弹性变形。

塑性是指材料在外力作用下产生变形，如果取消外力，仍保持变形后的形状和尺寸，并且不产生裂缝的性质。这种不能恢复的变形称为塑性变形。弹塑性是指材料在外力作用下产生变形，当外力取消后，部分变形能（弹性变形）恢复，部分变形（塑性变形）不能恢复，这种性质为弹塑性，如混凝土即属于弹塑性材料。材料的弹性、塑性、弹塑性变形曲线如图1-3、图1-4、图1-5所示。

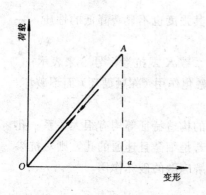

图1-3 弹性材料变形曲线

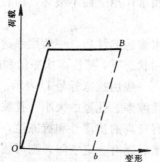

图1-4 塑性材料变形曲线

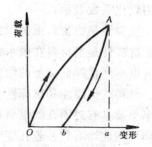

图1-5 弹塑性材料变形曲线

三、耐久性

耐久性是指材料在长期使用过程中，除受到各种外力的作用外，还受到环境中各种自然因素的破坏作用（包括物理的、化学的、生物的），在这破坏作用下还能保持其原有性能而不破坏的性质。

4

物理作用主要有干湿交替、温度变化、冻融循环等。这些作用会使材料产生体积的膨胀或收缩，或导致内部裂缝的扩展，长久作用后会使材料产生破坏。

化学作用主要指材料受到酸、碱、盐等物质的水溶液或有害气体的侵蚀作用，使材料的组成成分发生质的变化，而引起材料的破坏。如混凝土发生碱集料反应、碳化反应以及钢材的锈蚀等。

总之，耐久性是一项综合性质，在设计过程中，原材料准备、材料的选择、混凝土的配合比设计以及施工等环节都要考虑到混凝土及其所处环境的要求。混凝土的抗冻性、抗渗性及气候条件都与耐久性有着密切的关系。

第二节 水 泥

一、水泥的分类

通常，在电杆生产中较为常用的水泥主要有以下几种：硅酸盐水泥、普通硅酸盐水泥（又称普通水泥）、矿渣硅酸盐水泥（又称矿渣水泥）等。它们均是以硅酸盐水泥熟料为主要成分的一类水泥。

由于生产上一些特殊要求，还采用特种水泥，如抗硫酸盐硅酸盐水泥（又称抗硫酸盐水泥）、快硬硅酸盐水泥（又称快硬水泥）以及快硬硫铝酸盐水泥、快硬铁铝酸盐水泥等等，但这些水泥较少使用，在生产工艺上也有一定的要求。

根据电杆国标要求：宜选用不低于标号 525 的硅酸盐水泥、普通硅酸盐水泥、矿渣硅酸盐水泥、抗硫酸盐硅酸盐水泥或不低于标号 425 的快硬硅酸盐水泥。

二、水泥的定义

1. 硅酸盐水泥

由硅酸盐水泥熟料、0%～5%石灰石或粒化高炉矿渣、适量石膏磨细制成的水硬性胶凝材料。

可分为：Ⅰ型硅酸盐水泥（不掺混合材料），代号 P·Ⅰ；Ⅱ型硅酸盐水泥（掺混合材料），代号 P·Ⅱ。

2. 普通硅酸盐水泥

由硅酸盐水泥熟料、6%～15%混合材料、适量石膏磨细制成的水硬性胶凝材料，代号 P·O。

掺活性混合材料时，最大掺量应≤15%，其中允许用不超过水泥质量5%的窑灰或不超过水泥质量10%的非活性混合材料来代替。

掺非活性混合材时最大掺量应≤10%。

3. 矿渣硅酸盐水泥

由硅酸盐水泥熟料、20%～70%的粒化高炉矿渣、适量石膏磨细制成的水硬性胶凝材料；代号 P·S。

允许用石灰石、窑灰、火山灰质混合材中的一种来代替矿渣，代替数量不得超过水泥质量的 8%，替代后水泥中粒化高炉矿渣不得少于20%。

上述各种水泥的组成见表1-1。

表 1-1 常用水泥品种与组成

水 泥 品 种	水泥代号	水 泥 组 成		
		熟 料	石 膏	混 合 材 料
I 型硅酸盐水泥	P·I	硅酸盐水泥熟料 95%~98%	天然石膏或工业副产石膏适量（控制 $SO_3<3.5\%$）	不掺任何混合材料
Ⅱ型硅酸盐水泥	P·Ⅱ	硅酸盐水泥熟料 90%~97%	天然石膏或工业副产石膏适量（控制 $SO_3<3.5\%$）	掺加不超过水泥质量 5% 的石灰或粒化高炉矿渣
普通硅酸盐水泥（简称普通水泥）	P·O	硅酸盐水泥熟料 80%~92%	天然石膏或工业副产石膏适量（控制 $SO_3<3.5\%$）	掺 6%~15% 混合材料
矿渣硅酸盐水泥（简称矿渣水泥）	P·S	硅酸盐水泥熟料 25%~78%	天然石膏或工业副产石膏适量（控制 $SO_3<4.0\%$）	掺 20%~70% 的粒化高炉矿渣

注 一般水泥中石膏掺量为 2%~5%。

三、特种水泥及其技术要求

改变生料中的某些化学成分，烧制出具有特定性能的特种硅酸盐水泥，如快硬硅酸盐水泥、抗硫酸盐硅酸盐水泥等。此外，还有一些以非硅酸盐类为水泥熟料的特种水泥，如硫铝酸盐水泥、铁铝酸盐水泥等。

1. 硫铝酸盐水泥

将铝质原料（如矾土）、石灰质原料（如石灰石）和石膏适当配合，煅烧成以无水硫铝酸钙矿物为主的熟料，该熟料掺适量石膏共同磨细，即可制得硫铝酸盐水泥。

硫铝酸盐水泥矿物组成波动范围大，其矿物组成为：

C_4A_3S　　36%~44%，　　　C_2S　　　23%~34%

C_2F　　　10%~17%，　　　$CaSO_4$　　12%~17%

硫铝酸盐水泥凝结时间较快，初凝一般在 8~60 min，终凝在 10~90 min，初凝与终凝的间隔较短，一般约相差半小时。

该水泥早期强度高，后期强度发展缓慢，但不倒缩。5℃时能正常硬化，由于不含 C_3A 矿物，并且水泥石致密度高，所以抗硫酸盐性好。水泥石在空气中收缩小，抗冻和抗渗性能良好。

通过调节外掺石膏量，又可制成不同类型水泥，随着石膏掺量的增多，水泥由早强变为微胀、膨胀及自应力水泥，以供不同使用要求。

如快硬硫铝酸盐水泥，执行标准为 ZBQ11005—87。

（1）适用范围：配制早强、抗渗和抗硫酸盐侵蚀腐蚀等混凝土。

（2）定义：凡以适当成分的生料，经煅烧所得以无水硫铝酸钙和硅酸二钙为主要矿物成分的熟料，加入适量石膏磨细制成的早期强度高的水硬性胶凝材料。

（3）标号：以 3 d 抗压强度表示，分 425、525、625 三个标号。

（4）品质指标❶：

---

❶ 必要时应进行水泥的 28 d 龄期强度检验，其数值不低于 3 d 龄期强度指标。

1）游离氧化钙：水泥中不允许出现游离氧化钙；

2）表面积：≥380 m²/kg；

3）凝结时间❶：初凝≥25 min

终凝≤3 h

凡游离氧化钙不符合要求或强度低于该品种水泥最低标号规定的指标时，该水泥均为废品。

除游离氧化钙以外其余指标中任何一项不符合标准规定或强度低商品标号的指标时，该水泥为不合格品。

2. 快硬硅酸盐水泥，执行标准 GB199—90

主要矿物成分：铝酸三钙（8%～14%），硅酸三钙（含量 50%～60%），两者总量不少于 60%～65%；为了加快硬化速度，可适当增加石膏的掺量（达 8%）和提高水泥的细度，通常比表面积为 300～400 m²/kg。由于含有较多的高活性矿物，故早期强度增进率较大，适用于紧急抢修工程和需要早期强度高的工程及预制构件。

3. 抗硫酸盐硅酸盐水泥，执行标准 GB748—92

技术要求：抗硫酸盐水泥使用的水泥熟料中含 $C_3A≤5\%$，$C_3S≤50\%$，$C_3A+C_4AF≤22\%$，允许掺入 10%～15% 的火山灰质混合材。

熟料中 $fCaO<1.0\%$

烧失量<1.5%

水泥中 $SO_3<2.5\%$

熟料中 $MgO<5.0\%$

它具有良好的抗硫酸盐侵蚀和抗冻融及干湿循环破坏能力，适用于有硫酸盐侵蚀、经常遭受冻融和干湿循环的工程以及构件。

4. 快硬铁铝酸盐水泥，执行标准 JC435—91

（1）适用范围：适用于快硬早强、耐腐蚀、负温施工、海工、道路等特殊工程及一般建筑工程用快硬铁铝酸盐水泥。

（2）定义：以适当成分的生料，经煅烧所得的铁相、无水硫铝酸钙和硅酸二钙为主要矿物成分的熟料，加入适量石灰石❷ 和石膏，磨细制成的早期强度高的水硬性胶凝材料。

（3）标号：以 3 d 抗压强度表示，分 425、525 两个标号。

（4）技术要求：

1）比表面积≥380 m²/kg

2）凝结时间❸初凝≥25 min

终凝≤3 h

3）游离氧化钙≤0.4%

凡品质指标中比表面积、凝结时间中任何一项不符合以上要求或强度低于商品标号规

---

❶ 用户要求变动时，可与生产厂协商。

❷ 石灰石掺量不得超过 20%。

❸ 用户要求凝结时间变动时，可与生产厂协商。

定的指标时，该水泥为不合格品。

水泥中游离氧化钙不符合要求时为废品。

在采用快硬水泥生产电杆时，应注意凝结时间的影响，由于快硬水泥凝结快，因此要保证混凝土的拌合、浇注、离心在初凝前完成，必须在工艺上采取一定的措施，否则，易产生质量问题。

采用快硬水泥生产的电杆，由于水泥的快速硬化，在保证同等强度条件下，蒸养时间大大缩短，且蒸养温度降低，可节省大量能源，加快钢模周转，提高产量。

四、常用水泥的技术要求

（一）水泥的各项技术要求

水泥的各项技术要求详见表1-2所示。

表 1-2 各种水泥的技术要求

水 泥 品 种	代 号	SO₃	MgO	烧 失 量	安 定 性
硅酸盐水泥	P·Ⅰ P·Ⅱ	≤3.5%	水泥中 MgO≤5%	P·Ⅰ≤3% P·Ⅱ≤3.5%	沸煮法检验合格
普通硅酸盐水泥	P·O	≤3.5%	水泥中 MgO≤5%	≤5%	沸煮法检验合格
矿渣硅酸盐水泥	P·S	≤4.0%	熟料中 MgO≤5%		沸煮法检验合格
快硬硅酸盐水泥		≤4.0%	熟料中 MgO≤5%		沸煮法检验合格
抗硫酸盐硅酸盐水泥		≤2.5%	水泥中 MgO≤5%	≤1.5%	沸煮法检验合格

水 泥 品 种	凝结时间		细 度	其 他	标 准
	初 凝	终 凝			
硅酸盐水泥	≥45 min	≤6.5 h	比表面积>300 m²/kg	不溶物含量 P·Ⅰ≤0.75% P·Ⅱ≤1.5%	GB175—92
普通硅酸盐水泥	≥45 min	≤10 h	80 μm 方孔筛筛余≤10%		GB175—92
矿渣硅酸盐水泥	≥45 min	≤10 h	80 μm 方孔筛筛余≤10%		GB1344—92
快硬硅酸盐水泥	≥45 min	≤10 h	80 μm 方孔筛筛余≤10%		GB199—90
抗硫酸盐硅酸盐水泥	≥45 min	≤12 h	80 μm 方孔筛筛余≤10%	熟料中 f−CaO ≤1%	GB748—92

注　1. 上表中 MgO 含量要求若经水泥压蒸安定性试验合格后允许放宽。
　　①对硅酸盐水泥及普通硅酸盐水泥：水泥中 MgO 允许放宽到≤6.0%；
　　②对矿渣硅酸盐水泥：熟料中 MgO 允许放宽到≤7%。
　　2. 碱含量要求详见标准要求。

1. 细度

细度是指水泥颗粒的磨细程度。

水泥颗粒的细度对水泥的安定性、需水量、凝结时间及强度有较大影响。水泥颗粒粒径愈细，与水起反应的表面积愈大，因而水化较快而且较完全，其早期强度和后期强度都较高，但在空气中的硬化收缩性也较大，而且粉磨能量消耗大，成本高。如果水泥颗粒过粗则不利于水泥活性的发挥。一般认为水泥颗粒粒径小于 $40~\mu m$ 时，才具有较高的活性。硅酸盐水泥细度采用透气式比表面积仪检验，要求比表面积$\geqslant 300~m^2/kg$，其他水泥采用筛析法检验，要求在 $80~\mu m$ 标准筛上筛余量$\leqslant 10\%$。

2. 凝结时间

凝结时间分初凝和终凝，初凝为从水泥加水拌合至标准稠度净浆开始失去可塑性所经历的时间；终凝为从水泥加水拌合至水泥浆完全失去可塑性并开始产生强度的时间。

水泥的凝结时间与水泥的品种、混合材料掺量有关；高强快硬水泥的凝结时间短，而混合材料掺量大的水泥凝结时间长。为了使混凝土搅拌后，有充分的时间进行运输、浇捣、合模、张拉、离心等工序，并要求在初凝前完成，因此，水泥初凝时间不能过短。而这些工序完成后，则要求尽快硬化，产生强度，故要求终凝时间不能太长。

由于电杆生产与工程施工不同，从混凝土搅拌开始至完成离心过程，中间时间较长，而离心完成之后又要马上进行蒸养，可见，水泥的凝结时间对电杆生产意义重大。根据电杆生产工艺特点及要求，选择水泥初凝时间大于 $1~h$，终凝时间在 $2\sim 3~h$ 比较合适。水泥的凝结时间与水泥品种、混合材料掺量大小有关；一般说来，掺混合材料的水泥凝结时间较长，此外，细度小（即颗粒粒径大）的水泥凝结时间也较长。温度升高，水泥水化加速，凝结时间缩短，所以在炎热季节或高温条件进行生产时，须注意水泥的凝结时间，尤其是初凝时间要更长一些较合适。

3. 体积安定性

体积安定性不良是指已硬化的水泥石产生不均匀的体积变化现象，它会使电杆产生膨胀裂缝，使电杆变成废品。

引起体积安定性不良主要是由于熟料中所含的游离氧化钙（f-CaO）、游离氧化镁（f-MgO）或掺入的石膏过多等原因造成的。

由于熟料烧成工艺上的原因，f-CaO 是显过烧状态，水化活性降低，其水化反应是在水泥硬化后才进行的；该水化反应固相体积膨胀 97%，引起不均匀的体积变化导致水泥石开裂。而 f-MgO 形成结晶方镁石，其结晶结构致密，水化比 f-CaO 更为缓慢，要几个月甚至几年才明显水化，因此，它在后期水化反应后形成氢氧化镁也产生体积膨胀，导致混凝土开裂。石膏是作为调凝剂或作为混合材料的活性激发剂，而石膏掺量过多时，在水泥硬化后还会继续与固态水化铝酸钙反应生成高硫型硫铝酸钙，体积约增大 1.5 倍，也会引起水泥石开裂。

国家标准规定用沸煮法检验水泥体积安定性（其原理是沸煮加速 f-CaO 水化），并且对 f-MgO、SO_3 含量作出了限制，（因 f-MgO 比 f-CaO 水化更加缓慢，若经压蒸试验安定性合格后其含量可允许放宽）。当水泥安定性不合格时，应作为废品处理，不能用于电杆生产中。

此外，生产中应尽量采用回转窑生产的水泥，立窑生产的水泥因设备及煅烧上的原因，如生料、熟料均化不充分，煅烧不均匀等，水泥质量波动性较大，且安定性较难保证。

4. 标号、强度

水泥强度是决定能否在电杆生产上使用的一项重要技术指标，必须根据生产要求选择合适的强度（水泥标号）。水泥强度取决于水泥品种及其熟料中的矿物成份和细度。

5. 其他各项技术要求

其他各项技术要求还有如水化热、烧失量、氧化镁、三氧化硫（SO_3）、碱含量、不溶物（指硅酸盐水泥）等等。

（1）水化热。水泥水化反应过程放出的热，对大体积混凝土是有害的，因热量积蓄在内部，造成内外温差，形成不均匀应力导致开裂，而对冬季混凝土施工则是有利的，因水化热促进水泥水化进程。水泥的水化放热量、放热速率与水泥矿物组成、细度、混合材料种类、掺量等有关，水泥各种组成矿物的水化热及放热速率比较如下：

$$C_3A > C_3S > C_4AF > C_2S$$

水泥细度愈细，水化反应越快，水化放热速率亦增大。掺混合材料会降低水化热和放热速率。对硅酸盐水泥，水化 3 d 龄期内水化放热量大约为总放热量的 50%，7 d 龄期内为 75%，3 个月可达 90%。因此，水泥的水化放热量大部分在 3 d～7 d 内放出，以后逐渐减少。

（2）不溶物。水泥中的不溶物来自熟料中未掺与矿物形成反应的粘土和结晶 SiO_2，是煅烧不均匀、化学反应不完全的标志。对回转窑 $<0.5\%$，立窑 $<1.0\%$。

（3）烧失量。其大小在一定程度上反映熟料烧成质量，同时也反映了混合材料掺量是否适当，以及水泥风化的情况。而矿渣水泥中的烧失量则反应上述情况，故标准中不作规定。

（4）氧化镁。熟料中氧化镁含量偏高是导致水泥长期安定性不良的因素之一。但熟料中氧化镁以两种形式存在：一种是固溶于各种熟料矿物和玻璃体中（不引起安定性不良）；一种是以结晶方镁石形式存在（对安定性有害）。

（5）三氧化硫。水泥中的 SO_3 主要来自石膏，过量将造成水泥体积安定性不良。国标通过限制 SO_3 含量控制石膏掺量。

（6）碱含量。若水泥中碱含量高，当选用含有活性 SiO_2 的骨料配制混凝土时，会产生碱骨料反应，严重时会导致混凝土不均匀膨胀破坏。标准规定：水泥中碱含量按 $Na_2O + 0.658K_2O$ 计算值表示，若使用活性骨料，用户要求提供低碱水泥时，则水泥中碱含量应不大于 0.60% 或由双方商定。

（二）关于废品与不合格品的规定

1. 废品水泥

凡氧化镁、三氧化硫、初凝时间、安定性中任一项不符合标准规定的水泥均为废品水泥。

2. 不合格品水泥

凡细度、终凝时间（硅酸盐水泥还包括不溶物和烧失量，普硅水泥包括烧失量）中的任一项不符合标准规定或混合材料掺加量超过最大限量以及强度低于商品标号规定的指标时的水泥称为不合格品水泥，水泥包装标志中水泥品种、标号、工厂名称和出厂编号不全的也属于不合格品水泥。

五、硅酸盐水泥的生产工艺流程

硅酸盐水泥的生产工艺流程见图 1-6。

生料在煅烧过程中，分解出氧化钙、氧化硅、氧化铝、氧化铁，在更高温度下，氧化钙与氧化硅、氧化铝、氧化铁相结合，形成以硅酸钙为主要成份的熟料矿物。整个水泥生产工艺过程可概括为"两磨一烧"，硅酸盐水泥熟料主要矿物成分见表 1-3。

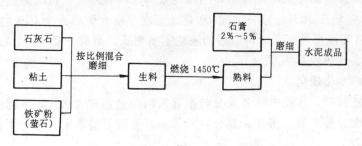

图 1-6 硅酸盐水泥的生产工艺流程

六、熟料矿物在水泥石强度发展过程中所起的作用

水泥是几种熟料矿物的混合物，改变熟料矿物成分间的比例，水泥的性质即发生相应的变化，例如，提高 C_3S 的含量，可以制得高强度水泥；降低 C_3A、C_3S 的含量，提高 C_2S 的含量，可制得水化热低的水泥。

表 1-3　硅酸盐水泥熟料矿物成分

矿物分子式	简　写	含　量	矿物名称
$3CaO \cdot SiO_2$	C_3S	37%～60%	硅酸三钙
$2CaO \cdot SiO_2$	C_2S	15%～37%	硅酸二钙
$3CaO \cdot Al_2O_3$	C_3A	7%～15%	铝酸三钙
$4CaO \cdot Al_2O_3 \cdot Fe_2O_3$	C_4AF	10%～18%	铁铝酸四钙

硅酸盐水泥中主要矿物成份及含量见表 1-3 所示。其中 C_3S、C_2S 含量较大，强度也主要与 C_3S、C_2S 有关，C_3S 在 28 d 以内对水泥石强度起决定性作用。C_2S 在 28 d 以后才发挥其强度作用，大约经过一年，与 C_3S 对水泥石强度发挥相等的作用；而 C_3A、C_4AF 含量较少，它们除了对水泥早期强度有一些有利影响外，还可能对水泥最终强度有负的影响。C_3A 在 1～3 d 或稍长的时间内，对水泥石强度起有益的作用，但以后可能使水泥石强度降低。C_3S 含量高，早期强度高，反之，早期强度低，但 C_2S 含量高的水泥，强度会随龄期不断增长而增长。

含混合材料的硅酸盐水泥，它们早期强度比硅酸盐水泥低，但在潮湿环境中后期强度的增长较大，它们抗硫酸盐侵蚀和抗水浸析性能均优于硅酸盐水泥。

七、硅酸盐水泥熟料主要矿物特性

硅酸盐水泥熟料主要矿物特性见表 1-4 所示：

(1) C_3S 是熟料主要矿物，通常含量为 50% 左右，水化较快，粒径为 40～50 μm 的 C_3S 颗粒水化 28 d，其水化程度可达 70% 左右，所以强度发展快，早期强度高，且强度增进率大，28 d 强度可达 1 年强度的 70%～80%。就 28 d 或一年的强度来说，在四种矿物中最高，C_3S 水化凝结时间正常，水化热较高。

(2) C_2S 在熟料中主要以 $\beta—C_2S$ 存在，其含量一般为 20% 左右。$\beta—C_2S$ 水化较慢，28 d 仅水化 20% 左右，凝结硬化缓慢，早期强度较低，但 28 d 以后强度仍能较快增长，在一年后可以超过 C_3S，水化热较小。

(3) C_3A 含量在 7%～15% 之间，水化迅速，放热量大，凝结很快，如不加石膏作缓凝剂，易使水泥急凝。硬化快，强度在 3 d 之内就已大部分发挥，故早期强度较高，以后

表 1-4　熟料矿物的基本特性

矿物	强度		28 d 水化热	耐化学侵蚀性	干缩	凝结硬化速度
	早期	后期				
C_3S	高	高	多	中	中	快
C_2S	低	高	少	良	小	慢
C_3A	高	低	最多	差	大	最快
C_4AF	低	低	中	优	小	快

几乎不再增长，甚至倒缩。C_3A 含量高的水泥浆体干缩变形大，抗硫酸盐侵蚀性能差。

（4）C_4AF 含量在 $10\%\sim18\%$ 之间，水化速度在早期介于 C_3A 和 C_3S 之间，但随后的发展不如 C_3S。它的强度类似 C_3A，但后期还能不断增长，类似于 C_2S。C_4AF 的抗硫酸盐侵蚀性能较好，水化热较 C_3A 低。

八、水泥的水化硬化

水泥与水接触时，水泥中的各成分与水起反应的过程称为水化，水泥的水化反应受水泥的组成、细度、加水量、湿度、混合材料等一系列因素的影响。水泥水化过程是一个凝结和硬化的过程。

凝结：水泥加水拌合后，成为可塑性的水泥浆，随着水化反应的进行水泥浆逐渐变稠失去塑性，但尚不具有强度的过程。

硬化：产生明显的强度并逐渐发展而成为坚硬的人造石（水泥石）的过程。

（一）硅酸盐水泥的水化硬化

$$2C_3S+6H_2O \longrightarrow 3CaO \cdot 2SiO_2 \cdot 3H_2O+3Ca(OH)_2$$
水化硅酸钙凝胶　氢氧化钙晶体
$$2C_2S+4H_2O \longrightarrow 3CaO \cdot 2SiO_2 \cdot 3H_2O+Ca(OH)_2$$
$$3C_3A+6H_2O \longrightarrow 3CaO \cdot Al_2O_3 \cdot 6H_2O \quad 水化铝酸三钙晶体$$
$$C_4AF+7H_2O \longrightarrow 3CaO \cdot Al_2O_3 \cdot 6H_2O+CaO \cdot Fe_2O_3 \cdot H_2O \quad 水化铁酸钙凝胶$$
二水石膏+$C_3A \longrightarrow 3CaO \cdot Al_2O_3 \cdot 3CaSO_4 \cdot 31H_2O$（AFt）高硫型水化硫铝酸钙针状晶体（钙矾石）
$$\longrightarrow 3CaO \cdot Al_2O_3 \cdot CaSO_4 \cdot 12H_2O（AFm）低硫型水化硫铝酸钙晶体$$

硅酸盐水泥与水作用后，生成的主要水化物有：水化硅酸钙、水化铁酸钙凝胶、氢氧化钙、水化铝酸钙、水化硫铝酸钙晶体，在完全水化的水泥石中，水化硅酸钙凝胶（C—S—H）占 70%，氢氧化钙占 20%，钙矾石和单硫型水化硫铝酸钙约占 7%。水泥石结构是由未水化的水泥颗粒、水化产物以及孔隙组成，水化产物晶体共生和交错，形成结晶网络结构，在水泥石中起重要的骨架作用，水化硅酸钙凝胶填充于其中。水化硅酸钙凝胶比表面积很大，表面能高，相互间受到分子间的引力作用，相互接触而发展了水泥石的强度。因此，随着水化龄期的推移，水化硅酸钙生成量增加，有助于水泥石强度增长。

水泥石的强度与其他多孔材料一样，取决于内部孔隙的数量，这类影响强度的孔隙，是指拌合水泥浆时形成的气孔及不参与水化反应的自由水所形成的毛细孔，但不包括极为微小的凝胶孔。一般水泥浆的孔隙率与其水灰比成正比，并随水化龄期推移而降低。因此，降低水灰比，可提高水泥石强度，并且水泥石强度随水化龄期推移而增强。

硅酸盐水泥比普通水泥标号较高，可用于配制高强混凝土和预应力混凝土。因为水泥凝结硬化较快，抗冻性好，适用于早期强度高、凝结快以及有抗冻融要求和冬季施工的工程或构件，由于水泥石中 $Ca(OH)_2$ 含量较高，因此，抗淡水、海水侵蚀和抗硫酸盐侵蚀能力差。

（二）矿渣水泥的水化硬化

矿渣水泥水化过程与硅酸盐水泥基本上是一致的，所不同的是，粒化高炉矿渣在 $Ca(OH)_2$ 存在条件下，能激发其潜在的水硬性能，由于 $Ca(OH)_2$ 使矿渣玻璃体中的活性 SiO_2 和活性 Al_2O_3 进入溶液，并与之形成水化硅酸钙、水化铝酸钙。水泥中所含的石膏则为矿渣的硫酸盐激发剂，与矿渣作用生成水化硫铝（铁）酸钙，此外，还可能生成水化铝硅酸钙等水化产物。在高温条件下，加速了这种反应过程，故此，矿渣水泥特别能适应于蒸养，但矿渣水泥保水性差，且由于熟料含量少，而且混合材料在常温下水化反应比较缓慢，凝结硬化慢，因此早期强度偏低。但在硬化后期（28 d 以后）由于水化产物增多，使水泥石强度不断增长，最后甚至超过同标号的普通水泥。

与硅酸盐水泥相比，矿渣水泥的水化产物碱度要低一些，水化产物中的 $Ca(OH)_2$ 含量相对较少，其水化后主要成份是水化硅酸钙和钙矾石，而且水化硅酸钙凝胶结构比硅酸盐水泥石中的更为致密。矿渣水泥水化硬化过程对环境温度、湿度条件较为敏感，为保证矿渣水泥强度稳步增长，需要较长时间的养护，采用蒸汽养护可显著提高硬化速度，且不影响后期强度的增长。另外，矿渣水泥抗碳化能力差，但抗淡水、海水和硫酸盐侵蚀能力较强。

由于矿渣水泥混合材料掺量较多，其标准稠度用水量较大，但保持水分的能力较差，泌水性较大，容易使水泥石内部形成毛细管通道或粗大孔隙，且养护不当易产生裂纹。因此矿渣水泥的抗冻性、抗渗性和抵抗干湿交替循环性能均不及硅酸盐水泥和普通水泥。

九、水泥的标号强度

1. 几种水泥标号的划分

（1）硅酸盐水泥：分 425R、525、525R、625、625R、725R 六个标号。

（2）普通水泥：分 325、425、425R、525、525R、625、625R 七个标号。

（3）矿渣水泥：分 275、325、425、425R、525、525R、625R 七个标号。

（4）抗硫酸盐水泥：分 325、425、525 三个标号。

（5）快硬硅酸盐水泥：分 325、375、425 三个标号。

（6）快硬铁铝酸盐水泥：分 425、525 两个标号。

（7）快硬硫铝酸盐水泥：分 425、525、625 三个标号。

2. 水泥强度的发展

（1）水泥的强度是随硬化龄期的增加而逐渐增长的，而且，早期增长快，往后逐渐减缓。因此水泥的强度以几个规定龄期（3 d、7 d 和 28 d）的数值为准。水泥强度是评价水泥质量的重要指标，同时也是设计混凝土强度时的依据。水泥强度检验是根据 GB177—85《水泥胶砂强度检验方法》规定，将水泥和标准砂按 1∶2.5 比例混合，加入规定数量的水，按规定的方法制成 4 cm×4 cm×16 cm 试件，在标准养护条件下养护到规定龄期测其抗压强度与抗折强度，水泥各龄期强度值见表 1-5、表 1-6。

（2）水泥强度的发展和环境湿度和温度条件有关。水的存在是水泥能够硬化所必不可少的条件，没有水，硬化也就停止。所以保持潮湿状态，以便获得和发展其强度，此外，保证一定的环境温度，一般提高温度时，水泥水化反应和物理化学变化加速，水泥强度增长加快。相反，降低温度、硬化相应减慢，当温度降到其中水分结冰时，硬化作用即停止，而且有遭受冻裂的可能。因此，必须注意养护，以使水泥在足够的温度和湿度环境中进行硬化而增长强度。

（3）水泥在储存与运输时应防止受潮。水泥受潮后，因表面水化而结块，丧失胶凝能力，强度大为降低。而且，即使在良好的储存条件下，也不可储存过久，因为水泥会吸收空气中的水分和二氧化碳，缓慢地水化和碳化，故储存过久的水泥使用之前应重新检验其实际强度。

表 1-5　硅酸盐水泥、普通水泥、矿渣
水泥各龄期强度值

品　种	标　号	抗压强度（MPa）		抗折强度（MPa）	
		3 d	28 d	3 d	28 d
硅酸盐水泥	425R	22.0	42.5	4.0	6.0
	525	23.0	52.5	4.0	7.0
	525R	27.0	52.5	5.0	7.0
	625	28.0	62.5	5.0	8.0
	625R	32.0	62.5	5.5	8.0
	725R	37.0	72.5	6.0	8.5
普通水泥	425	16.0	42.5	3.5	6.5
	425R	21.0	42.5	4.0	6.5
	525	22.0	52.5	4.0	7.0
	525R	26.0	52.5	5.0	7.0
	625	27.0	62.5	5.0	8.0
	625R	31.0	62.5	5.5	8.0
矿渣水泥	425R	19.0	42.5	4.0	6.5
	525	21.0	52.5	4.0	7.0
	525R	23.0	52.5	4.5	7.0
	625R	28.0	62.5	5.0	8.0

表 1-6　　特种水泥各龄期强度值

品　种	标　号	抗压强度（MPa）			抗折强度（MPa）		
		3 d	7 d	28 d	3 d	7 d	28 d
抗硫酸盐水泥	425	16.0	24.5	42.5	3.5	4.5	6.5
	525	21.0	31.5	52.5	4.0	5.5	7.0
	龄期	1 d	3 d	28 d	1 d	3 d	28 d
快硬铁铝酸盐水泥	425	34.5	42.5	49.0	5.9	6.4	6.9
	525	44.0	52.5	59.0	6.9	7.4	7.8
	龄期	12 h	1 d	3 d	12 h	1 d	3 d
快硬硫铝酸盐水泥	425	30.0	35.0	42.5	6.0	6.5	7.0
	525	37.5	45.0	52.5	6.5	7.0	7.5
	625	40.0	52.5	62.5	7.0	7.5	8.0
快硬硅酸盐水泥	龄期	1 d	3 d		1 d	3 d	
	425	19.0	42.5		4.5	6.4	

十、水泥品种的选择

选择水泥时应根据混凝土使用要求，考虑以下几项水泥技术条件：

（1）水泥标号。

（2）各种温、湿度条件下，水泥早期和后期强度发展规律。

（3）在混凝土的使用环境中，水泥的稳定性。

（4）各种水泥的其他特殊性能。

在电杆生产中，宜采用标准要求的水泥品种及标号配制混凝土。常用的水泥在不同环境条件下的选择情况可参考表1-7、表1-8。

表 1-7　　常用水泥的选用

混凝土工程特点或所处环境条件		优　先　选　用	可　以　使　用	不　得　使　用
普通混凝土	在普通气候环境中的混凝土	普通硅酸盐水泥	矿渣硅酸盐水泥、火山灰质硅酸盐水泥、粉煤灰硅酸盐水泥、复合硅酸盐水泥、硅酸盐水泥	
	在干燥环境中的混凝土	普通硅酸盐水泥	矿渣硅酸盐水泥、硅酸盐水泥、复合硅酸盐水泥	火山灰质硅酸盐水泥、粉煤灰硅酸盐水泥
	在高湿度环境中或永远处在水下的混凝土	矿渣硅酸盐水泥	普通硅酸盐水泥、硅酸盐水泥、火山灰质硅酸盐水泥、粉煤灰硅酸盐水泥、复合硅酸盐水泥	
	厚大体积的混凝土	粉煤灰硅酸盐水泥、矿渣硅酸盐水泥、火山灰质硅酸盐水泥、复合硅酸盐水泥	普通硅酸盐水泥	硅酸盐水泥、快硬硅酸盐水泥

混凝土工程特点或所处环境条件		优 先 选 用	可 以 使 用	不 得 使 用
有特殊要求的混凝土	要求快硬的混凝土	快硬硅酸盐水泥、硅酸盐水泥	普通硅酸盐水泥	矿渣硅酸盐水泥、火山灰质硅酸盐水泥、粉煤灰硅酸盐水泥、复合硅酸盐水泥
	高强（大于C40）的混凝土	硅酸盐水泥	普通硅酸盐水泥、矿渣硅酸盐水泥、复合硅酸盐水泥	火山灰质硅酸盐水泥、粉煤灰硅酸盐水泥
	严寒地区的露天混凝土、寒冷地区的处在水位升降范围内的混凝土	普通硅酸盐水泥（标号≥325号）	矿渣硅酸盐水泥（标号≥325号）复合硅酸盐水泥（标号≥425号）	火山灰质硅酸盐水泥、粉煤灰硅酸盐水泥
	严寒地区处在水位升降范围内的混凝土	普通硅酸盐水泥（标号≥425号）		火山灰质硅酸盐水泥、矿渣硅酸盐水泥、粉煤灰硅酸盐水泥、复合硅酸盐水泥
	有抗渗性要求的混凝土	普通硅酸盐水泥、火山灰质硅酸盐水泥	复合硅酸盐水泥硅酸盐水泥	矿渣硅酸盐水泥
	有耐磨性要求的混凝土	硅酸盐水泥、普通硅酸盐水泥（标号≥325号）	矿渣硅酸盐水泥（标号≥325）、复合硅酸盐水泥（标号≥425）	火山灰质硅酸盐水泥、粉煤灰硅酸盐水泥

注 蒸汽养护时用的水泥品种，宜选择普通水泥、硅酸盐水泥、矿渣水泥或快硬硅酸盐水泥等。具体条件通过试验确定。

表 1-8　　　　　　　　　　**常用水泥的特性及适用范围**

项目	硅酸盐水泥	普 通 水 泥	矿 渣 水 泥	火山灰水泥	粉煤灰水泥
标号	425R、525 525R、625 625R、725R	325、425、425R 525、525R 625、625R	275、325、425 425R、525、525R 625R	275、325、425 425R、525、525R 625R	275、325、425 425R、525、525R 625R
密度 (g/cm³)	3.0～3.15	3.0～3.15	2.9～3.1	2.8～3.0	2.8～3.0
主要特征	1. 快硬早强 2. 水化热较高 3. 耐冻性好 4. 耐热性较差 5. 耐腐蚀性较差	1. 早强 2. 水化热较高 3. 耐冻性较好 4. 耐热性较差 5. 耐腐蚀性较差 6. 耐水性较差	1. 早期强度低，后期强度增长较快 2. 水化热较低 3. 耐热性好 4. 对硫酸盐类侵蚀的抵抗和抗水性较好 5. 抗冻性较差 6. 干缩性较大，易泌水 7. 抗渗性较好	1. 早期强度低，后期强度增长较快 2. 水化热较低 3. 耐热性差 4. 对硫酸盐类侵蚀的抵抗和抗水性较好 5. 抗冻性较差 6. 干缩性较大，不易泌水	1. 早期强度低，后期强度增长较快 2. 水化热较低 3. 耐热性较差 4. 对硫酸盐类侵蚀的抵抗和抗水性较好 5. 抗冻性较差 6. 干缩性较小，不易泌水 7. 抗碳化能力较差

项目	硅酸盐水泥	普通水泥	矿渣水泥	火山灰水泥	粉煤灰水泥
适用范围	适用快硬早强的工程、配制高标号混凝土、预应力构件和下工程的喷射里衬等	适用于配制地上、地下及水中混凝土及预应力钢筋混凝土结构，包括受冻融循环的结构及早期强度要求高的工程配制建筑砂浆	1. 适用于大体积工程 2. 配制耐热混凝土（高温车间） 3. 适用于蒸汽养护的构件 4. 适用于一般地上、地下和水中的混凝土及钢筋混凝土结构 5. 有抗硫酸盐侵蚀要求的一般工程	1. 适用于大体积工程 2. 有抗渗要求的工程 3. 适用于蒸汽养护的工程构件 4. 可用于一般混凝土和钢筋混凝土工程 5. 有抗硫酸盐侵蚀要求的一般工程	1. 适用于地上、地下、水中及大体积混凝土工程 2. 适用于蒸汽养护的构件 3. 适用于一般混凝土工程 4. 有抗硫酸盐侵蚀要求的一般工程
不适用场合	1. 不宜用于大体积混凝土工程 2. 不宜用于受化学侵蚀水及压力水作用的结构物	1. 不适用于大体积混凝土工程 2. 不宜用于化学侵蚀水及压力水作用的结构物	1. 不适用于早期强度要求高的混凝土工程 2. 不适用于严寒地区并在水位升降范围内的混凝土工程 3. 不宜用于干燥环境的混凝土工程 4. 不宜用于耐磨性要求高的工程	1. 不适用于早期强度要求高的混凝土工程 2. 不宜用于严寒地区并在水位升降范围内的混凝土工程 3. 不宜用于有抗碳化要求的工程 4. 不适用于干燥环境的工程	1. 不适用于早期强度要求高的混凝土工程 2. 不适用于严寒地区并在水位升降范围内混凝土工程 3. 不适用于有抗碳化要求的工程 4. 不适用于干燥环境的工程 5. 不适用于有耐磨性要求的工程

水泥标号的选择，应与混凝土的设计标号相适应。一般情况下，水泥标号应为混凝土标号的 1.5～2.0 倍，配制高标号混凝土时，水泥标号应为混凝土标号的 0.9～1.5 倍。预应力钢筋混凝土用水泥标号不得低于 425 号。配制低标号混凝土时，最好选用低标号水泥。在缺乏低标号水泥的情况下，可在高标号水泥中加入适当数量的活性掺合料。

混凝土强度等级与水泥标号的关系见表 1-9。

十一、水泥进场验收与保管

（1）水泥进场时，必须有出厂合格证或进场试验报告，并应对其品种、标号、包装（或散装仓号）、出厂日期等进行检查验收。

（2）入库的水泥应按品种、标号、出厂日期分别堆放，并树立标志。做到先到先用，并防止混掺使用。

表 1-9　混凝土强度等级与水泥标号的关系

混凝土强度等级	水泥标号
C30	325～525
C40	425～525
C50	525～625

（3）为防止水泥受潮，现场仓库应尽量密闭，严防漏雨，地面能防潮，包装水泥存放时水泥袋不能直接堆放于地面上，应垫起离地约 30 cm，离墙亦应在 30 cm 以上。堆放高度一般不要超过 10 包，临时露天暂存的水泥也应用雨蓬布盖严，底板要垫高，并采取防潮措施，

一般可用油纸、油毡或油布铺垫。

（4）水泥贮存时间不宜过长，以免结块降低强度。常用水泥在正常环境中存放 3 个月，强度将降低 10%～20%；存放 6 个月，强度将降低 15%～30%。因此，水泥存放时间按出厂日期超过 3 个月（快硬硅酸盐水泥超过 1 个月）时，应视为过期水泥，使用时应复查试验，并按其试验结果使用。

（5）受潮水泥经鉴定后，在使用前应将结成的硬块筛除。凡受潮过期的水泥不应用于强度等级高的混凝土，受潮后水泥处理办法见表 1-10。

表 1-10　　　　　　　　　　　　受潮水泥的适用场合及处理方法

受 潮 程 度	适 用 场 合	处 理 方 法
新鲜、毫无结块现象（烧失量＜5%）	可按原标号使用	
有松块、可捏成粉，并无硬块存在（烧失量 4%～6%）	次要结构或混凝土强度较原来小 15%～20%者	用铲在拌板上压成粉末，然后拌合
部分结成硬块（烧火失量 6%～8%）	不重要或受力小的部分，如砂浆、地坪或强度较原来小 50%以上的混凝土工程	用筛筛去硬块，用铲压碎硬块
硬块（烧失量＞8%）	不能直接使用	粉碎后可以掺入新鲜水泥中使用，但掺量最高 25%，并须经试验后应用

第三节　钢　　材

一、分类

（一）根据冶炼方法划分

钢材冶炼是以铁水或生铁作为主要原料，在转炉、平炉或电炉中冶炼，因此根据冶炼方法可划分为以下几种。

1. 转炉钢（空气转炉钢和氧气转炉钢）

空气转炉钢特点：将高压热空气由侧面或底部吹入转炉内的铁液中，氧化铁液中的碳和杂质（P、S 等）并将其除去。由于冶炼时间短以及吹入的空气含有有害气体，因此不易准确控制成分，钢的质量较差。

氧气转炉钢特点：将高压纯氧从转炉顶部吹入，迅速氧化铁液中的碳和杂质（P、S 等），并将其除去。冶炼时间短，杂质含量少，质量好。用此法可生产优质碳素钢和合金钢。

转炉法不用燃料，成本低、速度快。

2. 平炉钢

特点：以铁液或固体生铁、废钢铁和适量的铁矿石为原料，以煤气或重油为燃料，靠废钢铁、铁矿石中的氧或空气中的氧（或吹入的氧气）使杂质氧化而被除去。冶炼时间长，易调整和控制成分，杂质少，质量好。可生产优质碳素钢和合金钢或有特殊要求的钢材。但投资大，成本高。

3. 电炉钢

特点：产量低、质量好，但成本高。可生产优质碳素钢及特殊合金钢。

（二）根据脱氧程度划分

由于炼钢过程中，为保证杂质的氧化，要加入足量的氧，在钢液中会留有一些氧。如果氧含量超出 0.05%，会严重降低钢的机械性能。故在钢液中加入脱氧剂：锰铁、硅铁、铝等进行脱氧。这三种脱氧剂的脱氧程度及效果不同，根据脱氧程度可分为：

1. 沸腾钢

特点：脱氧不完全，钢的质量差。钢中的碳和有害杂质（P、S 等）的偏析较严重，钢的致密程度较差，因此冲击韧性和可焊性差。

2. 半镇静钢

3. 镇静钢

4. 特殊镇静钢

镇静钢与特殊镇静钢特点：脱氧比较完全。

（三）根据轧制方法划分

冶炼好的钢水铸成钢锭以后用来轧制各种型材，根据轧制方法可分为热轧与冷轧。而建筑钢材主要经热轧而成。热轧能提高钢材的质量，消除了钢材中的气泡，细化晶粒。

（四）根据用途划分

1. 结构钢

2. 工具钢

3. 特殊性能钢

（五）根据钢材品质划分

主要对 P、S 等有害杂质的限制不同，其他杂质也有不同的限制。

1. 普通碳素钢

按碳含量不同分：

（1）低碳钢。含碳量小于 0.25%。

（2）中碳钢。含碳量 0.25%～0.6%。

（低碳钢与中碳钢称为普通碳素钢）

（3）高碳钢：含碳量大于 0.6%。

2. 优质碳素钢

3. 合金钢

按掺入合金元素（一种或多种）的总量划分：

（1）低合金钢。合金元素总含量小于 5%。

（2）中合金钢。合金元素总含量为 5%～10%。

（3）高合金钢。合金元素总含量大于 10%。

（六）根据钢材供应方式划分

（1）甲类钢。按机械性能供应的钢。

（2）乙类钢。按化学成份供应的钢。

甲类钢、乙类钢均为普通碳素钢。

（3）特类钢。按机械性能及化学成分供应的钢。

建筑上常用的钢材是普通碳素结构钢中的低碳钢及低合金结构钢。

建筑工程中常用的钢筋种类很多，可按机械性能、化学成分和外形来划分：

（1）按机械性能。热轧钢筋、热处理钢筋、冷加工钢筋。

1）热轧钢筋：按强度等级分Ⅰ、Ⅱ、Ⅲ、Ⅳ四个等级，其中Ⅰ级为光圆钢筋，Ⅱ～Ⅳ级为带肋钢筋。

2）热处理钢筋：按螺筋外形分为有纵肋与无纵肋两种。

3）冷加工钢筋：Ⅰ级热轧软钢经冷加工（冷拉、冷拔）而成。

（2）钢筋按外形分为圆钢和带肋钢两种，带肋钢筋又分为月牙肋和等高肋。钢筋直径在8 mm以下为盘条，10～14 mm为盘条或直筋，16 mm以上为直筋。

（3）此外，根据钢材强度硬度又可分为软钢（热轧软钢普通钢筋及其冷拉钢筋）与硬钢（冷拔低碳钢丝、高强钢丝、钢绞线等等）。在普通杆中，可选择Ⅰ至Ⅱ级钢及冷拉Ⅰ级钢。预应杆中，可选择冷拉Ⅱ级至Ⅳ级及冷拔低碳钢丝、高强钢丝、热处理钢筋等。

总之，在生产中，应根据钢材的不同性能、特点、不同用途以及工艺上的具体要求选用合适的钢材。

二、化学成分对钢材性能的影响

碳素钢中除了铁和碳元素之外，还含有硅、锰、磷、硫、氮、氧、氢等元素。它们的含量决定了钢材的质量和性能，尤其是某些元素为有害杂质（如磷、硫等），在冶炼时应通过控制和调节限制其含量，以保证钢的质量。

碳（C）——碳是影响钢材性能的主要元素之一，在碳素钢中随着含碳量的增加，其强度和硬度提高，塑性和韧性降低。当含碳量大于1%后，脆性增加，硬度增加，强度下降。含碳量大于0.3%时钢的可焊性显著降低。此外，含碳量增加，钢的冷脆性和时效敏感性增大，耐大气锈蚀性降低。含碳量对热轧碳素钢性质的影响见图1-7。

硅（Si）——硅含量在2%以内时，可提高钢的强度、疲劳极限、耐腐蚀性及抗氧化性，对塑性和韧性影响不大，但对可焊性和冷加工性能有所影响。硅可作为合金元素，用以提高合金钢的强度。

锰（Mn）——锰可提高钢材的强度、硬度及耐磨性，能消减硫和氧引起的热脆性，改善钢材的热加工性能。锰可作为合金元素，提高合金钢的强度。

磷（P）——磷是碳素钢中的有害杂质。常温下能提高钢的强度和硬度，但塑性和韧性显著下降，低温时更甚，即引起所谓"冷脆性"。磷可提高钢的耐磨性和耐腐蚀性能。

硫（S）——硫是碳素钢中的有害杂质。在焊接时，易产生脆裂现象，称为热脆性，显著降低可焊性，含硫过量还会降低钢的韧性、耐疲劳性等机械性能及耐腐蚀性能。

氧（O）——氧是碳素钢中的有害杂质。含氧量增加，使钢的机械强度、塑性和韧性降低，促进时效作用，还能使热脆性增加，焊接性能变差。

氮（N）——氮能使钢的强度提高，塑性特别是韧性显著下降，氮还会加剧钢的时效敏感性和冷脆性，使可焊性变差。在钢中氮若和铝或钛元素反应生成的化合物能使晶粒细化，可改善钢的性能。

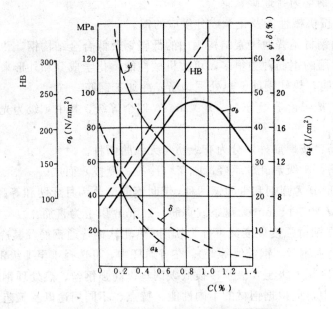

图 1-7 含碳量对热轧碳素钢性质的影响

σ_b—抗拉强度；a_K—冲击韧性；HB—硬度；δ—伸长率；

ψ—面积缩减率

三、钢的技术要求

1. 低碳钢热轧圆盘条（现行标准为 GB701—91）

适用于供拉丝、建筑等等用途的普通质量的低碳钢热轧圆盘条，它是以圆盘形式供货；该类钢材强度低，塑性好，可用于生产普通杆及拉丝用。

其分类代号：L——供拉丝，J——供建筑和其他用途。

（1）钢的牌号表示方法。钢的牌号由代表屈服点的字母、屈服点数值、质量等级符号、脱氧程度符号等四个部分按顺序组成。

标记示例：Q235A—A·F

（2）符号含义。

Q——钢材屈服点代号；

A、B、C、D——质量等级代号；

F——沸腾钢代号；

b——半镇静钢代号；

Z——镇静钢代号；

TZ——特殊镇静钢代号。

低碳钢热轧圆盘条的机械性能要求见表 1-11 所示。

2. 热轧钢筋

现行标准为 GB13013—91《钢筋混凝土用热轧光圆钢筋》、GB1499—91《钢筋混凝土用热轧带肋钢筋》，热轧钢筋按机械性能划分成四个等级，各个等级的钢筋应符合表 1-12 规定，Ⅰ级钢是采用 Q235 来轧制的，Ⅱ、Ⅲ级钢均是采用普通低合金钢轧制的，其力学性能和工艺性能见表 1-12 所示。

表 1-11   低碳钢热轧圆盘条的机械性能

牌 号	力 学 性 能 （MPa）		伸长率（%）	冷弯试验 $180°$ d＝弯心直径 a＝试样直径	备 注
	屈服强度 σ_s	抗拉强度 σ_b			
Q195		≤420	≥28	$d=a$	
Q215		≤420	≥26	$d=0.5a$	供拉丝用
Q235		≤470	≥22	$d=a$	
Q235	≥235	≥375	≥22	$d=a$	供建筑用

表 1-12   热轧钢筋的力学性能和工艺性能

表面形状	钢筋级别	强度等级代号	公称直径（mm）	屈服点 σ_s（MPa）	抗拉强度 σ_b（MPa）	伸长率（%）	冷弯 d—弯心直径 a—钢筋公称直径
				不 小 于			
光 圆	I	R235	8～20	235	370	25	$180°d=a$
月牙肋	II	RL335	8～25	335	510	16	$180°d=3a$
			28～40		490		$180°d=4a$
月牙肋	III	RL400	8～25	400	570	14	$90°d=3a$
			28～50				$90°d=4a$
等高肋	IV	RL540	10～25	540	835	10	$90°d=5a$
			28～32				$90°d=6a$

钢筋混凝土用热轧带肋钢筋强度级别分 II、III、IV 级，强度代号分别为 RL335、RL400、RL540（RL590），表面形状有月牙肋和等高肋。

表 1-13   各级钢筋的钢材种类及主要用途

钢 筋 等 级	屈服强度（MPa）	抗拉强度（MPa）	钢 材 种 类	主 要 用 途
I	235	370	Q235	非预应力钢筋
II	335	510	20MnSi	非预应力及预应力钢筋
	335	490	20MnNb（b）	
20MnSiV III 25MnSi	400	570	20MnTi	非预应力及预应力钢筋
IV 45Si₂MnTi	540	835	40Si₂MnV45SiMnV	预应力钢筋

3. 冷拔低碳钢丝

冷拔低碳钢丝由直径 6.5～8 mm 的 Q235 热轧圆盘条，经多次冷拔而制成。

根据 GB50204—92《混凝土结构工程施工及验收规范》，冷拔低碳钢丝分为甲、乙两个级别。甲级钢丝用作预应力筋。乙级钢丝用作非预应力筋，如焊接网、焊接骨架、箍筋和构造钢筋。

甲级冷拔低碳钢丝应采用符合 II 级热轧钢筋标准的圆盘条拔制。

冷拔低碳钢丝的机械性能应符合表 1-14 的规定。

冷拔低碳钢丝加工方便，成本低，适用于中小型预应力构件，也可以用它绞捻成钢绞线。

表 1-14　冷拔低碳钢丝的机械性能

钢丝级别	直径(mm)	抗拉强度（MPa）		伸长率（%）标距100 mm	反复弯曲(180°)次数
		I组	II组		
		不　小　于			
甲级	5	650	600	3	4
	4	700	650	2.5	4
乙级	3～5	550		2	4

注　预应力冷拔低碳钢丝经机械调直后，强度标准值应降低 50 N/mm²。

4. 预应力混凝土用钢丝 执行标准 GB/T5223—1995，代替 GB5223—85

（1）适用范围。适用于预应力混凝土用光面或刻痕的冷拉或消除应力的高强度圆形钢丝。

（2）分类。按交货状态分为冷拉钢丝与消除应力钢丝两种；按外形分为光面钢丝与刻痕钢丝；按松弛性能分 I 级松弛、II 级松弛；代号分别为：冷拉钢丝 RCD，消除应力钢丝 S，消除应力刻痕 SI。

标记示例：

1）预应力钢丝 5.00—1570—S-I—GB/T5223—1995

表示：直径为 5.00 mm，抗拉强度为 1570 MPa，I 级松弛的消除应力钢丝。

2）预应力钢丝 5.00—1470—S-II—II—GB/T5223—1995

表示：直径为 5.00 mm，抗拉强度为 1470 MPa，II 级松弛的消除应力钢丝。

3）预应力钢筋 5.00—1570—RCD—GB/T5223—1995

表示：直径为 5.00 mm，抗拉强度为 1570 MPa，冷拉钢丝。

预应力混凝土用钢丝有碳素钢丝、刻痕钢丝和钢绞线，它们均是高强钢丝，碳素钢丝是用优质碳素结构钢经冷拔或再经回火等工艺处理而成。刻痕钢丝是由碳素钢经刻痕轧制而成，全部经低温回火成盘供应，刻痕的目的是增强与混凝土的握裹力，可减少混凝土裂缝。钢绞线由 7 根 2.5～5 mm 的高强碳素钢丝绞捻后消除内应力。机械性能见表 1-15。

表 1-15　预应力混凝土用钢丝机械性能

公称直径(mm)	抗拉强度 σ_b(MPa)	伸长率 l_0=100 mm	弯曲次数 180°	弯曲半径(mm)	钢丝种类
		不　小　于			
4.00	1470 1570		3	10	消除应力钢丝
5.00	1670 1770			15	
6.00	1570 1670	4	4	20	
7.00					
8.00	1470 1570			25	
9.00					
3.00	1470 1570	2	4	7.5	冷拉钢丝
4.00	1670			10	
5.00	1470 1570 1670	3	5	15	

公称直径 （mm）	抗拉强度 σ_b（MPa）	伸 长 率 $l_0=100$ mm	弯曲次数 180°	弯曲半径 （mm）	钢丝种类
		不 小 于			
≤5.00	1470 1570	4	3	15	刻痕钢丝
>5.00	1470 1570			20	

5. 钢筋混凝土用余热处理钢筋

执行标准：GB13014—91《钢筋混凝土用余热处理钢筋》。

余热处理钢筋：热轧后立即穿水，进行表面控制冷却，然后利用芯部余热自身完成回火处理所得的成品钢筋。

余热处理带肋钢筋的级别为Ⅲ级，强度等级代号为 KL400（其中 K 为"控制"的汉语拼音字母），钢牌号为 20MnSi，其力学性能与工艺性能同表 1-12 中的热轧Ⅲ级钢。

6. 预应力混凝土用热处理钢筋（执行标准：GB4463—84）

适用于预应力混凝土用经过热处理的螺纹钢筋，不适用于焊接和点焊用钢筋。按外形分为有纵肋与无纵肋两种，代号为 RB150，力学性能应符合表 1-16 的要求。

四、钢筋的质量控制

1）钢筋表面质量要求：不得有肉眼可见的裂纹、结疤、折叠，钢筋表面允许有凸块，对带肋钢筋，不得超过横肋的高度，对光圆钢筋，不得大于所在部位尺寸的允许偏差。钢筋表面允许有不影响使用的缺陷，缺陷的深度和高度不得大于所在部位的允许偏差。

当冷弯试验时，受弯曲部位外表面不得产生裂纹。

表 1-16 预应力混凝土用热处理钢筋力学性能

公称直径 （mm）	牌 号	屈服强度 $\sigma_{0.2}$	抗拉强度 δ_b	伸长率 δ_{10}
6	40Si$_2$Mn			
8.2	48Si$_2$Mn	≥1325	≥1470	≥6％
10	45Si$_2$Cr			

预应力混凝土用热处理钢筋加工中，不应受到切割火花或其他方式造成的局部加热影响。

2）电杆生产所采用的热轧钢筋、热处理钢筋、碳素钢丝、刻痕钢丝和钢铰线等的质量，应符合现行国家标准的规定。

3）钢筋应有出厂质量证明书或试验报告单，钢筋表面或每捆（盘）钢筋均应有标志。进场时应按炉罐（批）号及直径分批检验，检验内容包括查对标志、外观检查，并按现行国家有关标准的规定抽取试样，作力学性能试验，合格后方可使用。

钢筋在加工过程中，如发现脆断、焊接性能不良或力学性能显著不正常等现象，尚应根据现行国家标准对该批钢筋进行化学成份检验或其他专项检验。

4）钢筋在运输和储存时，不得损坏标志，并应按批分别堆放整齐，避免锈蚀或油污。

5）钢筋的级别、种类和直径应按设计要求采用。当需要代换时，应征得设计单位的同意，并应符合下列规定：①不同种类钢筋的代换，应按钢筋受拉承载力设计值相等；②当构件受抗裂、裂缝宽度或挠度控制时，钢筋代换后应进行抗裂、裂缝宽度、挠度验算。

6）钢筋的焊接：①热轧钢筋的对接焊接，可采用闪光对焊、电弧焊、电渣压力焊或气压焊。钢筋骨架和螺旋筋的交叉焊接宜采用电阻点焊；②当受力钢筋采用焊接接头时，设置在同一根杆中的焊接接头应相互错开；③冷拉钢筋的闪光焊或电弧焊，应在冷拉前进行，冷拔低碳钢丝不得焊接。

五、检验项目与检验方法

1. 检验项目

对进厂的钢筋除应检查其外观、尺寸外，并应按规定采取试样检验如下项目：

1）对热轧钢筋应检查其屈服点、抗拉强度和伸长率，并进行冷弯试验，必要时进行冲击韧性、反向弯曲试验以及化学成分检验；

2）对预应力混凝土用热处理钢筋应检验其屈服强度、抗拉强度和伸长率，必要时进行松弛试验和化学成分检验；

3）对碳素钢丝、冷拉钢丝及刻痕钢丝应检验其抗拉强度、屈服强度、伸长率和弯曲试验，必要时碳素钢丝和刻痕钢丝还应进行松弛试验。

4）对钢铰线应检验其破断负荷、屈服负荷和伸长率，必要时还应检验其松弛性能；

5）对冷拉钢筋应检验其屈服强度、检验强度和伸长率，并进行冷弯试验；

6）对冷拔低碳钢丝应检验其抗拉强度、伸长率及反复弯曲试验。

2. 检验方法

钢筋混凝土和预应力混凝土用的钢筋、钢丝、钢铰线的力学性能按下列标准有关规定进行检验：

1）GB228—87《金属拉伸试验法》；

2）GB232—88《金属弯曲试验法》。

当需要进行反弯试验或反复弯曲试验时，按以下标准的规定进行：

1）GB5029—85《钢筋平面反向弯曲试验方法》；

2）GB238—84《线材反复弯曲试验法》。

3. 取样数量及取样方法以及检验结果的处理

对进厂的钢筋检验试样应按批采取，其分批方法、试样采取方法以及检验结果处理如下：

（1）热轧钢筋。每批由同一牌号、同一炉罐号、同规格、同一交货状态的钢筋组成，重量不大于 60 t。热轧带肋钢筋的取样数量和取样方法见表 1-17。

如一批钢筋不能确切分清系由同一炉罐号、同一冶炼方法和浇注方法组成时，应逐捆采取试样进行检验。

表 1-17　热轧带肋钢筋的取样数量和取样方法

检 验 项 目	取样数量和取样方法
拉　　力	每批 2 个，任取两根钢筋切取
冷　　弯	每批 2 个，任取两根钢筋切取
反向弯曲	每批 1 个，任取一根钢筋切取

检验结果的处理：检验结果如有一项不符合标准要求，则从同批中再任取双倍数量的试样进行该不合格项目的复检，复检结果（包括该项试验所要求的任一指标）即使有一个指标不合格，则整批不得验收。

（2）热处理钢筋。每批由同一外形截面

尺寸、同一热处理制度和同一炉罐号的钢筋组成，每批重量不大于 60 t。

从每批钢筋中任取 10% 的盘数（不少于 25 盘），进行表面质量和尺寸偏差的检查；并从每盘钢筋的端部正常部位截取试样进行力学性能试验。

检验结果处理：检验结果如力学性能试验有一项不符合标准要求，则该盘不合格要求应报废。再从未试验过的钢筋中取双倍数量的试样进行复检，如仍有一项不符合要求，则该批判为不合格品。

当抽取 10% 的盘数进行外观质量和尺寸检查时，如检查结果不符合要求，则应将该批钢筋进行逐盘检查。

（3）钢丝。每批由同一钢号（优质钢丝按同一炉罐号及同一热处理炉次号）、同一形状尺寸、同一交货状态的钢丝组成。

从每批钢丝中任取 5% 的盘数（不少于 5 盘）进行形状尺寸和表面检查。如检查不合格，则应将该批钢丝逐盘检查。优质钢丝应逐盘检查。

从形状、尺寸检查合格的同批钢丝中任取 5%（优质钢丝任取 10%）（均不少于 3 盘），从每盘钢丝的端部正常部位截面截取试样进行力学性能试验。

检查结果处理：如力学性能试验有一项试验结果不符合标准要求，则该盘不得验收。并从同批未经试验的钢丝中再取双倍数量的试样进行复检，复检结果即使有一个指标不合格，则整批不得验收；或逐盘检验合格者验收。

（4）钢绞线。每批由同一钢号、同一规格、同一生产工艺制度的钢铰线组成，每批重量不大于 60 g，从每批钢铰线中任取 3 盘，进行表面质量、直径偏差、捻矩和力学性能的试验。如每批少于 3 盘，则应逐盘进行上述试验。

表 1-18　钢丝外观尺寸质量检查

种　类		钢丝公称直径（mm）	直径平均值允许偏差（mm）	外观质量
预应力混凝土用钢丝	光面钢丝	3.00 4.00	±0.04	钢丝表面不得有裂纹、小刺、机械损伤、氧化铁皮和油污
		5.00 6.00		
		7.00 8.00 9.00	±0.05	
	刻痕钢丝	5.00	±0.05	
		7.00		
冷拔丝		5.00	±0.1	表面不得有锈蚀、裂缝、机械损伤
		4.00	±0.08	
		3.00	±0.06	

从每盘所取的钢绞线的端部正常部位截取一根试样进行上述试验。

检查结果处理：如有一项试验结果不符合标准要求，则该盘报废，再从未试验过的钢绞线中取双倍数量的试样进行该不合格项的复检，如仍有一项不符合要求，则该批判为不合格。

第四节　砂　和　石

电杆生产中使用的砂和石等质量指标应符合 GB/T14684～14685—93《建筑用砂、石》或 JGJ52—92《普通混凝土用砂质量及检验方法》、JGJ53—92《普通混凝土用碎石或卵石质量标准及检验方法》等有关标准规范的要求。

一、砂子

（1）定义。砂是指粒径小于 5 mm，在湖、海、河等天然水中形成和堆积的岩石碎屑。也可以是岩体风化后在山间适当地形中堆积下来的岩石碎屑。

（2）砂子分类。品种可分为海砂、河砂、湖砂和山砂。

其规格按细度模数 μ_f 可分为：

粗砂：$\mu_f = 3.7 \sim 3.1$；

中砂：$\mu_f = 3.0 \sim 2.3$；

细砂：$\mu_f = 2.2 \sim 1.6$；

特细砂：$\mu_f = 1.5 \sim 0.7$。

细度模数是衡量砂粗细程度的指标，它是 2.5、1.25、0.63、0.315 和 0.16 mm 等五种孔径的筛累计筛余百分率的总和。

$$\mu_f = \frac{(\beta_2 + \beta_3 + \beta_4 + \beta_5 + \beta_6) - 5\beta_1}{100 - \beta_1}$$

式中　　μ_f——细度模度，细度模数越大，表示砂越粗；反之，则越细；

β_1、$\beta_2 \cdots \beta_6$——分别为 5.0、2.5$\cdots$0.16（mm）孔筛上的累计筛余百分率。

（3）质量要求（一）。

1）密度 > 2.5 g/cm^3。

2）松散体积密度 > 1400kg/m^3。

3）空隙率 $< 45\%$。

4）颗粒级配应符合表 1-19 规定。

砂按各级筛孔的累计筛余量（以重量百分率计），分成三个级配区，见表 1-19。以累计筛余百分率为纵坐标，根据表 1-19 规定画出砂 I、II、III 级配区的筛分曲线，见图 1-8。

5）有害物质：砂中云母、硫化物与硫酸盐、氯盐和有机物含量应符合表 1-20 规定且砂中不宜混有草粮、树叶、塑料品、煤块、炉渣等杂物。

6）泥和粘土块：

表 1-19　　　　砂 的 级 配 区

筛孔尺寸	I 区	II 区	III 区
5.0（圆孔）	10～0	10～0	10～0
2.5（圆孔）	35～5	25～0	15～0
1.25（方孔）	65～35	50～10	25～0
0.63（方孔）	85～71	70～41	40～16
0.315（方孔）	95～80	92～70	85～55
0.160（方孔）	100～90	100～90	100～90

注　砂的实际颗粒级配与表中所列数字相比，除 5.00 mm 和 0.63 mm 筛档外，可以允许略有超出分界线，但总量应小于 5%。

表 1-20　　　　砂 的 技 术 要 求

	项目	优等品	一等品	合格品
有害物质	云母 $<$	1	2	2
	硫化物与硫酸盐（以 SO$_3$ 计）	0.5	1	1
	有机物	合　格		
	氯化物（以 NaCl 计）$<$	0.03	0.1	
	泥 $<$	2.0	3.0	5.0
	粘土块 $<$	0.5	1.0	1.0
	质量损失 $<$	8	10	10

注　对于预应力混凝土、接触水体或潮湿条件下的混凝土所用砂，其氯化物（NaCl 计）含量应小于 0.03%。

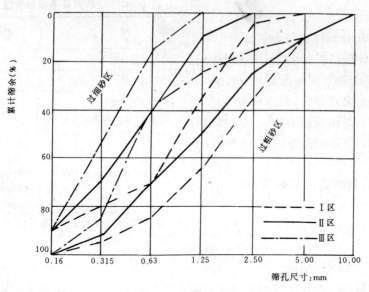

图 1-8　砂的筛分曲线

泥：指粒径小于 0.08 mm 的岩屑，淤泥和粘土的总和；

粘土块：指水浸后粒径大于 0.63 mm 的块状粘土。

7) 坚固性：采用硫酸盐溶液法进行试验，砂样在其饱和溶液中经 5 次循环浸渍后，其质量损失应符合表 1-20 规定。

8) 碱集料反应：经碱集料反应试验后，由砂制备的试件无裂缝、酥裂、胶体外溢等现象，试件养护 6 个月龄期的膨胀率应小于 0.1%。

（4）砂的质量要求（二）。

摘自 JGJ52—92《普通混凝土用砂质量标准及检验方法》，指标要求见表 1-21、表 1-22。

砂的坚固性用硫酸钠溶液检验，试样经 5 次循环后其重量损失应符合表 1-23 规定。

砂中如含有云母、轻物质、有机物、硫化物及硫酸盐等有害物质，其含量应符合表 1-24 规定。

表 1-21	砂中含泥量限值	
混凝土强度等级	≥C30	≤C30
含泥量（按重量计%）	≤3.0	≤5.0

表 1-22	砂中的混块含量	
混凝土强度等级	≥C30	<C30
含混块量（按重量计%）	≤1.0	≤2.0

表 1-23	砂的坚固性指标
混 凝 土 所 处 的 环 境 条 件	循环后的重量损失（%）
在严寒及寒冷地区室外使用并经常处于潮湿或干湿交替状态下的混凝土	≤8
其他条件下使用的混凝土	≤10

二、石子

1. 分类与定义

石子按形状分为碎石与卵石。

(1) 卵石也称砾石。指岩石风化破碎后，在湖、海、河等天然水域中形成和堆积的、粒径大于 5 mm 的岩石碎块，外形浑圆少棱角。

(2) 碎石。是指爆破后经人工破碎或卵石经人工破碎，筛分而成的，粒径大于 5 mm 的岩石碎块。

(3) 石子。按粒径大小可分为粗、中、细三种：

粗石粒径：40～80 mm；

中石粒径：20～40 mm；

细石粒径：5～20 mm。

(4) 针状颗粒。指石子颗粒长度大于平均粒径的 2.4 倍。

(5) 片状颗粒。指石子的颗粒厚度小于平均粒径的 0.4 倍。

注：平均粒径指该粒级上限与下限尺寸的平均值。

(6) 坚固性。是指石子自然风化和其他外界物理化学因素作用下抵抗破裂的能力。

(7) 粘土块。是指水浸后粒径大于 2.5 mm 的块状粘土。

(8) 碱集料反应。指水泥和混凝土的有关添加剂中的碱性氧化物（K_2O、Na_2O）与石子中的活性二氧化硅等物质在常温常压下缓慢反应生成碱硅胶后，吸水膨胀导致混凝土破坏的现象。

2. 质量要求（一）

摘自 GB/T14685—93《建筑用石》，技术要求见表 1-25。

表 1-24　砂中有害物质限值

项　　目	质　量　指　标
云母含量（按重量计%）	≤2.0
轻物质含量（按重量计%）	≤1.0
硫化物及硫酸盐含量（折算成 SO_3 按重量计%）	≤1.0
有机物含量（用比色法试验）	颜色不应深于标准色，如深于标准色，则应按水泥胶砂强度试验方法，进行强度对比试验，抗压强度比不应低于 0.95

注　砂的颗粒级配范围同表 1-19。

表 1-25　石子的技术要求

项　　目		优等品	一等品	合格品
针、片状颗粒<		15	20	25
泥<		0.5	1.0	1.5
粘块<		0.25	0.25	0.5
有害物质	硫化物与硫酸盐（SO_3 计）<	0.5	1.0	1.0
	有机物	合　　格		
	氯化物（以 NaCl 计）<	0.03	0.1	
质量损失<		5	8	12
碎石压碎值<		12	20	30
卵石压碎值<		12	16	16

(1) 密度>2.5 g/cm³。

(2) 松散体积密度>1500 kg/m³。

(3) 空隙率<45%。

(4) 针、片状颗粒含量。

(5) 泥和粘土块含量。

(6) 有害物质含量。

(7) 坚固性。采用硫酸钠溶液法进行试验，石子样品在其饱和溶液中经 5 次循环浸渍后，测定其质量损失。

(8) 压碎值。

(9) 碱集料反应。经碱集料反应试验后，由石子制备的试件无裂缝、酥裂、硅胶体外溢等现象，试件养护 6 个月龄期的膨胀值应小于 0.1%。

(10) 抗压强度。采用直径与高均为 50

mm 的圆柱体或长、宽、高均为 50 mm 的立方体岩石样品进行试验，在水饱和状态下，其抗压强度应不小于 45 MPa，其极限抗压强度与所浇注混凝土强度之比不应小于 1.5 倍。

（11）颗粒级配应符合表 1-26 的规定。

表 1-26　　　　　　　　　　　碎石或卵石的颗粒级配范围

级配情况	公称粒径（mm）	筛孔尺寸（圆孔筛）累计筛余（%）(mm) 2.5	5.0	10.0	16.0	20.0	25.0	31.5
连续粒级	5～10	95～100	80～100	0～15	0			
	5～16	95～100	90～100	30～60	0～10	0		
	5～20	95～100	90～100	40～70		0～10	0	
	5～25	95～100	90～100		30～70		0～5	0
	5～31.5	95～100	90～100	70～90		15～45		0～5
单粒级	10～20		95～100	85～100		0～15	0	
	16～31.5		95～100		85～100			0～10
	20～40			95～100		80～100		

3. 质量要求（二）

JGJ53—92 摘自《普通混凝土用碎石或卵石质量标准及检验方法》，指标见表 1-27～表 1-31。

表 1-27　碎石或卵石的针、片状颗粒含量、含泥量、泥块含量（按重量升%）

混凝土强度等级	≥C30	<C30
针、片状颗粒含量	≤15	≤25
含泥量	≤1.0	≤2.0
泥块含量	≤0.5	≤0.7

表 1-28　　碎石的压碎指标

岩石品种	混凝土强度等级	碎石压碎指标值（%）
水成岩	C55～C40	≤10
	≤C35	≤16
变质岩或深成的火成岩	C55～C40	≤12
	≤C35	≤20
火成岩	C55～C40	≤13
	≤C35	≤30

表 1-29　　卵石的压碎指标值

混凝土强度等级	C55～C40	≤C35
压碎指标（%）	≤12	≤16

注　1. 水成岩包括石灰岩、砂岩等。变质岩包括片麻岩、石英岩等。深成的火成岩包括花岗岩、正长岩、闪长岩和橄榄岩等。喷出的火成岩包括玄武岩和辉绿岩等。
2. 混凝土强度等级为 C60 及以上时应进行岩石抗压强度检验。

碎石和卵石的坚固性用硫酸钠溶液法检验，试样经 5 次循环后，其重量损失应符合下表规定。

表 1-30　　　　　　　　　　　碎石或卵石的坚固性

混凝土所处的环境条件	循环后的重量损失（%）
在严寒及寒冷地区室外使用，并经常处于潮湿或干湿交替状态的混凝土	≤8
在其他条件下使用的混凝土	≤12

表 1-31　　　　　　　　　　碎石或卵石中的有害物质含量（≥C30 混凝土）

项　　　目	质　量　要　求
硫化物及硫酸盐含量（折算成 SO_3，按重量计%）	≤1.0
卵石中有机质含量（用比色法试验）	颜色应不深于标准色，如深于标准色，则应配制成混凝土进行强度对比试验，抗压强度比应不低于 0.95

注　碎石或卵石的颗粒级配范围同表 1-26。

三、级配

集料（砂、石）中各级粒径颗粒的分配情况称为集料（砂、石）的级配。集料的级配可用筛分法测定。因为集料的级配对混凝土的工作性会产生很大影响，进而会影响到混凝土的强度，所以必须对砂、石进行级配分析。分析级配的目的是使砂、石中各种粒级径有一个最好的搭配关系，使之在自然堆积状态下，空隙率最小，总表面积最小，这样，可以在混凝土配合比设计中达到优化设计，节约水泥的目的。在水泥用量不变条件下可以减少湿润表面的需水量，从而保证在满足施工要求的和易性条件下，降低水灰比，提高混凝土强度。

（一）集料的级配要求

集料的空隙率显然与级配、颗粒形状及排列方式有关。同一粒径的球形颗粒，若它们的中心排列成立方体形，则具有最松散的状态，空隙率达 48%，若它们的中心排列成四面体，则具有最密实的状态，空隙率为 26%，若颗粒粒径不是均一的，而成一定的级配时，其空隙率总是小于均一粒径颗粒的相应排列的空隙率。

试验表明：将砂、石（5～40 mm）分成三种粒级，然后以不同的比例混合，对于砂子，最细粒级（小于 0.3 mm）的占量为 30%～40%时具有最小的空隙率 3.2%，对于卵石，最小粒级（5～10 mm）的占量 30%～40%时具有最小的空隙率 30%。

集料的总表面积也与颗粒形状、大小及级配有关。如直径为 D 的球形颗粒，表面积与体积的比为 $6/D$，而其他形状的颗粒则大于此值（此时 D 可看成是颗粒体积等于球形体积时的当量直径）。但颗粒比表面积总是与粒径大小成反比。因此，一定级配的集料，其中最大粒径较大，则集粒总表面积就可以减少，需水量也随之减少，但不是线性关系。

综合考虑上述因素，我国制定出的砂的级配标准范围，将砂级配划分为三个区，除 I 区上限（粗砂）外，其余各条界限允许稍有超出，但不宜大于 5%，凡落在这些区段范围内的砂都是适宜的。

（二）石子的颗粒级配与表面形状、特征

（1）石子的粒级分为连续粒级及单粒级两种，连续粒级是从某一最大的粒级以下，依次有其他粒级的集料。各粒级的累计筛余均有控制范围，而单粒级是从 1/2 最大粒径开始至最大粒径，粒径大小差别较小。

粗集料同时采用连续粒级和单粒级两种标准的优点在于：一方面可以避免连续粒级中较大粒级的集料在堆放及装卸过程中的离析，从而影响级配，另一方面可以通过不同的组合，有利于严格控制集料的级配，保证混凝土的质量。

（2）石子的最大粒径。集料的粒径愈大，需湿润的比表面积愈小，因此将集料级配扩大到较大的粒径可降低混凝土混合材料的需水性，结果在一定和易性和水泥用量条件下，可

降低水灰比，从而提高混凝土的强度。

（3）石子的颗粒形状及表面特征。碎石往往具有棱角，且表面粗糙，在水泥用量和用水量相同的情况下，用碎石拌制的混凝土拌合物流动性差，但其与水泥石粘结较好，故强度较高。相反，卵石多为表面光滑与球形颗粒，用卵石拌制的混凝土拌合物流动性较好，与水泥石粘结强度稍差。

（三）砂的颗粒级配及表面形状、特征

1. 砂的颗粒形状及表面特征

砂的颗粒形状及表面特征影响其与水泥的粘结及拌合物的流动性，若为河砂、海砂，颗粒多为圆球形，表面光滑；山砂颗粒多有棱角，表面粗糙，故用山砂拌制的混凝土拌合物流动性较差，但与水泥粘结较好，强度高。

2. 砂的颗粒级配及粗细程度

砂的颗粒级配表示砂中大小颗粒搭配情况，级配好可以减少空隙率，使之需填充的水泥浆较少，达到节省水泥的目的，而砂的粗细程度是指不同粒径的砂粒混合在一起的总体粗细程度，通常用细度模数来表示，细砂总表面积大，需包裹的水泥浆多。

因此，评定砂质量的技术的指标之一就是砂的级配及粗细程度（即细度模数）。

根据图1-8的筛分曲线，配制混凝土时宜优先选用Ⅱ区砂。采用Ⅰ区砂时，应提高砂率，并保持足够的水泥用量以满足混凝土的和易性；当采用Ⅲ区砂时，宜适当降低砂率，以保证混凝土的强度。

如果砂的实际级配曲线超过Ⅰ区往右下偏时，表示砂过粗；若超过Ⅲ区往左上偏时，则表示砂过细。如果砂的自然级配不符合级配区的要求，要采用人工级配方法来调整，最简单的方法是将粗、细砂按适当比例试配，掺和使用。不得已时将砂加以过筛，筛去过粗或过细的颗粒。

第五节　水　和　外　加　剂

一、水质要求

一般混凝土拌合用水宜采用饮用水或清洁的天然水，符合国家标准的生活饮用水，可用来拌制各种混凝土。混凝土拌合用水中，不得含有影响水泥正常凝结和硬化的有害杂质，如油脂、糖类等；pH≤4的酸性水、污水以及含硫酸盐量（按SO_3计）超过水重的1%，均不得使用，不得使用海水、盐湖水。拌合用水所含物质对混凝土、钢筋混凝土和预应力混凝土不应产生以下有害作用：

（1）影响混凝土的和易性及凝结。

（2）有损于混凝土强度发展。

（3）降低混凝土的耐久性，引起钢筋腐蚀及导致预应力钢筋脆断。

（4）污染混凝土表面。

混凝土拌合用水中的物质含量限值见表1-32。

二、外加剂

在电杆生产中为使混凝土得到改性，如提高和易性、产生早强、增强等效果，通常在

表 1-32　　　混凝土拌合用水中的物质含量限值

项　　　目	预应力混凝土	钢筋混凝土
pH 值	>4	>4
不溶物（mg/l）	<2000	<2000
可溶物（mg/l）	<2000	<5000
氯化物（以 Cl^- 计）（mg/l）	<500	<1200
硫酸盐（以 SO_4^{2-} 计）（mg/l）	<600	<2700
硫化物（S^{2-} 计）（mg/l）	<100	—

注　1. 使用钢丝或热处理钢筋的预应力混凝土氯化物的
　　　含量不得超过 350 mg/l。
　　2. 本表摘自 JGJ63—89《混凝土拌合用水标准》。

混凝土中采用掺加外加剂的办法。但所掺加的外加剂必须能适应高温蒸养的要求，保证对混凝土不产生有害作用，如降低强度、耐久性等，蒸养时混凝土不会产生龟裂、酥松或膨胀。另外，对钢筋不会产生锈蚀。严禁掺氯盐，不宜掺可溶性硫酸盐，宜采用非引气型的高效或早强高效减水剂，并经过试验论证，控制其最佳掺量。外加剂的质量指标符合 GB8076—1997《混凝土外加剂》要求（详见第十章），一般情况下不掺缓凝剂，但在夏季高温季节，为防止水泥凝结过快，可适当掺加，但在掺加前应经试验论证不影响混凝土脱模强度及后期强度后方可使用。

第二章　混凝土的基本性能及配制工艺

第一节　混凝土的分类和组成

一、混凝土的分类

（1）混凝土按其表观密度的大小可分为以下三类。

1）重混凝土：干表观密度大于 2600kg/m³；

2）普通混凝土：干表观密度在 1900～2500kg/m³ 之间；

采用天然砂、石作为骨料，以下章节所涉及到的均为此类混凝土，简称为混凝土。

3）轻混凝土：干表观密度小于 1900kg/m³，它包括轻骨料混凝土、多孔混凝土和无砂大孔混凝土等。

（2）按功能及用途分类分为结构混凝土、防水混凝土、耐热混凝土、耐酸混凝土等等。

二、普通混凝土的组成材料

众所周知，混凝土是由砂、石、水泥、水（必要时掺入外加剂或矿物混合材料）按一定比例搅拌在一起的混合物（即混凝土拌合物）：在水泥浆凝结硬化前，混凝土具有一定的和易性，称为新拌混凝土；凝结硬化后则为硬化混凝土，俗称人造石。其中砂、石（也称粗集料、细集料）是混凝土的主要组成材料，它们作为填充材料，起骨架作用，占混凝土总体积的 3/4 以上（水泥作为胶结材料，水泥石仅占 1/4），砂、石的存在起到限制水泥石的收缩作用使混凝土比单独的水泥浆具有更多的体积稳定性和更好的耐久性。由于砂、石比水泥价格低廉，使混凝土的造价降低，具有良好的技术经济效益。

混凝土中的各组成材料是经过配合比设计，按一定比例混合在一起，因此各组成材料的性质对混凝土均有很大的影响，必须对其有所要求（详见第一章所述）。

三、混凝土的和易性

1. 定义

混凝土的和易性（亦称工作性）：混合材料易于拌合运输、浇注、密实成型而不发生分层离析的性能。

实际上，混凝土拌合物的和易性是一项综合技术性质，直观上讲，混凝土的和易性即为流动性、可塑性、稳定性、易密性、保水性、粘聚性等的总和。

流动性是指混凝土拌合物在自重或机械外力作用下，能产生流动，并均匀密实地填满模具的性能。粘聚性是指混凝土拌合物的各组成材料有一定的粘聚力，不致产生分层离析的现象。保水性是指混凝土拌合物具有一定的保水能力，不致产生严重泌水的现象。

2. 和易性的测定

通常，混凝土的和易性的测定方法就是测定混凝土拌合物的流动性，最常用的有坍落度与维勃稠度等试验方法，用以反应所拌合的混凝土是否满足生产施工及设计要求。坍落度试验方法见附录二，它是测定塑性及低塑性混凝土的一种最普遍采用的方法，采用本法

表 2-1	混凝土拌合物的分类
类　　别	坍落度 (cm)
干硬性	0～1
低流动性	1～3
流动性	3～8
流　态	>8

适用于骨料最大粒径不大于 40mm，坍落度值不小于 10mm 的混凝土拌合物的稠度试验。不适宜于测定干硬性混凝土（干硬性混凝土采用维勃稠度仪测定其维勃稠度来表示其和易性的，维勃稠度试验适用于骨料最大粒径不大于 40mm，维勃稠度在 5～30s 之间的混凝土拌合物稠度测定）。根据混凝土的坍落度把混凝土拌合物划分为以下几类（见表 2-1）。

混凝土粘聚性、保水性的好坏，可由坍落度试验来观察。粘聚性的检查方法是用捣棒在已坍落的混凝土锥体侧面轻轻敲打，此时如果锥体逐渐下沉，则表示粘聚性良好，如果锥体倒塌、部分崩裂或出现离析现象，则表示粘聚性不好。保水性以混凝土拌合物中稀浆析出的程度来评定，坍落度筒提起后，如有较多的稀浆从底部析出，锥体部分的混凝土也因失浆而骨料外露，则表明此混凝土拌合物的保水性不好。若无稀浆或仅有少量稀浆自底部析出，则表示此混凝土拌合物的保水性良好。通常，为了改善混有少量稀浆混凝土的和易性和力学性能，常常加入外加剂及矿物掺合料(如一些高效减水剂)从而使拌合出的混凝土具有良好的保水性、粘聚性，不易离析及泌水，在保证同等坍落度条件下可减少水灰比从而达到提高混凝土强度的目的，或在保证同等强度的条件下，节省水泥用量，提高经济效益。

和易性不好的混凝土易产生离析、泌水等现象。

混凝土离析：混合料中各组份分离，造成不均匀和失去连续性的现象。

离析有两种形式：①粗集料从混合料中分离；②稀水泥浆从混合料中淌出，这主要发生在流动性大的混合料中。

引起混合料离析的主要原因：①配合比不合理，W/C 过大；②集料级配差，如粗集料偏粗，细集料偏细，而中等颗粒太少，混凝土混合料粘聚性差。

混凝土泌水：混合料浇灌之后到开始凝结期间，固体粒子下沉，水上升，并在表面析出水的现象。泌水的同时发生沉降收缩。

引起泌水的另一个原因是水泥的性能、水泥的品种，提高水泥细度可减少泌水，采用矿渣水泥泌水大于普通水泥。掺高效减水剂，减少混合料的单位加水量，降低 W/C，也可大大改善混合料的泌水。

四、混凝土各组成成分之间的关系及其对混凝土和易性的影响

（一）影响混凝土和易性的因素

1. 水灰比

混凝土用水量与水泥用量的质量比称为水灰比，水灰比的大小直接影响到混凝土的和易性以及密实性、强度。

当水泥用量及骨料用量均不变时，水灰比愈大，则用水量愈大，拌合物的坍落度值也越大，越易于成型。反之越不易成型。水灰比过大会造成拌合物粘聚性和保水性不良；水灰比过小会使拌合物坍落度过低影响混凝土的浇注。因此，根据混凝土强度和耐久性要求必须经过合理设计，严格控制。由于目前施工手段、设备的限制，为了便于施工与操作通常水灰比较大（坍落度较大），而实际上水泥水化所需的水灰比仅为 0.25 左右；因此，这多余的水灰比降低了混凝土的强度，且随着毛细管中水分的蒸发，混凝土中形成许多贯通的孔隙，影响了混凝土的强度以及其他性能，如抗冻、抗渗、耐久性等等。

2. 单位用水量

即拌制 $1m^3$ 混凝土所需的水量。单位用水量是根据集料的级配、最大粒径、砂率、颗粒形状、表面状态、施工时所控制的坍落度大小等因素来决定的。如在同等坍落度下，碎石（表面粗糙）较卵石（表面光滑）用水量要少，砂率大，单位用水量少。同等条件下，单位用水量大，混凝土拌合物坍落度增大，反之就减小。但如果用水量过大会影响混凝土的粘聚性、保水性，严重的会产生泌水、分层或流浆，从而严重降低混凝土的强度和耐久性。

根据实验，在采用一定的骨料情况下，如果单位用水量一定，单位水泥用量增减不超过 50～100kg，坍落度大体上保持不变，这一规律通常称为固定用水量定则，这个定则用于混凝土混合比设计时比较方便，即可以固定单位用水量，变化水灰比，从而达到既满足拌合物和易性要求，又满足混凝土强度要求的目的。

3. 集料的级配、品种、颗粒形状、表面状态、最大粒径

由于混凝土中集料占有较大比例，因此，集料对混凝土和易性的影响较大。

集料中以中等颗粒（0.3～10mm）的含量对混凝土和易性的影响最为显著。中等颗粒偏多，即粗集料偏细，细集料偏粗，将导致混凝土混合料粗涩、松散，和易性差，而中等颗粒太少，粘聚性差并发生离析。

一般来讲，级配好的骨料，其拌合物坍落度较大，粘聚性与保水性较好。扁平和针状骨料较少而球形骨料较多，其拌合物坍落度较大；表面光滑的骨料，如河砂、卵石，其拌合物坍落度较大；骨料的最大粒径增大，由于其表面积减小，故其拌合物坍落度较大。

4. 水泥的需水性

水泥对拌合物和易性的影响主要反映在水泥的需水性上，不同品种的水泥，因其细度、矿物组成及混合掺料不同，需水性不同，需水性大的水泥较需水性小的水泥拌制的拌合物坍落度小，但粘聚性和保水性好。由于水泥含量相对较少，因此，不同品种水泥的需水性对混凝土和易性的影响并不十分显著。

5. 砂率

砂率是指砂在集料总量中所占的比例。在混凝土中砂是填充石子空隙的，水泥则填充砂子间空隙，如砂率小，表示砂的含量少，石子间空隙就需要水泥来填充，因此水泥用量就增加，如果砂率过大，水泥要填满砂子间空隙，其用量也要增加。石子的空隙率愈小时，表示石子间的空隙少，则砂率就可减少。碎石的空隙率要比卵石空隙率大（在同粒径的情况下）。因此，用碎石时砂率要比用卵石时大些，砂愈细，其总表面积也愈大。水泥用量也须增加，则砂率可酌量减少。细砂混凝土的砂率比中、粗砂混凝土的砂率要小；反之砂率应增大。

试验表明，砂率对混凝土拌合物的和易性有很大影响（如图 2-1 所示），细集料影响坍落度的原因在于：一方面，适当含量的细集料颗粒组成的砂浆在混凝土混合料中起着润滑作用，这可减少粗集料间的摩擦阻力。所以在一定的砂率范围内，随着砂率增大润滑作用愈显

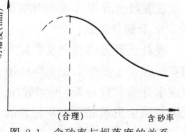

图 2-1　含砂率与坍落度的关系

35

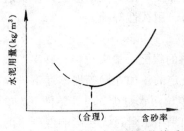

图 2-2 含砂率与水泥用量的关系
（达到相同的坍落度）

著，混合料中的塑性粘度减小，坍落度越大；另一方面，砂率增大的同时，骨料的总表面积随之增加，需要润湿的水分增加，在一定的用水量条件下，砂浆粘度增加，混合料坍落度降低。所以当砂率增大超过一定范围后坍落度反而随砂率增加而降低。

另外，砂率过小还会使拌合物的粘聚性和保水性变差，容易产生离析、流浆等现象。因此，必须选择合理的砂率。选择最佳砂率可以制得和易性好而水泥用量少的混凝土混合料（在用水量不变情况下）。图 2-2 为砂率与水泥用量的关系。

（二）最佳砂率的影响因素

（1）最佳砂率随粗集料的最大粒径增大而减小。

（2）随砂子细度模数增大而增大。

（3）随水泥用量增大而减小。

（4）集料的表面状态和形状的影响，采用碎石较卵石的砂率大。

（5）外加剂。外加剂对拌合物的和易性有较大影响。如加入减水剂（尤其是高效减水剂）可大幅度提高拌合物的流动性，改善粘聚性，降低泌水性。

（6）温度和时间。混凝土拌合物的和易性随温度的升高而降低。这是由于温度升高可加速水泥的水化、增加水分的蒸发，所以在夏季施工时，为了保持一定的和易性应适当提高拌合物的用水量或掺加外加剂。

混凝土拌合物随时间的延长而变得干硬，这是由于拌合物中的部分水分被骨料吸收和部分水分蒸发所引起的，所以施工时应注意，拌制好的混凝土到浇注的这段时间不可停顿太久。

第二节　混凝土的物理力学性能

一、普通混凝土的物理性能

混凝土在凝结硬化过程中和在不同使用环境下都会出现变形。混凝土的变形包括化学收缩、干缩湿胀、温度变形、受荷变形等。

变形有可逆与不可逆变形、弹性与塑性变形等。

1. 化学收缩

由于水泥水化产物的体积小于反应前物质的总体积，从而使混凝土出现体积收缩，这种收缩称为化学收缩。化学收缩值随混凝土龄期的增加而增加，大致与时间的对数成正比，一般在混凝土成型后 40d 内增长较快，以后逐渐稳定。它是不可逆变形。

2. 干缩与湿胀

混凝土硬化过程中及暴露在环境中要引起失水收缩和吸水膨胀（干缩和湿胀）。干燥收缩有两种：①混凝土在干燥环境中，因其内部吸附水分的蒸发而引起凝胶体收缩；②毛细管内水分蒸发后，由于毛细管压力增大而出现收缩。这两种收缩在混凝土吸水后可以恢复。收缩往往会引起混凝土开裂，故应引起注意。

混凝土干缩与湿胀的原因是混凝土中的水和周围空气处于某一平衡状态时，如果周围空气的状态发生变化，如湿度下降或温度下降，混凝土进行干燥，反之就吸湿。

干燥和吸湿引起混凝土中含水量的变化，同时引起混凝土的体积变化——干缩、湿胀，混凝土的干燥过程是由表面逐步扩展到内部，在混凝土内呈含水梯度。因此产生表面收缩大，内部收缩小的不均匀收缩，致使表面混凝土承受拉力，内部混凝土承受压力。当表面混凝土所受的拉力超过其抗拉强度时，便产生裂缝。另外，水泥石的收缩也会受到集料的限制作用而出现裂纹。

混凝土若在水中硬化，体积不变，甚至出现轻微膨胀，这是由于凝胶体吸水使凝胶粒子吸附水膜增厚所致；另外，干燥混凝土吸水后，其干缩变形可得到部分恢复。这种变形称为混凝土的湿胀。对于干燥的混凝土即使长期再放在水中，也仍有部分干缩变形不能恢复。见图 2-3。

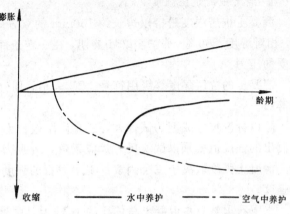

图 2-3　混凝土的胀缩

影响混凝土干缩的因素有以下几种：

（1）水泥用量。混凝土中发生干缩的主要成份是水泥石，因此减少水泥石的相对含量（即减少水泥用量），可以减少混凝土的收缩。

（2）水灰比。水灰比愈大，干缩也愈大。

（3）水泥品种。水泥的性能，如细度、化学组成对水泥收缩虽有影响，但对混凝土的收缩影响不大。采用矿渣水泥比采用普通水泥收缩大，采用高标号水泥混凝土收缩也大。

（4）集料。集料起着限制收缩的作用，所以它的数量和弹性模量都对混凝土的收缩有很大的影响。

（5）养护。周围介质的相对湿度对收缩有很大的影响，延长湿养护时间可推迟干缩的发生和发展，但对最终的收缩率并无显著的影响。

此外，还有普通混凝土的碳化收缩，除干缩外，还经受碳化作用而收缩。实际上两者是相伴发生的。

碳化作用还取决于混凝土的含水量，及周围介质的相对湿度。高压蒸养的混凝土碳化收缩非常之小，因为这时的 $Ca(OH)_2$ 与 SiO_2 进一步反应形成了强度高、结晶度好、抗碳化性能强的水化硅酸钙。

3. 温度变形

混凝土的温度膨胀系数约为 $(10\sim14)\times10^{-5}/℃$，一般混凝土工程及构件，对混凝土的温度变形影响不大，但对大体积混凝土或纵向的构筑物由于内外温差大，内胀外缩，使外表面产生很大的拉应力而导致开裂，因此，必须注意并加以限制。

二、普通混凝土的力学性能

混凝土力学性能取决于水泥石的性能、粗细集料的性能以及水泥石与集料之间的粘结能力和它们的相对体积含量。

力学性能主要有强度、变形（如徐变）等，强度是一个重要的技术指标，有抗压强度、抗拉强度、弯曲抗压强度、轴心抗压强度、剪切强度以及与钢筋的粘结强度等。混凝土的一个特点就是抗压强度高，而抗拉强度低，抗拉强度仅为抗压强度7％～14％，抗压强度越高，拉压比越小。工程设计上就是充分利用了这一特点。一般来讲，强度越高，刚性、不透水性、抵抗风化和某些外部侵蚀介质的能力越强，但干缩愈大、脆性大，易裂。

1. 混凝土的抗压强度

混凝土抗压强度是指以边长约150mm的立方体试块，在标准养护条件下（温度20°±3°，相对湿度≥90％）养护至28d龄期，在一定条件下加压至破坏，此时，试件单位面积所承受的压力。

混凝土的抗压强度等级用符号"C"表示，划分为：C7.5、C10、C15、C20…C60共12个等级。

除以标准尺寸成型的试件外，还允许用边长为100mm或200mm的立方体试块，此时所测出的强度值要乘以试块尺寸效应系数，分别为0.95或1.05。

混凝土强度取决于三个因素：①水泥石的强度；②集料的强度；③水泥石与集料的粘结强度。

水泥石虽然只占混凝土总体积的1/4，但其强度却起着主要作用，影响水泥石的强度的因素除了化学成分及含量以外，还取决于水泥的细度、水灰比、养护条件、龄期等，此外凝结时间、安定性也有一定的影响。

影响混凝土强度的因素主要有：

(1) W/C 与水泥标号。因为混凝土的强度主要取决于水泥石的强度及其与骨料间的粘结力，而水泥石的强度及其与骨料间的粘结力又取决于水泥的标号及水灰比的大小。在相同水灰比条件下，水泥标号越高，水泥石的强度越高，混凝土强度也越高；在水泥标号相同的条件下，混凝土的强度随水灰比增加而降低。

混凝土强度与水灰比之间的关系见图2-4。

(2) 粗集料。由于骨料本身的强度高于水泥石的强度，所以不直接影响混凝土的强度，但若骨料经风化等作用而强度降低时，则用其配制的混凝土强度也较低。另外，表面粗糙的骨料（如碎石）与水泥石料结力大，用其配制的混凝土强度也较高。

(3) 集灰比在水泥用量很大（500kg以上），而 W/C 很小情况下，会出现后期强度衰退的现象。

(4) 水泥。质量波动尤其对早期强度影响较大。

(5) 养护。养护的目的在于保证水泥水化过程正常进行，它包括环境的温度、湿度，避免水分的蒸发（从毛细管中）。由于水泥的水化只能在充水的毛细管内发生。因此，必须创造条件防止水分自毛细管中蒸发而失去；另外，在水泥水化过程中，大量自由水要为水泥水化产物结合或吸附，也需不断提供水分，才能使水泥水化正常进行，从而产生更多的水化产物使混凝土密实度增加。

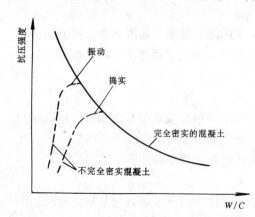

图 2-4　混凝土强度与水灰比之间的关系

图 2-5 为潮湿养护对混凝土强度的影响情况。

为了使混凝土正常硬化，必须保持一定的潮湿环境。

一般情况下，对于使用硅酸盐水泥或普通硅酸盐水泥，在电杆拆模后，要定期洒水养护，不少于 7d（或水养 2～3d），在夏季由于水分蒸发较快，更应特别注意洒水。

（6）龄期。混凝土在正常养护条件下，其强度随龄期增加而增长，二者关系见图 2-6。

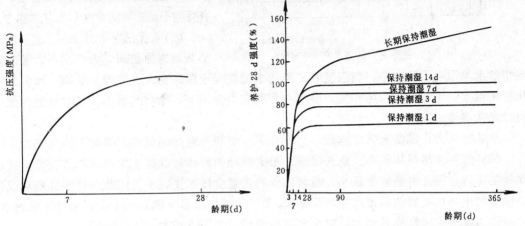

图 2-5　混凝土强度增长曲线　　图 2-6　混凝土强度与保持潮湿日期的关系

2. 混凝土与钢筋的粘结强度（握裹强度）

粘结强度主要是由于混凝土与钢筋之间的摩擦力和附着力引起的。一般来讲，粘结强度与混凝土质量有关，在抗压强度约 20MPa 以内，它与抗压强度成正比，随着混凝土抗压强度的提高，粘结强度的增加值逐渐减小。对于高强混凝土（C50 以上），粘结强度增加值则很小，可以忽略不计（这是由于高强混凝土收缩值大）。另外，由于混凝土相对于钢筋的收缩作用，干燥混凝土粘结强度较潮湿混凝土的高；经受干湿循环、冻融循环和交变荷载的作用，混凝土的粘结强度会降低；温度升高会降低混凝土的粘结强度。

3. 普通混凝土的徐变

徐变：混凝土在恒定的长期荷载作用下随时间而增加的变形，混凝土的徐变在加荷早期增加得比较快，然后逐渐减慢，在若干年后则增加很少（一般要延续 2～3 年才逐渐趋于稳定）。在荷载除去后，一部分变形瞬时恢复。此瞬时恢复的变形等于混凝土在卸荷时的弹性变形，较在加荷时的小。那些约在若干天内能逐渐恢复的变形叫徐变恢复。最后残留下来的不能恢复的变形为残余变形。恢复性徐变约在加荷后两个月就趋于稳定，而非恢复性徐变则在相当长时间内仍继续增加，徐变与收缩同时进行。

混凝土的徐变一般可达 $(3\sim15)\times10^{-4}$（即 $0.3\sim1.5$mm/m），混凝土的徐变对钢筋混凝土构件能消除其内部的应力集中，使应力较均匀地重新分布，但在预应力混凝土结构中，混凝土的徐变将使钢筋的预应力受到损失。

混凝土不论是受压、受拉或受弯，均有徐变现象产生，产生徐变的原因一般认为是由于水泥石凝胶体在长期荷载作用下的粘性流动或滑移，同时吸附在凝胶粒子上的吸附水因荷载应力向毛细管渗出。

混凝土的徐变和恢复曲线见图 2-7。

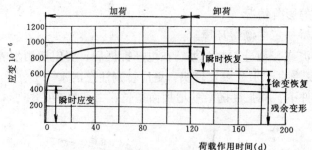

图 2-7　混凝土的徐变和恢复曲线

影响混凝土徐变的因素有：

（1）环境湿度。相对湿度越低，由于混凝土失水会使徐变增大，在荷载作用时干燥可以增大混凝土的徐变。这种由于干燥而增加的徐变称为干燥徐变。没有受到干湿影响的徐变称为基本徐变。

（2）水泥品种和水灰比。在一定的龄期和施加相同应力情况下，强度发展快的水泥混凝土徐变小，而强度发展慢的水泥混凝土则徐变大。在同一龄期，水泥的水化程度越大，水泥石结构越密实，因而在相同应力作用下，徐变就越小。提高水泥的细度可以加快强度的发展，减小徐变。

水灰比越大，混凝土强度越低，因而在同一龄期和施加相同应力情况下徐变越大。

（3）集料和集料体积率。集料级配、最大粒径和形状对混凝土集料体积率有着直接或间接的影响，因骨料的徐变很小，故增大骨料含量会使徐变减小。因此，这些性质对混凝土徐变的影响也主要体现在集料体积率上。集料的弹性模量可能是一个最重要的影响因素，这是因为集料的弹性模量越大，对水泥石徐变约束作用也越大。

（4）尺寸效应。混凝土试件尺寸越大，徐变越小。

（5）延迟加荷时间也会使混凝土徐变减小。

4．混凝土的弹塑性变形及静弹性模量

混凝土在受压时的应力—应变曲线如图 2-8 所示，在应力—应变曲线上任一点作切线，该切线的斜率（即应力与应变的比值）称为混凝土在该应力下的变形模量，它反映混凝土所受力与所产生应变之间的关系。在重复荷载作用下的应力—应变曲线如图 2-9 所示，其曲线形式因作用力的大小不同而不同，当应力小于 $(0.3\sim0.5)f_{ck}$（混凝土轴心抗压强度）时，每次卸荷都残留部分塑性变形（ε 塑），但随重复次数增加，ε 塑的增量逐渐减小，最后曲线稳定于 $A'C'$ 线，它与初始切线大致平行。若所加应力在 $(0.5\sim0.7)f_{ck}$ 以上重复时，随重复次数的增加，塑性应变逐渐增加，最终将导致混凝土的疲劳破坏。

由于混凝土的应力—应变曲线是曲线（即混凝土在受压下既有弹性变形又有塑性变形），所

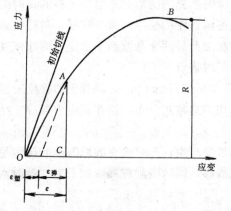

图 2-8　混凝土在压应力作用下的应力—应变曲线

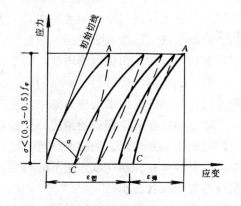

图 2-9　低应力重复荷载的应力—应变曲线

以变形模量是变化的,GBJ81—85 规定采用反复加荷卸荷$(0\sim0.4)f_{ck}$三次以后所得应力—应变曲线测出的变形模量称为混凝土的弹性模量 E_c。混凝土的弹性模量随混凝土的强度提高而提高,当混凝土强度在 C10～C60 之间时,其弹性模量约为$(1.75\sim3.60)\times10^4MPa$。

试验证明,混凝土受拉弹性模量与受压弹性模量相近,数值略小于受压弹性模量。混凝土的弹性模量主要随骨料和水泥的弹性模量而变,由于水泥的弹性模量一般低于骨料的弹性模量,所以混凝土骨料含量多,则混凝土弹性模量较大。此外,混凝土水灰比减小、养护较好及龄期较长时,混凝土弹性模量较大。

电杆的刚度与混凝土弹性模量很有关系,弹性模量大,刚度也大。为此,为保证电杆受力条件下变形小,必须保证混凝土有较大的弹性模量,亦即必须有较高的抗压强度。

三、普通混凝土的耐久性

混凝土耐久性是指混凝土抵抗外界环境介质作用而保持其形状、质量和适用性的能力。

混凝土长期处在各种环境介质中,往往会造成不同程度的损害,甚至完全破坏,这种原因有外部环境条件引起的,也有混凝土内部的缺陷及组成材料的特性引起。

混凝土在使用过程中,不仅有因水泥继续水化促进强度增长的有利因素,还有外界环境介质对其产生的腐蚀破坏,使其强度下降的不利因素(如碳化、冻融破坏、疲劳破坏等)。

1. 抗化学侵蚀性

环境介质对混凝土的化学侵蚀有淡水的侵蚀、硫酸盐侵蚀、海水侵蚀、酸碱侵蚀等,其侵蚀机理与水泥石化学侵蚀相同,产生化学侵蚀的几个主要特征是:水泥石中某些成分被介质溶解;化学反应的产物易溶于水;化学反应产物发生体积膨胀等。

(1)硫酸盐侵蚀。硫酸盐溶液和水泥石中的 $Ca(OH)_2$ 及水化铝酸钙发生化学反应,生成石膏和硫铝酸钙,产生体积膨胀,使混凝土被破坏。混凝土遭受硫酸盐侵蚀的特征是表面发白,损害通常在棱角处开始,接着裂缝开裂并剥落,使混凝土成为一种易碎的、甚至松散的状态。

解决措施:①采用含 C_3A 低的水泥,如抗硫酸盐水泥;②采用火山灰质掺料,因火山灰与 $Ca(OH)_2$ 反应生成水化硅酸钙减少了游离的 $Ca(OH)_2$,并在易被侵蚀的含铝化合物表面形成硅酸钙保护层。

(2)水及酸性水的侵蚀。淡水把 $Ca(OH)_2$ 溶解,使水泥石浆中 $Ca(OH)_2$ 浓度低于某些水泥水化产物稳定存在的极限浓度。因此,这些水化产物随即分解,直至形成一些没有粘结能力的 $SiO_2\cdot nH_2O$ 及 $AL(OH)_3$,使混凝土强度降低。这种作用要在流动水中比较明显。

有些酸(如磷酸)与 $Ca(OH)_2$ 作用虽然产生不溶性钙盐,填塞在混凝土的毛细孔中,侵蚀速度可以减慢,但强度不断下降,直至最后破坏。

(3)碱类侵蚀。包括化学侵蚀与结晶侵蚀两种。

2. 混凝土碱集料反应

水泥中的碱和集料中的活性氧化硅发生化学反应,生成碱—硅酸凝胶并吸水产生膨胀压力,致使混凝土产生开裂的现象,称为碱集料反应。

只有水泥中含有较高的碱量(水泥中 R_2O 含量大于 0.6%),而同时集料中含有活性氧化硅(如蛋白石等)的时候,才可能发生碱集料反应。

碱集料反应的充分条件是水分,干燥状态下不会发生碱集料反应。

3. 抗渗性

混凝土的抗渗性是指抵抗水、油等液体在压力作用下渗透的性能。它对混凝土的耐久性起着重要的作用，因为环境中各种侵蚀介质均要通过渗透才能进入混凝土内部。混凝土的抗渗性主要与混凝土的密实度和孔隙率及孔结构有关。混凝土中相互连通的孔隙越多，孔径越大，则混凝土的抗渗性越差。

提高混凝土抗渗性的最好措施是降低水灰比，可采用物理方法（如离心或真空脱水）和化学方法（减水剂减水）达到这一目的。在减水的同时，改善了混凝土内部的孔隙结构，减少孔隙率。

此外，掺引气剂也可改善混凝土的孔隙结构，达到提高混凝土抗渗性的目的，但在蒸养混凝土中不能采用。

离心成型的混凝土有很好的抗渗性能，因其离心过程中，排出多余的水分与空气，提高了混凝土的密实度。

4. 抗冻性

混凝土具有在水饱和状态下，能经受多次冻融交替作用而不破坏，同时也不严重降低强度的性能。

混凝土的抗冻性以抗冻标号来表示，如 D_{25}、D_{50}、D_{100}、D_{150}、D_{200}、D_{250}、D_{300}等。下标表示混凝土能够承受反复冻融、循环的次数。

混凝土之所以会产生冻融破坏，其原因是由于混凝土的自由水结冰后体积膨胀，而使混凝土产生微细裂缝，融化后，体积又缩小，这样反复冻融使裂缝扩展，导致混凝土产生由表及里剥落破坏的现象。

影响混凝土抗冻性的因素有混凝土内部因素和环境外部因素两个方面。

混凝土的密实程度是影响混凝土抗冻性的决定因素（这是内部因素），提高混凝土抗冻性的主要方法有以下几种：

（1）选用适当的水泥品种和标号。

（2）适当控制混凝土的水灰比和水泥用量。

（3）选用适当的集料及改善集料级配。

（4）掺适当的外加剂，如引气剂，可在混凝土中形成分布均匀的不相连微孔，可以缓冲因水冻结而产生的挤压力，对改善混凝土的抗冻性有显著效果。使混凝土更加密实，减少施工中缺陷的产生。

（5）改善混凝土的成型工艺。

（6）加强养护。

另外，向混凝土提供水分和冻融条件，如气干状态或一直处于冻结状态的混凝土也较少发生冻融破坏。

5. 碳化作用

混凝土硬化以后，表面遭受空气中二氧化碳的作用，水泥的水化产物 $Ca(OH)_2$ 与 CO_2 起反应，慢慢生成碳酸钙。从而使混凝土碱性降低，这一过程称为碳化。

碳化对混凝土的物理力学性能有明显作用，会使混凝土出现碳化收缩，强度降低。如果碳化深度超过保护层达到钢筋表面，那么就会使钢筋表面的氧化膜遭到破坏而生锈。通常情况下，钢筋处于碱性环境保护下，不会生锈，而随着混凝土碳化进行，钢筋所处环境变化，碱性降低，钢筋就会生锈。

但碳化对混凝土的性能也有有利的影响，表面混凝土碳化时生成碳酸钙，可减少水泥石的孔隙，对有害介质的侵蚀，有一定防犯作用。

影响碳化的因素有：

（1）水泥品种。几种不同品种水泥的碳化速度对比情况是掺混合材料的水泥＞普通硅酸盐水泥＞早强硅酸盐水泥。

（2）水灰比。水灰比越低，碳化速度越慢，水灰比固定时，碳化深度随水泥用量提高而减小。

（3）环境条件：碳化的条件首先是 H_2O 与 CO_2，两者缺一不可，因此在相对湿度为50％～75％时，碳化速度最快，而处于干燥及水中的混凝土，则停止碳化。

第三节　混凝土的配合比设计

混凝土的配合比是指混凝土的各组成材料之间用量的比例关系，一般用材料间质量比，水泥：水：砂：石来表示（水泥质量为1），另一种以 $1m^3$ 混凝土中各组成材料的质量表示。

一、配合比设计的目的、要求

根据电杆生产工艺及技术要求，选择原材料经合理计算设计出既经济又质量好，并且各项技术指标符合要求的混凝土；这个技术指标主要指新拌混凝土的和易性及硬化后混凝土的性能（特别是抗压强度、耐久性）。

二、确定配制强度

1. 确定混凝土强度保证率

混凝土强度保证率是指混凝土强度大于设计强度等级的概率。由于原材料质量和生产因素的波动，即使使用同一种配合比、同种原材料、同种工艺，其实际强度也是波动的。根据大量实验论证，这种波动服从正态分布的规律，这种波动可用变异系数 C_v 和标准离差 σ 来表示。如图 2-10 所示。

$$C_v = \frac{\sigma}{\bar{x}}（\bar{x} \text{ 为平均强度}）$$

为了使设计出来的混凝土强度能达到设计要求,满足实际需要,必须使实际强度的波动中的"最小"值能达到设计要求,但"最小"值不能是无限度的,考虑到经济性及科学性,在设计中引入了"概率"统计理论,即将该"最小"值定为某一限值,使实际强度小于该"最小"值的概率达到较小值。现行标准 GBJ107—87《混凝土强度检验评定标准》把这一概率定为 5％,对应的概率度 t 为 1.645,因此对应的"最小"强度为 $\bar{x}-1.645\sigma$,大于该强度的概率为 p,称为保证率,亦即混凝土强度的保证率可达 95％,概率度 t 与保证率 p 的关系见表 2-2。

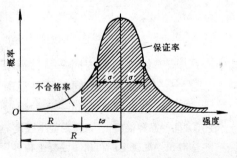

图 2-10　混凝土强度正态分布曲线

表 2-2 　　　　　　　　　　　　　　　　保证率 p 与概率度 t 的关系

保　证　率 p	80%	84.1%	85%	90%	91.9%	94.5%	95%	96.4%	97.7%
概　率　度 t	0.842	1.00	1.04	1.28	1.40	1.60	1.645	1.80	2.00

考虑到实际生产条件和实验室条件的差异,试配强度应较计算强度提高 10%~15%,这相当于"最小"强度为 $(\bar{x}-2\sigma)$,混凝土强度保证率为 97.72%。

表 2-3　　　　混凝土质量控制情况

质量控制 程度	σ	C_v	备　注
良好	25~35	10~15	实验室条件 下可能达到的 程度
一般	35~50	15~20	
不好	>50	>20	

σ 与 C_v 的大小取决于质量控制水平;因此,质量控制越差,σ、C_v 越大,则在满足"最小"强度下,试配强度越大,越不经济。实验室及生产条件下混凝土不同质量控制水平 σ、C_v 及强度保证率的关系见表 2-3、表 2-4。

这样,混凝土试配强度(用 $f_{cu,o}$ 表示)必须高出设计强度(如要求达到 C50 级)保证率 p 为 95% 时,概率度 $t=1.645$,则混凝土试配强度

$$f_{cu,o} = f_{cu,k} + t\sigma = 50 + 1.645\sigma_0$$

式中　$f_{cu,k}$——设计的混凝土强度标准值;

　　　$f_{cu,o}$——混凝土施工配制强度;

　　　σ_o——施工单位的混凝土强度标准差。

表 2-4　　　　　　　　　　　　　　　混凝土生产质量水平 (≥C20)

评定指标		优良	一般	差
σ(MPa) 强度标准差	预拌混凝土和预制构件厂	≤3.5	≤5.0	>5.0
	集中搅拌混凝土的施工现场	≤4.0	≤5.5	>5.0
强度保证率	预拌混凝土厂和预制混凝土构件厂及集中搅拌混凝土的施工现场	≥95	>85	≤85

注　本表摘自 GBJ107—87《混凝土强度检验评定标准》。

2. 关于混凝土强度标准差的取值

(1)当施工单具有近期的同一品种混凝土强度资料时,其强度标准差 σ 应按下式计算。

$$\sigma = \sqrt{\frac{\sum_{i=1}^{N} f_{cu,i}^2 - N\mu^2 f_{cn}}{N-1}}$$

式中　$f_{cu,i}$——统计周期内同一品种混凝土第 i 组试件的强度值(N/mm²);

　　　$\mu^2 f_{cu}$——统计周期内同一品种混凝土 N 值强度的平均值(N/mm²);

　　　N——统计周期内同一品种混凝土试件的总组数,$N \geqslant 25$。

注:①"同一品种混凝土"系指混凝土强度等级相同且生产工艺和配合比基本相同的混凝土。

　　②对预拌混凝土厂和预制混凝土构件厂,统计周期可取 1 个月,对现场拌制混凝土的施工单位,统计周期可根据实际情况确定,但不宜超过 3 个月。

③当混凝土强度等级为 C20 或 C25 时,如计算得到的 $\sigma<2.5N/mm^2$,取 $\sigma=2.5N/mm^2$;当混凝土强度等级高于 C25 时,如计算得到的 $\sigma<3.0N/mm^2$,取 $\sigma=3.0N/mm^2$。

(2)当施工单位不具有近期的同一品种混凝土强度资料时,其混凝土强度标准差可按表 2-5 取用。

混凝土配制强度($f_{cu,o}$)亦可按表 2-6 查出。

表 2-5　　　　σₒ 取　值　　　　N/mm²

混凝土强度等级	<C20	C20~C35	>C35
σ_o	4.0	5.0	6.0

注　1. 摘自 GB50204—92《混凝土结构工程施工及验收规范》。
　　2. 采用本表时,施工单位可根据实际情况,对 σₒ 值作适当调整。

表 2-6　　混凝土配制强度($f_{cu,o}$)　　N/mm²

强度等级	强度标准差 σ_o					
	2.0	2.5	3.0	4.0	5.0	6.0
C30	34.9	34.9	34.9	36.6	38.2	39.9
C35	39.9	39.9	39.9	41.6	43.2	44.9
C40	44.9	44.9	44.9	46.6	48.2	49.9
C45	49.9	49.9	49.9	51.6	53.2	54.9
C50	54.9	54.9	54.9	56.6	58.2	59.9
C55	59.9	59.9	59.9	61.6	63.2	64.9
C60	64.9	64.9	64.9	66.6	68.2	69.9

三、和易性的选择

混凝土的和易性主要表现为流动性和内聚性两方面;内聚性即抵抗分层离析的能力,取决于细集料的相对含量。而流动性主要为了满足施工需要,对离心成型的混凝土要求有较好的流动性。

选择和易性以后,根据需水性定则,选择单位体积混凝土用水量,在集料级配良好的条件下,当集料最大粒径为一定时,流动性(坍落度)取决于单位体积用水量,而与水泥用量(在一定范围内)的变化无关。

需水性取决于集料的品种、最大粒径和级配等。

四、设计步骤

(1)确定试配强度。

(2)水灰比计算——水灰比定则。

(3)确定用水量——需水性定则。

(4)计算水泥用量。

(5)确定粗细集料比例——砂率。

(6)确定集料总用量——绝对体积法和假定表现密度(容重)法。

考虑颗粒级配问题,确定最佳砂率(保证混凝土强度和和易性要求),由最佳砂率可以计算出砂、石用量。

计算过程如下:

1)确定试配强度:

$$f_{cu,o} = f_{cu\cdot k} + t\sigma$$

式中　$f_{cu\cdot o}$——混凝土试配强度;

　　　$f_{cu\cdot k}$——混凝土设计强度;

　　　σ——标准差;

　　　t——概率度。

2)水灰比计算采用水灰比经验公式:

$$f_{cu \cdot o} = A f_c \left(\frac{C}{W} - B \right)$$

$$f_c = \gamma_{ce} f_{ce}$$

式中 f_c——水泥实际强度；

　　　f_{ce}——水泥商品标号；

　　　γ_{ce}——水泥强度富余系数，根据统计资料确定，如无统计资料，可取 1.13；

　　　A、B——系数。

采用卵石时：$A = 0.48$，$B = 0.6$

采用碎石时：$A = 0.46$，$B = 0.52$

以上公式可求出水灰比 W/C。

3）选择每 $1m^3$ 混凝土用水量（W）：用水量根据所要求的坍落度值及骨料种类、最大粒径来选择，见表 2-7。

也可用公式 $W = \dfrac{10}{3}(T + K)$ 大约估算。

式中 T——混凝土拌合物的坍落度（cm）；

　　　K——系数，取决于粗骨料的种类与最大粒径，可参考表 2-8 选用。

4）计算单位体积混凝土水泥用量（C）：

表 2-7　　塑性混凝土单位用水量选用表

坍落度 （mm）	卵石混凝土			碎石混凝土		
	最大粒径（mm）			最大粒径（mm）		
	10	20	40	15	20	40
10～30	190	170	160	205	185	170
30～50	200	180	170	215	195	180
50～70	210	190	180	225	205	190

注 1. 本表摘自 JGJ55—81《普通混凝土配合比设计技术规定》。

　　2. 本表用水量系采用中砂时平均取值。如采用细砂，每立方米混凝土用水量可增加 5～10kg/m³，采用粗砂则可减少 5～10kg/m³。

　　3. 掺用各种外加剂或掺和料时可相应增减用水量。

　　4. 本表不适用于水灰比小于 0.4 或大于 0.8 的混凝土。

根据已确定的每 $1m^3$ 混凝土用水量（W）和计算出的水灰比（W/C），可求出水泥用量（C），为保证混凝土的耐久性，计算出的水泥用量不得小于表 2-9 最小水泥用量的规定。同时，最大水泥用量不宜大于 $550kg/m^3$。

5）砂率的确定：合理的砂率主要应根据混凝土拌合物的坍落度、粘聚性及保水性等特征来确定，一般根据对所用材料的使用经验或经试验后确定，如无使用经验，则可按骨料品种、规格及水灰比参照表 2-10 选用。

表 2-8　　混凝土单位用水量计算公式中的 K 值

系　数	碎　石			卵　石		
	最大粒径（mm）			最大粒径（mm）		
	10	20	40	10	20	40
K	57.5	53.0	48.5	54.5	50.0	15.5

注 1. 采用火山灰硅酸盐水泥时，K 增加 4.5～6.0。

　　2. 采用细砂，K 增加 3.0。

表 2-9　　　　　　　普通混凝土（配筋）最大水灰比和最小水泥用量

项　次	环　境　条　件	最大水灰比	最小水泥用量 （kg/m³）
1	不受雨雪影响的混凝土	不作规定	250
2	受雨雪影响的露天混凝土位于水中及水位升降范围内的混凝土潮湿环境中的混凝土	0.70	250
3	寒冷地区水位升降范围内的混凝土受水压作用的混凝土	0.65	270
4	严寒地区水位升降范围内的混凝土	0.60	300

注 1. 本表摘自 CB50204—92《混凝土结构工程施工验收规范》。

　　2. 表中最小水泥用量，仅适用于机械振捣的混凝土，采用人工振捣时，应增加 25kg/m³。

6）砂、石用量的确定：

①绝对体积法：假设混凝土拌合物的体积等于各组成材料的绝对密实体积和混凝土拌合物中所含空气的体积的总和，而各种材料的密实体积，为各材料的质量除以它们的密度求得。因此使用以下两个方程式，求出各材料的用量。

$$\frac{m_W}{\rho_W} + \frac{m_C}{\rho_C} + \frac{m_S}{\rho_S} + \frac{m_G}{\rho_G} + 10\alpha = 1000$$

$$\frac{m_S}{m_S + m_G} = S_p（砂率）$$

式中　m_C、m_W、m_S、m_G——每立方米混凝土的水泥、水、砂、石子用量（kg）；

　　　　ρ_C、ρ_W——水泥、水的密度（g/cm³）；

　　　　ρ_S、ρ_G——砂、石子的表观密度（g/cm³）；

　　　　α——混凝土含气量百分数；在不使用含气型外加剂时，取 1；

　　　　S_p——砂率。

ρ_C 取 2.9～3.1g/cm³；

ρ_W 取 1.0g/cm³；

ρ_S、ρ_G 经试验测定。

②重量法（假定表观密度法）：根据经验，在原材料比较稳定的情况下，所配制的混凝土拌合物的表观密度将接近一个固定值，这样先假定一个混凝土拌合物的表观密度值，再根据各材料之间的质量关系，计算各材料的用量，从而简化了配合比计算过程。

同样使用以下两个方程式：

$$m_C + m_W + m_S + m_G = \rho_h$$

$$\frac{m_S}{m_S + m_G} = S_p$$

式中　ρ_h——1m³ 混凝土拌合物假定表观密度，ρ_h 可根据积累的试验资料确定，或参考表 2-11。

通过以上步骤，可将水泥、水、砂、石子的用量求出，得到初步计算配合比。

表 2-10　　混凝土砂率选用表（%）

水灰比 (W/C)	碎石最大粒径(mm)			卵石最大粒径(mm)		
	15	20	40	10	20	40
0.40	30～35	29～34	27～32	26～32	25～31	24～30
0.50	33～38	32～37	30～35	30～35	29～34	28～33

注　1. 本表摘自 JGJ55—81《普通混凝土配合比设计技术规定》。
　　2. 表中数值系中砂的选用砂率，对细砂或粗砂，可相应地减少或增加砂率。
　　3. 本砂率表适用于坍落度为 10～60mm 的混凝土。
　　4. 只用一个单粒级粗骨料配制混凝土时，砂率应适当增加。
　　5. 掺用各种外加剂或掺合料时，其砂率应经试验或参照有关规程选用。

表 2-11　　混凝土假定表观密度　　kg/cm³

混凝土强度等级	≤C10	C15～C30	>C30
假定表观密度	2360	2400	2450

注　对于离心成型的混凝土，ρ_h 值要比表中大。

注：以上混凝土配合比计算中，均以干燥状态骨料为基准（干燥状态骨料系指含水率小于 0.5% 的细骨料或含水率小于 0.2% 的粗骨料），如需以饱和面干骨料为基准进行计算时，则应作相应的调整。

（7）配合比的调整。因以上求出的各材料用量，是借助于一些经验公式和数据计算出来的，不一定能符合实际情况，因此，计算出砂、石、水、水泥用量后，要经过试配调整（即混凝土的试拌），看看拌出来的混凝土和易性及混凝土强度是否满足要求，同时经调整达到最佳配合比，这样得出的配合比称为基准配合比。

调整方法：

1）混凝土拌合物和易性调整：当坍落度低于设计要求时，可保持水灰比不变，适当增加水泥浆量。一般增加 10mm 的坍落度，约需增加水泥浆量 1%～2%，若坍落度大于设计要求，则可在砂率不变条件下增加砂石用量，如出现含砂不足，粘聚性和保水性不好时，可适当增大砂率，反之应减少砂率，每次调整后再试拌，直到和易性符合要求为止，同时测出混凝土拌合物的实际表观密度。

2) 试配混凝土的强度检验及水灰比调整：经和易性调整试验得出的混凝土的基准配合比，其水灰比不一定适当，强度不一定符合要求，所以应经过检验后确定。检验混凝土强度时至少采用三个不同的配合比，其中一个为基准配合比，另外两个配合比的水灰比值，应根据基准配合比的水灰比取 ±0.05，其用水量应该与基准配合比相同，但砂率可作适当调整。

每个配合比应至少作一组（3 块）试块，养护至规定龄期试压，制作混凝土试块时尚需检验混凝土的和易性（坍落度）及测定表观密度，并以此结果作为代表这一配合比的混凝土拌合物的性能。

（8）配合比的确定。由试验得出的各水灰比值时的混凝土强度，用作图法或计算求出所要求的混凝土强度相对应的水灰比值，这样即初步定出了混凝土所需配合比。按上述方法计算出的配合比计算出混凝土的计算表观密度值，再将混凝土的实测表观密度除以计算表观密度得出校正系数 K。

校正系数 $K = \dfrac{\text{混凝土实测表观密度}}{\text{计算表观密度}}$，将混凝土配合比中各材料用量均乘以校正系数 K，得出最终的配合比设计值。

（9）施工配合比。以上得出的配合比，是以干燥状态下的材料为基准，而现场存放的砂、石都含有一定的水分；因此，需根据砂、石含水率情况进行调整，这样得出的配合比为施工配合比。

假设现场堆放的砂、石含水率分别为 $a\%$、$b\%$，则上述配合比调整为施工配合比方法为（每立方米各材料的用量）：

$$m'_C = m_C \ (\text{kg})$$

$$m'_S = m_S(1 + a\%) \ (\text{kg})$$

$$m'_G = m_G(1 + b\%) \ (\text{kg})$$

$$m'_W = m_W - m_S \cdot a\% - m_G \cdot b\% \ (\text{kg})$$

第四节　混凝土的拌合工艺

一、混凝土拌合时原材料计量误差控制

（1）实验室条件下应控制。砂、石 ±1.0%，水、水泥、外加剂 ±0.5%。

砂、石集料重量以饱和面干或全干状态下测得，先做饱和面干吸水率及实际含水率试验，据此换算砂、石与水实际用量。

（2）现场生产拌制混凝土应控制。砂、石 ±3%，水、水泥、外加剂 ±2%，均以重量计，骨料中的含水率应经常测定，配合比根据材料变化及时调整。

二、混凝土拌合

混凝土的拌制，就是将水、水泥和粗细骨料（必要时掺入外加剂或混和料）进行均匀拌合及混合的过程，通过拌合使各组材料均匀分散，并达到塑化的目的。

混凝土强度不仅与组成材料的配合比有关，同时也取决于搅拌的均匀性。组成材料及配合比相同时，采用机械搅拌比手工搅拌可使强度提高20%～30%，而且减轻劳动强度，生产率高。

1. 搅拌机械

常用混凝土搅拌机按搅拌原理分为自落式搅拌机与强制式搅拌机两类。

（1）自落式。鼓筒垂直放置，是靠拌筒内的许多叶片在旋转时将物料带至一定高度，借自重落下，周而复始而使物料获得均匀的，它可适用于拌制粗骨料粒径较大的塑性混凝土和流动性混凝土，不宜于拌干硬性混凝土，自落式搅拌机筒体和叶片磨损较小，易于清理，但动力消耗大，效率低。搅拌时间一般为90～120S/盘。

自落式搅拌机又分鼓筒形、锥形反转和锥形倾翻三种；由于自落式搅拌机对混凝土骨料有较大的磨损，从而影响混凝土质量，现正日益被强制式搅拌机所取代。

（2）强制式。鼓筒水平放置，本身不转动，筒内有两组叶片，搅拌时叶片绕竖轴旋转，靠旋转的叶片对混合料产生剪切、挤压、翻转、抛出等多种复合动作进行拌合的；其特点是搅拌作用强烈，拌合时间短，适用于拌制干硬性混凝土。也可以搅制低流动性混凝土。具有搅拌质量好、搅拌速度快、生产效率高、操作简便安全等优点。但机件磨损严重，一般需用高强合金钢或其他耐磨材料做内衬，多用于集中搅拌站或预制构件厂。

强制式搅拌机分强制式涡浆、强制式行星搅拌机和强制式单卧轴、强制式双卧轴搅拌机。

强制式搅拌机的主要组成部分有搅拌筒、进料装量、卸料装量、传动装量、配水系统。配水系统由水泵、电磁阀和定量水表等组成，实现水的计量。

2. 搅拌机的选用

不同类型的混凝土搅拌机都有其最适宜的适用范围。在选用搅拌机时应综合考虑所需拌制的混凝土总数量和同时所需的最大数量、混凝土品种、混凝土流动性要求、骨料最大粒径、搅拌机的容量与性能等各种因素，否则混凝土的质量不易保证，机械的使用寿命也受到影响。

常用搅拌机的基本参数详见表2-12。

现有搅拌方式除采用搅拌机外，还有较先进的搅拌楼（双阶式、单阶式）。此外还采用先进的自动化控制程序进行自动计量，配方的自动调整。

3. 搅拌工艺及搅拌制度

为拌制出均匀优质的混凝土，除合理地选择搅拌机类型外，还必须确定搅拌工艺及搅拌制度，如一次投料量、搅拌时间与投料顺序等。

（1）一次投料量。不同类型搅拌机都有一定的进料容量，如果装料的松散体积超过额定进料容量的一定数值后（如自落式搅拌机超过10%）就会影响混凝土的均匀性。故一次投料数量应控制在搅拌机的额定容量以下。但数量也不宜过少，否则会降低搅拌机的生产率。

（2）投料顺序。确定原材料投入搅拌筒的先后顺序应综合考虑到能否保证混凝土的搅

表 2-12　　　　　　　　　　　　常用搅拌机的基本参数

基本参数	自落式鼓形		自落式锥形反转				自落式锥形倾翻		
	JG150	JG250	JZ150	JZ200	JZ250	JZ350	JF150	JF250	JF350
出料容量（L）	150	250	150	200	250	350	150	250	350
进料容量（L）	240	400	320	320	400	560	240	400	500
搅拌机额定功率(kW)	5.5	7.5	3	4	4	5.5	3	4	5.5
每小时循环工作次数（不小于）	25	20	30	30	30	30	30	30	30
骨料最大粒径（mm）	60	60	60	60	60	60	60	60	60

基本参数	强制式涡浆、强制式行星				强制式单卧轴（双卧轴）			
	JW200 JX200	JW250 JX250	JW350 JX350	JW500 JX500	JD250 JS250	JD350 JS350	JD500 JS500	JD750 JS750
出料容量（L）	200	250	350	500	250	350	500	750
进料容量（L）	320	400	560	800	400	560	800	1200
搅拌机额定功率(kW)	13	15	17	30	10	15	17	72
每小时循环工作次数（不小于）	50	50	50	50	50	50	50	45
骨料最大粒径（mm）	40	40	40	60	40	40	60	60

注　搅拌机额定功率指总功率。

拌质量、提高混凝土的强度,减少机械的磨损和混凝土的粘罐现象,减少水泥飞扬、降低电耗,以及提高生产率等多种因素。按原材料加入搅拌筒内的投料顺序的不同,混凝土的搅拌方法可分为一次投料法,二次投料法和水泥裹砂法等。

1)一次投料法:一次投料是目前最普遍采用的方法,就是将已称好的各种物料一次性倒入搅拌机,其投料顺序是砂→水泥→石子,将水泥夹在砂石之间这样可防止水泥粘附在料斗上,以及减少水泥的飞扬和粘罐现象。当物料倒入搅拌机后缓缓均匀地加入水。

2)二次投料法又分预拌水泥砂浆法和预拌净浆法:预拌水泥砂浆法是先将水泥、砂和水加入搅拌筒内进行充分搅拌,成为均匀的水泥砂浆后,再加入石子搅拌成均匀的混凝土。

预拌水泥净浆法是先浆水泥和水充分搅拌成均匀的水泥净浆后,再加入砂和石搅拌成混凝土。

采用二次投料工艺的优点:可使水泥和砂得到充分拌合,避免产生小水泥团,石子表面被砂浆包裹均匀,因此,混凝土的均匀性得到改善,混凝土强度比一次投料法也有所提高。另一方面,由于石子与拌筒叶片不是直接接触,也提高了拌筒和叶片的使用寿命。

拌合工艺上最好采用二次投料法。有关资料表明,二次投料法搅拌的混凝土与一次投料法搅拌的混凝土相比较,混凝土强度可提高约15%,在强度相同情况下,可节约水泥约15%～20%。

3)水泥裹砂法:又称 SEC 法,采用该法拌制的混凝土称为 SEC 混凝土,也称造壳混凝土。

水泥裹砂法的搅拌程序是先加一定量的水,将砂表面的含水量调节到某一规定值后,再将石子加入与湿砂拌匀,然后将全部水泥投入,与润湿后的砂、石拌合,使水泥在砂、石表面形成一层低水灰比的水泥浆壳,最后将剩余的水(外加剂)加入,搅拌成混凝土。

为使砂颗粒表面形成一层低水灰比的水泥浆壳而在搅拌时不会脱落,砂颗粒表面的适宜含水量可通过试验确定,一般为 15%～25%。因此,自然状态下的砂,先经过砂水分调节处理,使其表面含水量保持为一定值,然后再加入适量的调节水,即可使其表面含水量保持在 15%～25%范围内。采用 SEC 法制备的混凝土与一次投料法相比较,强度可提高 20%～30%,混凝土不易产生离析现象,泌水少,工作性好。

(3)搅拌时间。从原材料全部投入搅拌筒时起,到开始卸出时止所经历的时间称为搅拌时间。为获得混合均匀、强度和工作性能都能满足要求的混凝土所需的最少搅拌时间称为最短搅拌时间。这个时间随搅拌机的类型与容量、骨料品种与粒径以及对混凝土的工作性要求等因素的不同而不同。一般情况下,混凝土的匀质性是随着搅拌时间的延长而增加,因而混凝土的强度也随着提高。但搅拌时间超过某一限度后,混凝土的匀质性无显著的改进,混凝土的强度也增加很少。故搅拌时间过长,不但会影响搅拌机的生产率,而且对混凝土强度的提高也无益处。甚至由于水分的蒸发和较软弱骨料颗粒被长时间的研磨而破碎,还会引起混凝土工作性的降低,影响混凝土的质量。

采用自落式搅拌机的拌合时间为 3～4min,强制式搅拌机为 2～3min,不同类型搅拌机对不同混凝土的最短搅拌时间见表 2-13。

拌合成混凝土坍落度宜控制在 4～6cm。

注意:①落地的灰浆及超过初凝时间的混凝土,不得重新拌合使用,不同品种、不同标号水泥严禁混杂使用。

②混凝土配合比应根据砂、石含水率情况及时调整。

混凝土拌合好后要马上浇注,防止混凝土凝结,尤其在高温季节更应注意。

混凝土从搅拌机中卸出后到浇注、合模、张拉、离心完成,时间较长,生产过程中应控制节奏,保证电杆离心在混凝土开始凝结前

表 2-13　　　　混凝土搅拌最短时间　　　　s

混凝土坍落度 (mm)	搅拌机型	搅拌机出料量 (L)		
		<250	250～500	>500
≤30	自落式	90	120	150
	强制式	60	90	120
≥30	自落式	90	90	120
	强制式	60	60	90

注　1.混凝土搅拌的最短时间系指全部材料装入搅拌筒中起,到开始卸料的时间。
　　2.当掺有外加剂时,搅料时间适当延长。
　　3.当采用其他形式搅拌设备时,搅拌最短时间应按设备说明书的规定或经试验确定。

表 2-14 混凝土从搅拌机中卸出到离心完毕延续时间　　　min

混凝土强度	气　温(℃)	
	≤25	>25
C30 及 以 下	120	90
C30 以 上	90	60

注 对掺外加剂或采用快硬水泥拌制的混凝土,其延续时间应按试验确定。

4. 使用搅拌机注意事项

(1)开动搅拌机前,须将搅拌机内清理干净。

(2)应在开动搅拌机以后才能装料,不允许先装料再开动搅拌机。

(3)装第二次料时应将前一盘的混凝土拌合物全部倒出。

(4)使用完毕后应用水冲洗干净,也可加少量石子和水一同搅拌几分钟,然后倒出再用水冲洗。

(5)检修时一定要切断电源,并要采取措施,防止合闸伤人。

5. 混凝土质量控制

(1)拌制前应对原材料品种、规格、用量进行检查,严格按照施工配合比通知单进行原材料的称量。

(2)严格按照搅拌工艺规程进行操作,检查搅拌时间,保证混凝土的拌合质量。

(3)对拌制好后的混凝土,每班至少做一次坍落度试验,以检验坍落度是否符合要求,坍落度允许偏差±10mm,并制作两组立方试块(或离心试块)与电杆同时蒸养,以检验电杆的脱模强度及 28d 强度是否符合要求。必要时还应有电杆出厂时混凝土强度资料。

(4)混凝土强度评定方法参见附录五。

三、搅拌机选型计算

【例 2-1】 某电杆厂年生产 3 万根电杆(以 φ190×12 为例),采用 2 班制生产,年天数 T_n=306d,请对其搅拌机进行选型计算。

解 (1)已知 $B=2$ 班,$T_n=306d$,$Q_n=30000$ 根/a,将数据代入公式,得:

班产量　　　$Q_s = \dfrac{Q_n}{BT_n} \times K_1 = \dfrac{30000}{2 \times 306} \times 1.2 \approx 60$ 根 / 班

(k_1 为日产量不平衡系数,取 1.2)

每小时产量 $p_{时} = \dfrac{Q_s}{8} = 7.5$ 根/班(按每班 8h 计算)。

(2)φ190×12m 电杆体积计算。

$$V = \frac{\pi \delta h}{2} \left[d_o + (d_o - 2\delta) + \frac{h}{75} \right]$$

式中　δ——壁厚,取 40mm;

$\quad\quad h$——杆长;

$\quad\quad d_o$——梢径。

计算得出:$V=0.347\text{m}^3$

(3)搅拌机选型计算。

每小时需混凝土量 $P_{时}' = 7.5 \times 0.347 = 2.60(\text{m}^3/\text{h})$;

假设搅拌周期 $T=10\text{min}$,选定搅拌机的容积 $V=750\text{l}$;

搅拌机的每小时混凝土出料量计算:

$$Q = \frac{Vtk_2k_3}{T} = \frac{0.75 \times 60 \times 0.9 \times 0.85}{10} = 3.44 \ (\text{m}^3/\text{h})$$

式中，k_2 为时间利用系数，取 0.9，k_3 为设备利用系数，取 0.85。

需搅拌机台数 $$M = \frac{P_{时}'}{Q} = \frac{2.60}{3.44} = 0.76$$

可见需一台 750l 容积的搅拌机，才能满足生产需要。

四、混凝土配合比计算实例

【例 2-2】 请对电杆生产中的混凝土进行配合比设计，要求：

混凝土强度等级 C50，混凝土强度保证率为 95%，施工要求坍落度为 40~60mm。采用机械拌合工艺，离心成型。

采用的原材料：

525 普通硅酸盐水泥（实测 28d 强度为 56.0MPa），密度 $\rho_c = 3.1 \text{g/cm}^3$；

砂：中砂，表观密度 $\rho_S = 2.65 \text{g/cm}^3$，细度模数 $M_x = 3.0$；

石：碎石，5~25mm，表观密度 $\rho_g = 2.70 \text{g/cm}^3$；

水：饮用水。

砂含水率为 3%，碎石含水率为 1%。

计算混凝土的理论配合比及施工配合比。

解 （1）理论配合比的计算。

1）确定混凝土试配强度（$f_{cu,o}$）：

$$f_{cu \cdot o} = f_{cu \cdot k} + t \cdot \sigma_o$$

查 P—t 关系表，$P = 95\%$ 时，$t = 1.645$。

查表，当混凝土质量控制程度为一般情况下，取 $\sigma_o = 5.0 \text{MPa}$，则 $f_{cu \cdot o} = 50 + 1.645 \times 5 = 58.2 \text{MPa}$。

2）确定水灰比：

由鲍罗比公式： $$f_{cu \cdot o} = KAf_c \left(\frac{C}{W} - B \right)$$

$A = 0.46$，$B = 0.52$，$f_c = 56 \text{MPa}$，由于电杆生产中混凝土采用离心成型工艺，离心过程中可排出多余水分，实际水灰比减小，因此，混凝土更加密实，强度也更高。为计算方便，在公式中引入了离心提高系数 k，取 1.2，而对于蒸养后混凝土的强度比标准养护的混凝土强度有所降低可不考虑。将数据代入公式，得 $W/C = 0.42$。

查表，最大水灰比不作规定，故 W/C 仍取 0.42。

3）确定单位用水量：

查表，取 $W = 190 \ \text{kg/m}^3$。

也可按公式：$W = \frac{10}{3}(T + K)$ 计算。查表 $T = 50 \text{mm}$，$K = 53$。

$$W = \frac{10}{3}(5 + 53) = 193 \ \text{kg/m}^3$$

4）计算单位水泥用量 C：

由 $W/C = 0.42$ 可得出 $C = 452 \text{kg/m}^3$

5）确定砂率 S_p：

查表取 $S_p = 34\%$。

方法一:按绝对体积计算。

将数据代入方程式,得

$$\frac{425}{3.1} + \frac{190}{1} + \frac{m_S}{2.65} + \frac{m_G}{2.70} + 10 = 1000$$

$\frac{m_S}{m_S + m_G} = 34\%$,得

$$m_G = 597 \text{ kg/m}^3, m_S = 308 \text{kg/m}^3$$

故计算出理论配合比为:$m_C : m_W : m_S : m_G = 952 : 190 : 597 : 1158 = 1 : 0.42 : 1.32 : 2.56$。

方法二:假定表观密度法计算:

$m_C + m_W + m_S + m_G = 2500$(假定混凝土的表观密度为 2500kg/m^3)

$$S_p = 34\%$$

将数据代入公式,得

$$452 + 190 + m_S + m_G = 2500$$
$$S_p = 34\%$$
$$m_S = 632 \text{ kg/m}^3, m_G = 1226 \text{ kg/m}^3$$

计算出理论配合比为:$1 : 0.42 : 1.40 : 2.71$。

(2)施工配合比的计算。

由于砂、石含水率分别为 3%、1%,故施工中应扣除砂、石中的水分。

用水量 $m'_W = m_W - m_S \times 3\% - m_G \times 1\% = 190 - 597 \times 3\% - 1158 \times 1\% = 160.5 \text{ kg/m}^3$

$$m'_S = m_S \times (1 + 3\%) = 597 \times (1 + 3\%) = 615 \text{ kg/m}^3$$
$$m'_G = m_G \times (1 + 1\%) = 1158 \times (1 + 1\%) = 1170 \text{ kg/m}^3$$

则施工配合比为:$m_C : m'_W : m'_S : m'_G = 1 : 0.36 : 1.36 : 2.59$。

五、掺加减水剂混凝土配合比设计

【例 2-3】 某高效减水剂,其掺量为水泥重量的 0.30%,减水率为 10%,请计算[例 2-2]中的施工配合比:

解 保持水泥用量不变,$m_C = 452 \text{kg}$,考虑减水剂减水 10%,故用水量

$$m''_W = m'_W \times (1 - 10\%) = 160.5 \times 0.9 = 144.5 \text{ kg/m}^3$$

则掺减水剂后混凝土的施工配合比为:$m_C : m'_W : m'_S : m'_G = 1 : 0.32 : 1.36 : 2.59$。

计算过程如下:

(1)确定试配强度($f_{cu,o}$)。

$$f_{cu,o} = f_{cu,k} + t\sigma$$

查表 2-1,$P = 95\%$ 时,$t = 1.645$;

查表 2-4,当混凝土强度等级为 C40 时,取 $\sigma = 6.0 \text{MPa}$;

所以 $f_{cu,o} = 40 + 1.645 \times 6.0 = 49.9 \text{MPa}$。

(2)确定水灰比(W/C)。

由水灰比经验公式:

$$f_{cu\cdot o} = Af_c(C/W - B)$$

用碎石,取 $A=0.46$,$B=0.52$,$f_c=56\text{MPa}$,

所以 $W/C=\dfrac{Af_c}{f_{cu,o}+ABf_c}=\dfrac{0.46\times56}{49.9+0.46\times0.52\times56}=0.41$。

(3)确定单位用水量(m_W)。

查表 2-6,取 $m_W=195\text{kg/m}^3$。

也可按公式:$m_W=\dfrac{10}{3}(T+K)$计算,查表 $T=50\text{mm}$,$K=53$。

$$m_W=\frac{10}{3}(5+53)=193\ (\text{kg/m}^3)$$

(4)计算单位水泥用水量(m_C)。

由 $W/C=0.41$ 可求出 $m_C=476\text{kg/m}^3$。

(5)确定砂率(S_p)。

查表 2-9,取 $S_p=34\%$。

(6)计算粗、细骨料用量(m_G、m_S)。

1)绝对体积法:

$$\frac{m_C}{\rho_C}+\frac{m_W}{\rho_W}+\frac{m_S}{\rho_S}+\frac{m_G}{\rho_G}+10\alpha=1000$$

$$\frac{m_S}{m_S+m_G}=S_p$$

取 $\alpha=1$,将 $m_C=476\text{kg/m}^3$,$m_W=195\text{kg/m}^3$,$\rho_C=3.1\text{g/cm}^3$,$\rho_S=2.65\text{g/cm}^3$,$\rho_G=2.70\text{g/cm}^3$,则代入方程式,得:

$$m_G=1137\ \text{kg/m}^3,m_S=586\ \text{kg/m}^3$$

所以该混凝土初步配合比为 $m_C:m_W:m_S:m_G=1:0.41:1.23:2.39$

2)假定表观密度法:

假定:混凝土表观密度为 $\rho_h=2450\text{kg/m}^3$,则:

$$m_C+m_W+m_S+m_G=2450$$

$$\frac{m_S}{m_S+m_G}=S_p$$

将 m_C、m_W、S_p 代入方程式,求解得:

$$m_S=605\ \text{kg/m}^3,m_G=1174\ \text{kg/m}^3$$

则其配合比为:$m_C:m_W:m_S:m_G=1:0.41:1.27:2.47$。

两种计算结果比较接近。

【例 2-4】 假设[例 2-3]中采用了某早强型高效减水剂(掺量 0.3%,减水 15%),计算该混凝土的配合比。

解 1.若不提高混凝土强度仅从节省水泥用量角度考虑,(1)、(2)、(3)同[例 2-3]中计算步骤(1)、(2)、(3),$f_{cu,o}=49.9\text{MPa}$,$W/C=0.41$,$m_W=195\ \text{kg/m}^3$。

(4)掺减水剂后实际用水量。由于减水剂的减水作用,提高了混凝土的和易性(坍落度增

大),故应在相同水灰比下减少用水量,即实际用水量应为:

$$m_w' = m_w(1 - 15\%) = 166(\text{kg/m}^3)$$

(5)单位水泥用量。

$$m_C' = \frac{m_w'}{W/C} = \frac{166}{0.41} = 404 \ (\text{kg/m}^3)$$

较原来节省了 15% 的水泥。可见掺减水剂可在保证相等强度条件下节省水泥用量。

(6)确定砂率。

仍取 $S_P = 34\%$(或适当调整)。

(7)用假定表观密度法计算砂、石用量。

假定 $$\rho_h = 2450 \ \text{kg/m}^3$$

则 $$m_C + m_w + m_S + m_G = 2450$$

$$\frac{m_S}{m_S + m_G} = S_P = 34\%$$

则代入方程式计算得:$m_S = 639\text{kg/m}^3$,$m_G = 1241\text{kg/m}^3$。

则混凝土配合比为:水泥:水:砂:石=1:0.41:1.58:3.07。

解 2. 若为了提高混凝土的强度,则应保持水泥用量不变,$m_C = 476\text{kg/m}^3$,则用水量 $m_w' = m_w(1-15\%) = 166(\text{kg/m}^3)$

此时实际水灰比为 $W/C = 166:476 = 0.35$。

砂率减少 2%,取 $S_P = 32\%$,则砂、石用量可同样用假定表观密度法计算,得:

$$m_S + m_G + 166 + 476 = 2450$$

$$\frac{m_S}{m_S + m_G} = 32\%$$

故可推出 $m_S = 579\text{kg/m}^3$,$m_G = 1229\text{kg/m}^3$。

混凝土配合比为:水泥:水:砂:石=1:0.35:1.22:2.50。

第三章 钢材的加工工艺

由于热扎软钢强度低，塑性变形大，其用途受到很大限制。因此必须通过一些工艺措施提高钢筋强度并减少塑性变形，以达到节省钢材的目的，并扩大钢材的用途。

钢材的加工工艺分为冷加工与热加工，其中冷加工分冷拉、冷拔，均由热轧软钢在常温下通过机械方法加工而成，热加工即为调质热处理，即目前使用的 V 级钢筋由 Ⅳ 级低合金钢经 900℃高温淬火，以提高抗拉强度，再经 450℃低温回火处理，以改善塑性，调质热处理后的钢筋强度可达 1470MPa 以上。

第一节 钢筋的冷拉与冷拔

从热轧软钢的拉伸试验得出的应力一应变曲线来看，钢筋受拉过程分为三个阶段，如图 3-1 所示。

第一阶段：弹性变形阶段（OB 段），B 点的应力 σ_b 称为比例极限。

第二阶段：屈服阶段（SC 段），S 点的应力 σ_s 称为屈服强度，这一阶段钢筋变形增大，应力不增加。

第三阶段：强化阶段（CP 段），P 点对应的应力 σ_P 称为极限强度，当钢筋应力达到 σ_P 后，变形逐渐增大，钢筋开始"颈缩"，最后断裂。

一、钢筋的冷拉

钢筋冷拉就是在常温下，以超过钢筋屈服强度的拉应力拉伸钢筋，使钢筋产生塑性变形，改变了钢材内部的晶体结构，以提高强度，节省钢材。

1. 冷拉原理

将钢筋拉伸至应变超过屈服变形阶段，应力超过屈服强度 σ_s，继续拉至强化阶段的某一点，如图 3-2 中至 K 点，停止拉伸并卸荷至零，钢筋则沿 KO′恢复，这时一部分变形（弹性变形 O′K）可恢复，而另一部分变形（塑性变形 OO′）不能恢复。如果此时再拉伸，钢

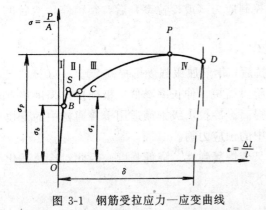

图 3-1 钢筋受拉应力—应变曲线

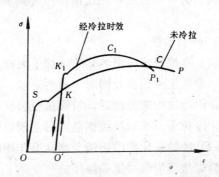

图 3-2 钢筋经冷拉时效后应力—应变曲线

筋的应力应变沿 $O'K$ 发展，原来的屈服阶段不再出现，屈服点由原来的 S 点提高到 K 点，并沿略高于 KCP 曲线发展至 P 点破坏。经过冷拉后的钢筋其屈服点提高了（从 S 点到 K 点），塑性变形变小，这样提高了钢筋的屈服强度，但抗拉强度基本不变。相应降低了塑性和韧性 。这一过程亦称冷拉强化过程。

如果钢筋经过冷拉时效处理后，再继续张拉，此时钢筋的应力—应变曲线沿 $O'K_1C_1P_1$ 发展，屈服点进一步提高，到 K_1 点（提高20%左右），抗拉强度也明显提高，其塑性韧性进一步降低，可见，钢材经冷拉时效处理后，可提高强度，达到节省钢材的目的。

通常，冷拉后的钢筋经过人工时效与自然时效两种处理方式，随着放置时间的延长钢筋的强度会进一步提高，同时塑性与韧性下降，这种方法称为冷拉时效。常温下放置15～20d 自行完成的时效过程叫自然时效；采用蒸汽或电解法加热到100℃时1～2h 完成的时效称为人工时效。采用何种时效方法视具体条件而定。

2. 冷拉工艺

钢筋的冷拉方法可采用控制应力或控制冷拉率的方法。对分不清炉批号的热轧钢筋，不应采用控制冷拉率的方法。

当采用控制应力方法冷拉钢筋时，其冷拉控制应力下的最大冷拉率应符合表 3-1 规定。冷拉时应检查钢筋的冷拉率，当超过表 3-1 规定时，应进行力学性能检验。

当采用控制冷拉率方法冷拉钢筋时，冷拉率必须由试验确定。测定同炉批钢筋冷拉率，其试样不少于 4 个，并取其平均值作为该批钢筋实际采用的冷拉率。测定冷拉率时钢筋的冷拉应力应符合表 3-2 规定。

表 3-1　　　冷拉控制应力及最大冷拉率

钢筋级别	钢筋直径 (mm)	冷拉控制应力 (N/mm²)	最大冷拉率 (%)
Ⅰ 级	≤12	280	10.0
Ⅱ 级	≤25	450	5.5
	28～40	430	
Ⅲ 级	8～40	500	5.0
Ⅳ 级	10～28	700	4.0

表 3-2　　　测定冷拉率时钢筋的冷拉应力

钢筋级别	钢筋直径 (mm)	冷拉应力 (N/mm²)
Ⅰ 级	≤12	310
Ⅱ 级	≤25	480
	28～40	460
Ⅲ 级	8～40	530
Ⅳ 级	10～28	730

注　当钢筋平均冷拉率低于 1% 时，仍应按 1% 进行冷拉。

钢筋的冷拉速度不宜过快，待拉到规定的控制应力（或冷拉率）后，须稍停，然后再放松。

3．冷拉效果

（1）冷拉钢筋可用热轧软钢加工而成。冷拉后，钢筋屈服强度可提高20%～40%，但抗压屈服强度未提高；同时，材料变脆，屈服阶段缩短、伸长率降低，极限抗拉强度略有提高。经冷拉时效处理后，极限抗拉强度明显提高。冷拉Ⅰ级钢筋适用于普通杆中的受拉钢筋，冷拉Ⅱ、Ⅲ、Ⅳ级钢筋可用于预应力杆中的预应力筋。

（2）冷拉强化后的钢筋受到高温作用时，又会恢复弹性，降低强度，因此对冷拉强化的钢筋焊接或加热时需采取措施。

冷拉钢筋的力学性能见表 3-3。

钢筋级别	钢筋直径 (mm)	屈服强度	抗拉强度	伸长率 δ_{10}	冷 弯	
		不 小 于			弯曲角度	弯曲直径
Ⅰ级	≤12	280	370	11	180°	3d
Ⅱ级	≤25	450	510	10	90°	3d
	28～40	430	490	10	90°	4d
Ⅲ级	8～40	500	570	8	90°	5d
Ⅳ级	10～28	700	835	6	90°	5d

注 1. d 为钢筋直径 (mm)。

    2. 表中冷拉钢筋的屈服强度为 GBJ10—89 规范中冷拉钢筋的强度标准值。

    3. 钢筋直径大于 25mm 的冷拉 Ⅲ、Ⅳ级钢筋，冷弯弯曲直径应增加 1d，冷弯后不得有裂纹、裂断或起层现象。

    4. 经过冷拉后的钢筋表面不得有裂纹、起层和局部缩颈。

4. 冷拉钢筋质量控制

冷拉钢筋的检查验收，应符合下列规定：

（1）应分批进行验收，每批由不大于 20t 的同级别、同直径冷拉钢筋组成。

（2）钢筋表面不得有裂纹和局部颈缩，当用作预应力钢筋时，应逐根检查。

（3）从每批冷拉钢筋中任意抽取两根钢筋，每根取两个试样分别进行抗拉强度、屈服强度、伸长率和冷弯试验。

检验结果处理：当有一项试验结果不符合标准规定要求时，应另取双倍数量的试样重做各项试验；当仍有一个试样不合格时，则该批冷拉钢筋为不合格品。

注：计算冷拉钢筋的屈服强度和抗拉强度，应采用冷拉前的截面面积。

二、冷拔

冷拔是将直径 6～12mm 的 Ⅰ 级光圆钢筋，在常温下使之多数通过小于其直径 0.5～1mm 的硬质合金拔丝模，进行强力拉拔的过程。

1. 冷拔原理

钢材内部的结构是由排列整齐的许多细小的晶体组成，当外力在屈服点范围内时，仅仅把晶体的间距拉长或压缩，当外力超过屈服点后，钢材内部组织发生变化，晶体产生移动，晶体因强迫变形产生内应力。钢筋的冷拔正是利用这一原理达到提高抗拉强度的目的。

2. 冷拔钢丝的应力—应变曲线

冷拔丝的应力—应变曲线如图 3-3 所示，由曲线可知，钢筋经冷拔后，其应力—应变曲线的变化规律，亦可分为三个阶段，但最重要的特征是没有明显的屈服台阶，即钢筋性质已由："软钢"变为"硬钢"。

第一阶段（OB 阶段）：弹性变形，称 σ_b 为 "比例极限"；

第二阶段（BC 阶段）：产生弹性变形外，还产生塑性变形，即加荷到 C 点时，卸荷至零时，变形未回到 O 点，而是回到 O′ 点，OO′ 就称为 "残余变形"，当

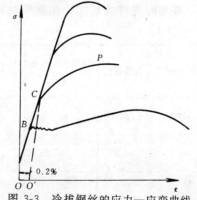

图 3-3 冷拔钢丝的应力—应变曲线

"OO'"值为 0.2%时，称 σ_c 为"条件流限"；

第三阶段（CP 阶段）：强化阶段，应力—应变曲线超过 C 点后，钢筋的塑性变形更大，当应力达到 σ_P 时，钢筋同样开始"颈缩"最终产生脆性断裂，变形比软钢小的多。

3. 冷拔效果

冷拔后的钢筋极限强度可提高 40%～90%，塑性大大减小，钢筋变形没有明显的屈服台阶，因此钢筋已由软钢转为硬钢。

对截面减缩率要求较大的钢筋，需经多次冷拔而成，为了保持一定的塑性，有时需中间退火处理。

4. 冷拔工艺

冷拔低碳钢丝的工艺流程如下：

以上工艺流程中，可分道冷拔亦可多道一次性连续冷拔。

（1）除锈。圆钢盘条表面常有铁锈，铁锈层硬度高，易损坏拔丝模，从而使钢丝表面产生刻痕或其他缺陷，因此冷拔前圆钢盘条必须经过除锈处理。除锈方法有机械除锈与化学除锈，一般厂家均采用机械除锈方法，即在钢筋进入拔丝模具之前设置一个辊轮装置，该辊轮装置由 3～6 个上下交错排列的辊轮组成，盘条经反复弯曲，使铁锈层剥落。

化学方法一般将盘条经酸洗、中和、烘干等过程达到除锈的目的。即将盘条浸入 3%～10% 稀盐酸池中，时间一般为 10～20min，以除去表面的铁锈为止，取出用清水冲洗，再浸入石灰肥皂水中中和，最后干燥或烘干。

（2）轧尖。盘条经机械除锈后，端头放入轧尖机的压辊中轧细，轧压长度约 200mm，轧压后的直径比第一道拔丝模孔小 0.5～0.8mm，如为分道冷拔，则每道冷拔前均要轧尖，连续冷拔只需一次即可。

（3）冷拔。拔丝机有立式、卧式和单筒和多筒之分，多采用立式。为了提高生产率，而将多个拔丝机联合作业。多模串联时，应注意冷拔次数（即分道压缩率），冷拔次数可参考表 3-4。

拔丝时先将拔丝模装在润滑材料盒内，安装在拔丝机架上，将经过轧尖的钢筋端头穿

表 3-4　　　　　　　　　　　　　　　　　　冷 拔 次 数 参 考 表

钢丝直径	盘条直径	冷拔总压缩率（%）	冷拔次数和拔后直径					
			1	2	3	4	5	6
ϕ5.0	ϕ8	61	6.5 7.0	5.7 6.3	5.0 5.7	5.0		
ϕ4.0	ϕ6.5	62.2	5.5 5.7	4.6 5.0	4.0 4.5	4.0		
ϕ3.0	ϕ6.5	78.7	5.5 5.7	4.6 5.0	4.0 4.5	3.5 4.0	3.0 3.5	3.0

过拔丝模孔，嵌入链条夹具中，用楔块夹紧，链条另一头的挂销塞进拔丝机卷筒的缺口里，然后开动机器进行拔丝。

连续式拔丝机具有劳动强度低，生产效率高等特点，多为大型厂家所采用。

5. 冷拔设备

（1）拔丝模具。拔丝模为硬质合金材料，常用钨钴类合金，如六钨钴合金（代号YG6），拔丝模的构造如图3-4所示，分四个区段：进口导向区、锥形挤压区、圆柱形校正区和出口区。

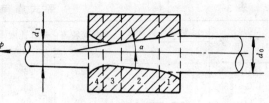

图 3-4 拔丝模示意图
1—进口导向区；2—锥形挤压区；
3—圆柱形校正区；4—出口区

拔丝模的模孔角度 α 直接影响到拔丝的质量，模孔角度太小，钢丝与拔丝模接触增大，摩擦力也增大，冷拔时易将钢丝拉断。相反，模孔角度太大，容易使钢丝表面润滑剂脱落，因而出现伤痕和沟纹。模孔内径和角度大小的选择是根据冷拔一次所缩小的直径而定，而钢丝每冷拔一次缩小多少，主要取决于钢材的可塑性和拔丝机的功率，以及拔丝工艺要求。根据经验模孔角度 α 一般以 14°～16° 为宜，如表3-5所列。

表 3-5　冷拔直径与模孔角度的关系

冷拔直径	$\phi6\sim5$	$\phi5\sim4$	$\phi4\sim3$
α	16°	15°	14°

拔丝模要定期检查和修整，使用过久的模子，如孔径磨损过大，超过允许偏差，不能再用，以保证冷拔丝成品的直径要求。

（2）钢筋冷拔机。根据 JG/T5022—92，冷拔机的结构型式按卷筒工作位置分有立式、卧式、串联式三种。其主参数及系列以钢筋最大进料直径 4.0、6.5、8.0、10、12（mm）来表示，其基本参数见表3-6。

卧式卷筒冷拔机型号表示方法如下，各种型号的冷拔机有关技术参数详见表3-7。

表 3-6　　　冷拔机的基本参数

名　称	基 本 参 数				
钢筋最大进料直径	4.0	6.5	8.0	10	12
钢筋抗拉强度 σ_b（MPa）	≥1200		≤1100		
拉拔力（kN）	≥10	≥16	≥25	≥40	≥63
卷筒直径（mm）	400 450 500	550 600 650	650 700 750	750 800	800 900

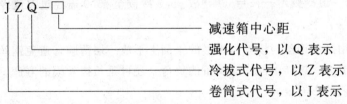

```
JZQ—□
        └── 减速箱中心距
      └──── 强化代号，以 Q 表示
    └────── 冷拔式代号，以 Z 表示
  └──────── 卷筒式代号，以 J 表示
```

（3）钢筋轧头机。它是冷拔拉丝机的配套设备，冷拔前用该机把钢筋头轧细，以便穿入冷拔机模孔。

6. 冷拔总压缩率与冷拔次数

冷拔总压缩率是指盘条拔至成品钢丝横截面积总缩减率，它是拔丝工艺中的一个主要参数，直接影响冷拔丝的抗拉强度和伸长率。

表 3-7 卧式卷筒冷拔机

| 型　　号 | 钢筋冷拔直径 | | 卷筒转速 | 拉长速度 | 每道拉细量 | 配套电机功率 | 平均班产量 | 生产厂 |
	最大	最小	(r/min)	(m/min)	(mm)	(kW)	(kg)	
JZQ—350	6.5	1	25	26	0.5~0.8	7.5	700	
JZQ—350	8	2	25	33	0.5~1.0	13	1000	
JZQ—350	10	2	25	40	1~1.5	15	2000	
JZQ—350	12	2	25	50	1~1.5	17	3000	

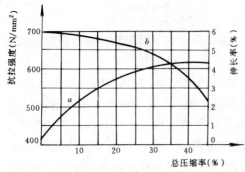

图 3-5 伸长率与总压缩率的关系曲线 a 表示总压缩率与抗拉强度的关系；曲线 b 表示总压缩率与伸长率的关系

$$\beta = \frac{d_0^2 - d^2}{d_0^2} \times 100\%$$

式中　d_0——盘条直径；

　　　　d——成品钢丝直径。

　　一般情况下，第一次冷拔后的强度增加较多，伸长率也降低较多，当第一次压缩率在 20%～30% 时，强度平均可增加 40%～60%，伸长率降低 80% 以上，当钢材牌号相同时，钢丝的强度随总压缩率的增大而提高，伸长率随之降低。钢丝的强度、伸长率与冷拔总压缩率之间的关系（见图 3-5）。图中曲线 a 表示总压缩率与抗拉强度的关系，曲线 b 表示总压缩率与伸长率的关系。所以冷拔后钢丝强度除了取决于原材的强度之外还取决于总压缩率。

　　冷拔次数对冷拔丝强度影响不大，可根据钢材性质和工艺设备条件来选择，钢材塑性好，次数可多些，反之少些，冷拔次数不宜过多，它不但影响生产效率，而且使钢丝变脆。根据实践经验，提出了冷拔系数 $k=1.15$，分次压缩率在 20%～30% 之间。冷拔速度一般为 0.2～0.3m/s，速度太小容易拔断。

【例 3-1】　由 $\phi6.5$ 盘条冷拔至 $\phi5$，计算其总压缩率并分几道冷拔。

解　　　　总压缩率 $= \dfrac{d_0^2 - d^2}{d_0^2} \times 100\% = \dfrac{6.5^2 - 5^2}{6.5^2} \times 100\% = 40.8\%$

根据冷拔系数　　　　$k = 1.15$　　$\dfrac{\phi6.5}{1.15} = \phi5.65$

取 $\phi5.7$ 为第一道冷拔，$\dfrac{\phi5.7}{1.15} = 5.0$，故 $\phi6.5$ 冷拔至 $\phi5.0$ 需经过二道冷拔。

7. 润滑剂要求

　　润滑剂的作用是使钢丝与拔丝模接触的锥面上形成一层薄膜，避免钢丝与模孔产生直接摩擦，减少摩擦力。这样不但降低设备的负荷，还可延长拔丝模的寿命。因此，润滑剂的好坏对拔丝工艺的影响很大。

（1）润滑剂的原材料及配合比。

生石灰（块灰经消化过筛后使用）20kg；

石蜡 2kg；

动物油（羊油或猪油、牛油）2kg；

肥皂一条（冬季可用两条）。

（2）配制方法。上述用量的石灰加适量水，先在锅中消化，加水量以石灰能充分消化呈粉状为准。然后将动物油、石蜡及肥皂加热熔化搅拌均匀，倒入石灰锅内；一边加热一边搅拌，直至全部物料充分混合均匀。冷却后除去杂质及未消化的石灰块，放入密闭容器内储存，润滑剂要求干燥，防止受潮结块。

第二节　钢筋的配料加工

在混凝土电杆生产中的钢材有多种，用于普通杆生产的主要有Ⅰ级及冷拉Ⅰ级光圆钢筋、Ⅱ级螺纹钢筋等。用于预应杆生产的钢筋有冷拉Ⅱ～Ⅳ级钢筋、冷拔低碳钢丝、调质热处理钢筋、碳素高强钢丝、刻痕钢丝、钢铰线等等。

一、普通钢筋的加工

作为普通杆所用的钢筋的配料加工，按以下程序进行：

除锈 → 主筋调直 → 下料 → 绑孔骨架
架立圈制作 ───────────↑

（1）除锈。钢筋由于保管不善（如露天堆放）或保存过久，会产生铁锈或染上污物，如不清除干净，会影响钢筋和混凝土之间的粘接力，进而影响到电杆的承载力。因此，钢筋加工之前，必须进行除锈处理。如果钢筋锈蚀严重，如带有颗粒状或片状老锈的钢筋就不得使用。

除锈有人工、化学与机械等方法，人工方法是用钢丝刷或砂盘将钢筋上的铁锈刷尽。化学方法是采用酸洗，再经过中和、烘干处理。机械方法有多种，如在加工中同时达到除锈的目地（冷拉、调直等工序）。在除锈过程中，如发现钢筋表面锈斑鳞落现象严重并已损伤载面或有严重麻坑、班点伤蚀截面时，应降级使用或剔除不用。

（2）调直。直径在 10mm 以下的钢筋为盘圆状态，在使用之前必须经过放盘、调直工序，直径在 10mm 以上的钢筋，一般在轧制过程中都切成 8～9m 长的直条，但由于运输或存放不当，会有局部弯曲，因此，在使用前应进行调直处理。

调直方法有机械与人工两种，盘圆线材多可采用机械调直，如调直机或卷扬机。对直径在 10mm 以上的直条粗钢筋可采用人工方法调直，先将钢筋的弯折处放在卡盘上的板柱间，用平头横向板子将钢筋弯折处平直或用锤击法平直。粗钢筋的调直也可采用冷拉时拉直，一般拉到钢筋表面浮皮脱落为止。

调直后钢筋质量要求：调直后钢筋应平直，不得有局部弯曲、不粘油污，避免铁锈在混凝土中影响了钢筋与混凝土的粘接力；其次阻止钢筋继续锈蚀对混凝土产生不良影响。采用冷拉方法调直钢筋时，Ⅰ级钢筋的冷拉率不宜大于 4％，Ⅱ、Ⅲ级钢筋的冷拉率不宜大于 1％，钢筋表面应洁净。

（3）下料。根据设计长度将钢筋切断，可采用手工切断（如砂轮机、手压切断器、手液动压切断器等工具）或切断机（电动与液压两种）切断。要保证切口端面平整，长度偏差保持在 ±10 mm 范围内，不同长度分开堆放，标志明显，等待绑扎骨架。

二、冷拔低碳钢丝的加工

冷拔丝为盘圆线材，通常为 ϕ8 圆钢冷拔而成，为盘圆状态，因此必须经过除锈→调直→切断→等长编组→穿筋→墩头→绑扎骨架等工序。冷拔低碳钢丝在调直机上调直后，其表面不得有明显的擦伤，抗拉强度不得低于设计强度。

冷拔低碳钢丝的检查验收应符合下列规定：

（1）逐盘检查外观，钢丝表面不得有裂纹和机械损伤。

（2）甲级钢丝的力学性能应逐盘检验，从每盘钢丝上任一端截去不少于500mm后再取两个试样，分别作抗拉强度、伸长度和180°反复弯曲试验，并按抗拉强度确定该盘钢丝的组别。

（3）乙级钢丝的力学性能可分批抽样检验。以同一直径的钢丝5t为一批，从中任取三盘，每盘各截取两个试样，分别作抗拉强度、伸长率和反复弯曲试验。

检验结果处理：如有一个试样不合格，应在未取过样的钢丝盘中，另取双倍数量的试样，再做各项试验；如仍有一个试样不合格，则应对该批钢丝逐盘检验，合格者方可使用。

（4）冷拔低碳钢丝的力学性能应符合表1-10的规定，预应力冷拔低碳钢丝经机械调直后，抗拉强度标准值应降低50N/mm²。

三、预应力钢丝的下料

钢丝、钢绞线、热处理钢筋及冷拉Ⅳ级钢筋等预应力钢筋为高强钢丝，如局部加热或急剧冷却，将引起该部位的马氏体组织脆性变态，小于允许张拉力的荷载即可造成脆断，危险性很大，因此加工、下料时，不得采用加热、焊接、电弧切割。宜采用砂轮锯或切断机切断，在该类预应力钢筋旁边进行烧割或焊接操作时，应非常小心，使预应力钢筋不受过高温度、焊接火花或接地电流的影响。冷拉钢筋的闪光焊或电弧焊，应在冷拉前进行。

矫直回火钢丝放开后是直的，可直接下料。钢丝下料时如发现钢丝表面有电接头或机械损伤，应随时剔除。

钢绞线在出厂前经过低温回火处理，因此在进厂后无须预拉。钢绞线的下料宜用砂轮切割机切割，具有操作方便、切口规则、无毛头、效率高等优点。

四、调直切断机设备

冷拔低碳钢丝通常为盘圆供应，故在生产之前，首先要经过除锈、调直、切断等工序。一般除锈与钢丝调直在同一道工序中完成，目前采用滚轮式调直器，由数对滚轮组成，上列滚轮能上、下调整，用以调节对钢丝的压紧程度，该工艺结构简单，使用方便，但只能调直由盘圆形成的大半径弯曲钢丝。

电杆生产中冷拔低碳钢丝的调直切断均用调直切断机来完成。它具有调直定长切断为一体化的功能。它是调直冷拔低碳钢丝等细钢筋的主要设备。

根据钢筋调直切断机GB8525—87标准，将调直切断机分为：机械控制、数控（代号S）、液压控制（代号Y）等三种型式，其型号由类、组、型、特性代号、主参数代号、变型及更新代号组成，表示方法如下。

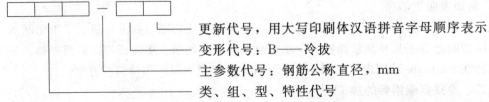

如：GT6/12 GB8525 表示调直钢筋直径6～12mm的机械控制定长钢筋调直切断机。

GTS3/8 BA GB8525 表示第一次更新的冷拔调直钢筋直径为3～8mm的数控定

长钢筋调直切断机。

调直切断机设备构造：主要由承料架、调直机构、牵引机构、定长装置、切断机构、切断刀具、牵引传动装置等组成。规格系列及性能要求见表3-8。

数控钢筋调直切断机是在原来的调直机的基础上应用电子控制仪，准确控制钢丝断料长度，并自动计数。

特点：断料精度高，误差可控制在1～2mm，但要求钢丝表面光洁，断面均匀，以免钢丝移动时速度不均，影响切断长度的精确度。

电杆生产中，需调直切断的钢筋长度为4.5～15m，因此，需加长承料架，其特点是：导向槽狭小（略大于钢丝直径）、隔板光滑、平直、固定，钢丝在槽道内始终保持直线状态，没有弯曲，在设计长度位置固定一个限位器（定长装置），当钢丝牵引到此触动限位开关时，使刀具切断钢丝。另有电子控制装置，保证钢丝切断后，刀具能迅速复位，防止钢丝被连切，且使切断钢丝的断面平整，保证被切断的钢丝在同一设计长度。

各种型号的调直切断机见表3-9所示。

表 3-8　　　　　规格系列及性能要求

规格 \ 名称	1.6/4	3/8	6/12	10/16
钢筋公称直径（mm）	1.6～4	3～8	6～12	10～16
钢筋抗拉强度 σ_b（N/mm²）	≤850		≤650	≤450
牵引速度（m/min）	≥30	≥35	≥35	≥25
钢筋切断长度（mm）	200～2000		300～6500	
切断长度误差（mm）	≤3		≤4（3）	
钢筋直线度（mm）	≤4（3）			
钢筋表面质量	无刀痕（轻微擦伤）			
连切现象	少量存在（很少发生）			

注　括号内为一等品要求，未加括号为合格品要求。

表 3-9　　　　　　　　　　　调 直 切 断 机

型　　号	调直钢筋直径（mm）	钢筋调直速度（m/min）	用　　途	生　产　厂　家
GT4/14	4～14	50，30	调直、牵引、剪切	东北重型机械学院机械厂
GT3/9	3～9	40	调直、剪切	东北重型机械学院机械厂
GT/4～8	4～8	40	调直、剪切	东北重型机械学院机械厂
GT4/14	4～14	30，54	调直、剪切	太原建筑机械制造厂
GT4/8	4～8	58	调直、剪切	杭州工程机械厂
GT4/14	4～14	58	调直、剪切	杭州工程机械厂

五、等长编组

由于标准要求，预应力钢丝的下料长度相对误差不得大于1.5/10000，亦即对10m杆，其下料相对误差不得大于1.5mm。由于目前调直切断机的技术性能尚达不到这样的精度，因此，在已下料的钢丝中，尚须人工经过等长编组。

等长编组的方法：在下料钢筋堆放区固定一钢丝限位槽钢，使钢丝的一端固定，另一端设一可摆动的指针。通过调整指针，确定其正负偏差，对不同杆长，可调整其不同偏差范围。将下料的钢筋分成三组，即：

正偏差：+2.0mm

零　　　±0.5mm

负偏差：－2.0 mm

－0.5

这样，将上述三组钢筋分开使用，进行镦头，保证了同一个钢筋骨架中所使用的钢筋其下料长度偏差保持在 1.5/10000 范围之内。

第三节　钢　筋　的　镦　头

预应力钢筋的镦头主要是作为预应力钢筋张拉时锚固用，是预应力钢筋加工工艺所必不可少的部分。根据产品的不同特点，镦头所起作用亦不同，如组装杆镦头与钢板圈一起属于产品的组成部分，属于永久性镦头；而整根锥形杆镦头用作悬挂或穿过挂筋盘在张拉预应力时起作用，放张时剪掉，故此属过渡性镦头。

从上面可知，两者在强度要求上也不一样，作为永久性镦头，标准规定，镦头强度应不低于母材强度的 95%，而过渡性镦头因其承受的张拉应力仅为母材强度的 70%～75%，因此，对其镦头强度不作要求。

一、镦头工艺

镦头工艺分为冷镦与热镦，冷镦又分机械与液压两种，它们各自有不同的特点，热镦主要用于粗钢筋（直径大的热轧软钢），热镦时退火，热镦后镦头强度有所减弱。而对于小直径钢丝头形不易掌握，较少采用，只适宜于粗钢筋。

冷镦根据机械驱动原理，可分为机械镦头与液压镦头。高强钢丝、调直热处理钢筋的镦头，主要采用液压镦头工艺，这主要是由于这类钢筋采用热镦在高温作用下，引起强度下降等负作用，且机械冷镦又难以成型。冷拔低碳钢丝则主要用机械镦头。采用液压冷镦工艺钢丝的镦头强度高，而且成型质量好。

二、镦头设备

1. 机械冷镦设备

主要有手动冷镦机、移动式电动冷镦器、固定式电动冷镦机等可冷镦 $\phi 3 \sim \phi 5$ 冷拔低碳钢丝。手动式冷镦机劳动强度大，工作效率低，一般工厂不采用，电动冷镦机较手工冷镦机工作效率高，降低劳动强度，可适用于机组流水法的生产工艺（如电杆生产）。

如 YD—5 型移动式冷镦机：镦头次数达 18 次/min；D—5 型固定式冷镦机：镦头次数达 60 次/min，夹紧力 30kN，顶锻力 20kN。

机械电动镦头机的工作原理是电动机通过皮带减速后使主轴转动，主轴上装有压紧凸轮和顶锻凸轮，压紧凸轮使压紧杠杆和压槽将钢筋夹住。顶锻凸轮推动滑块及镦模向前移动，镦模挤压被压模夹住的钢筋，使钢筋端部镦粗。

该机械效率高，镦头质量好。

2. 液压冷镦设备

液压镦头机根据 JG/T5030—93《预应力钢筋、钢丝、液压镦头器》分为移动式和固定式两种，其型号由类型代号、主参数组成表示方法如下：

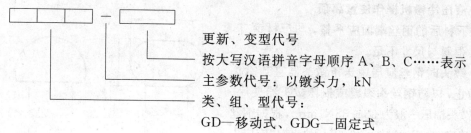

更新、变型代号

按大写汉语拼音字母顺序 A、B、C……表示

主参数代号：以镦头力，kN

类、组、型代号：
GD—移动式、GDG—固定式

标记示例：

如镦头器 GD/100 JG/T5030 表示镦头力 100kN 的移动式预应力钢筋、钢丝液压镦头器。

主参数系列按表 3-10 选用。

镦头力：预应力钢筋、钢丝液压镦头器的镦头油缸在公称油压时对预应力钢筋的输出力。

表 3-10		镦头力		kN
第一系列	120	160	200	450
第二系列	100			

镦头行程：预应力钢筋、钢丝液压镦头器的夹紧油缸夹紧预应力钢筋、钢丝后，镦头油缸活塞的冲程。

镦头留量：预应力钢筋、钢丝液压镦头器的夹紧油缸夹紧预应力钢筋时，预应力钢筋伸出夹紧夹片的长度。

液压镦头机的工作原理：电动机驱动油泵，压力油经换向阀供给镦头器，夹紧活塞，推动夹具将钢筋夹紧，随后镦头活塞推动镦头压模向前移动，将钢筋端头挤压镦粗。

该法钢筋镦头美观，但由于回油空程时间长，速度慢。几种型号的液压镦头器的有关技术参数见表 3-11。

表 3-11 液压镦头机

型号	镦头钢筋直径 (mm)	最大镦头力 (kN)	额定油压	镦头活塞行程 (mm)	生产厂家
LD10	$\phi 3 \sim \phi 6$	90	40	8	大连拉伸机厂
LD20	$\phi 6 \sim \phi 8$	200	40	22	
LD—10	$\phi 5$	90	39	6	柳州市建筑机械总厂
LD—20K	$\phi 7$	90	49	75	
LD—10	$\phi 4 \sim \phi 6$	95			上海遵义液压机械厂
LD—5	$\phi 5$	顶镦力 20kN，镦头速度 60 根/min			天津第一构件厂
LYD—1	$\phi 5$	顶镦力 20kN，镦头速度 12 根/min			浙江萧山建筑设备厂

三、镦头质量要求

（1）钢丝镦后有效长度保持在 2.0/10000 相对误差范围之内。

（2）镦头形状要求：液压冷镦头型有蘑菇型和平台型，如图 3-6 所示。

注：①头部呈球形，头部直径约为 1.5 倍钢丝直径，厚度约等于钢丝直径。

②头部圆整不应歪斜，球部偏心不大于 0.12mm。

③避免球部偏心、厚度不一、大小不均的现象，以免影响预应力张拉的效果。

④不得有贯通的纵向裂纹和水平裂纹，颈部母材不应有影响抗拉强度的咬伤。镦头夹片造成的钢丝显著刻痕也不允许。

⑤对组装杆镦头后钢筋镦头强度不小于母材强度的 95%。

四、液压冷镦机操作注意事项

（1）下料后的钢丝端面应平整，与母材垂直，以免镦头歪斜与尺寸不足。

（2）镦头时钢丝应居中送于镦头器直到镦头模底部为止，以防钢丝头裂缝或损坏镦头器夹片。

（3）镦头油压一般为 $33\sim35\text{N/mm}^2$，根据钢丝强度试镦确定，由于油缸体积小、升压快，使用前应先将油泵安全阀调整好，以免突然升压过高，损坏机件。

（4）镦头时应经常抽查镦头尺寸，防止出现不合格镦头，如镦头尺寸偏小。允许二次镦头，二次镦头后，外形要对称，以免降低镦头强度。

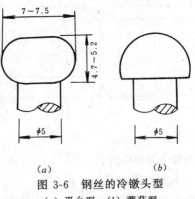

图 3-6　钢丝的冷镦头型
(a) 平台型；(b) 蘑菇型

（5）镦头部位各零件应经常保持清洁，定时拆洗除锈。重装时应注意：夹片与锚环锥形接触面加润滑油，装夹片时宜选择三个长度、刚度相等的弹簧配入，以保证夹片间隙均匀。

第四节　钢筋骨架制作与成型工艺

钢筋骨架的制作与成型是根据设计配筋要求（主筋与辅加筋根数、直径、级别以及架立圈、螺旋筋规格等），通过人工绑扎或机械滚焊成型等方法，将它们按设计定位组合起来形成一个"钢筋笼子"的过程。

钢筋骨架制作与成型工艺，有自动滚焊和手工绑扎两种，以手工绑扎较多，但工效低，钢筋定位不准，易出现错位，绑扎不牢固，甚至漏绑，绑好后容易扭曲、变形，影响钢筋骨架的质量。

自动滚焊成型，机械化程度高，有利于提高生产效率，劳动强度低，骨架牢固、整齐、位置准确。不足之处在于滚焊时电火花击穿钢筋表皮，造成截面损伤削弱了截面积，影响了力学性能，另外，滚焊产生的温度使钢丝强度有所下降，设计时应考虑这方面的问题，适当增加钢筋面积。

1. 架立圈的制作

目前，仍有部分厂家采用手工制作方法，其直径、圆度均不容易控制，影响了骨架的质量以及主筋定位的准确，现介绍一种简易制作工艺——随机制圈装置（见图 3-7）。

随机制圈装置是匹配在调直机出线终端的简易装置。它不改变调直机的工作性能，而是依靠调直机的原动力，使一机两用，达到既能调直又能制圈。制圈时，让调直好后的钢筋沿直线前进，此时钢筋进入 A 轮，沿着圆形轨迹被顶弯成圆，同时在 B 轮的

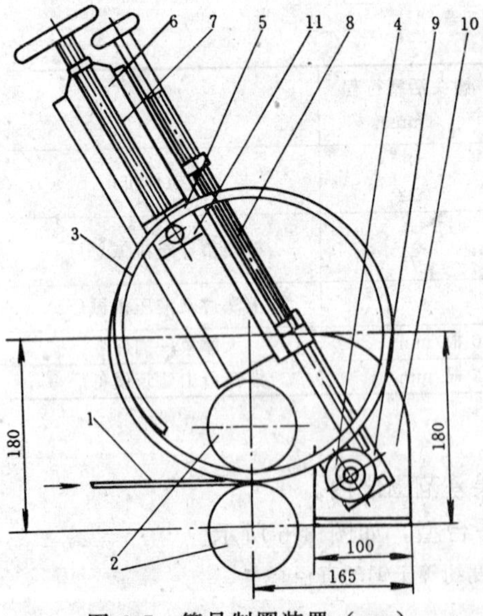

图 3-7　简易制圈装置 (mm)
1—调直后的钢筋；2—调直机压轮；
3—成形架立圈；4—托轮 A；5—托轮 B；
6—轮拖板；7—A 轮丝杆；8—B 轮丝杆；
9—A 轮拖板滑块；10—机架底座；
11—B 轮滑块

制约下,圆形轨迹则沿着等距离连续工作,钢筋便缠绕成等直径的"密纹圆圈",卸下圆圈逐个剪下,合拢截口点焊即成单个架立圈。架立圈的直径大小可根据设计要求,在 A、B 两轮的拖板上任意调整 AB 两轮的距离,直径小的调小两轮间距。该法结构简单、紧凑,可保证架立圈的圆度及直径,可制作 80～350mm 直径范围的架立圈,较手工提高工效 15～20 倍。

2. 架立圈的技术要求

直径偏差<1.5mm,不平度不大于 3mm。

架立圈间距要求不宜大于 1m,杆段接头端应设置两个架立圈,并将架立圈与主筋绑扎牢固。

为控制主筋位置,保证保护层厚度达到设计要求,可在杆中部设置一到两个主筋控制圈(视杆长而定),主筋控制圈可为环形钢板,中间穿孔可穿过主筋,除了能有效地保证保护层厚度外,还可保证主筋间距偏差在允许范围内,起到很好的效果。此外,还可在骨架绑扎之前,沿杆段的多个断面上在每一横截面处设置均匀分布的 3 个水泥热圈或在绑扎成型后用塑料卡卡在主筋上来控制。

3. 螺旋筋的绑扎

螺旋筋可沿杆段全长布置或按设计要求,杆段两端螺旋筋应密缠 3～5 圈,且在离根部 500mm 及梢部 1000mm 范围内应控制螺距在 50mm 以内。中间段螺旋筋间距应符合标准要求。

螺旋筋应紧缠于主筋外圈,用铁丝绑扎牢固,约每隔 300mm 的一个横断面上均匀分布绑扎 3 点,相邻断面上的 3 点应错开。绑扎螺旋筋应在主筋张紧处于设计位置上进行,绑扎后的骨架不能有扭曲、松垮。

4. 骨架质量要求

(1) 钢筋骨架成型后,各部尺寸应符合标准要求。

1) 架立圈间距偏差不超过±20mm,垂直度偏差不得超过架立圈直径的 1/40;

2) 主筋间距偏差不超过 5mm;

3) 螺旋筋规格及间距应符合标准要求,间距偏差不得超过±10mm。

(2) 当采用焊接时,钢筋焊接应符合 GB50204—92《混凝土结构工程施工及验收规范》要求。

1) 在加工普通杆骨架时,主筋接头须采用对焊连接,可采用闪光对焊、电弧焊、电渣压力焊或气压焊。

2) 架立圈与主筋的连接宜采用电焊。

3) 螺旋筋与主筋的连接采用细铁丝手工绑扎或采用接触焊固定。

4) 主筋与预埋件、钢板圈焊接时,钢筋焊接接头的强度经过试验符合要求,即不低于母材强度的 95%。试验方法应符合国家现行标准《钢筋焊接接头试验方法》的有关规定。

5) 冷拉钢筋的闪光焊或电弧焊,应在冷拉前进行。冷拔低碳钢丝不得焊接(其他如高强钢丝、热处理钢筋等也不允许对焊)。

6) 当主筋须采用对焊接头时,设置在同一根杆中的焊接接头应相互错开。其对焊接头中心至长度为钢筋直径 d 的 35 倍且不小于 500mm 的区段 L 内,同一根钢筋不得有两个接头,在该区段内有接头的受力钢筋截面面积占主筋总截面面积的百分率,不得大于 25%。

7) 当设计允许采用闪光对焊时,对非预应力筋和预应力筋均应除去焊接的毛刺和卷边,在钢筋直径的 45 倍区段范围内,焊接接头截面面积占受力钢筋总截面面积的百分率不得超过 25%。

第四章 预应力张拉工艺

预应力钢筋张拉工艺是预应力混凝土电杆生产的一道重要工艺，是决定着电杆力学性能合格与否的关键环节。预应力工艺是一种比较先进的工艺。它有节省钢材，提高电杆的抗裂性能与极限承载能力。众所周知，混凝土具有较高的抗压强度，抗拉强度仅为抗压强度的1/10左右，不能单独作为承受受拉或受弯的构体，只能作为受压构件；而钢筋具有较高的抗拉强度，预应力电杆正是充分利用了混凝土具有较高抗压强度的特点，利用钢筋的预张拉作用，对混凝土施加预压应力，以提高预应力混凝土电杆的抗裂性能，延迟裂缝的出现，从而能充分发挥钢丝（如高强钢丝）的强度优势，达到提高电杆极限承载力的目的。

当然，并不是钢丝的张拉应力越大越好，一要考虑混凝土的承受能力，二要考虑钢丝本身的应力及应变情况（即要求保持在钢筋弹性变形范围内），因此，设计时必须确定一个最合适的张拉应力，不但使电杆抗裂性符合设计要求，而且在裂缝出现至裂缝开展，进而破坏有一定的时间间隔，避免发生突然性的脆性破坏。

第一节 张 拉 工 艺

1. 分类

张拉工艺分先张法与后张法两种。电杆生产即属于先张法。它是在混凝土凝结硬化前，对钢筋施加张拉应力，将其固定在模具上，待混凝土具备一定的强度（不低于设计强度的70%）之后，再进行"放张"，将预应力转移到混凝土本体中，而后张法则是在混凝土具备一定的强度之后，利用混凝土内部预留的孔洞穿过钢筋并进行张拉，将预应力直接施加到混凝土本体中。可见，先张法与后张法对混凝土施加预应力是完全不同的。

先张法和后张法各有不同的应用场合，需要指出的是，由于建立预应力的两种不同的手段，其钢筋和混凝土间的传力特点是不同的。在先张法中，钢筋是依靠与混凝土之间的粘结来锚固住的，钢筋的预应力是由端部混凝土的粘结力传递，由小到大，直到建立起钢筋的有效预应力值，这个预应力的传递区，叫做"自锚区"。在后张法中，预应力钢筋是靠设在构件端头的锚具锚固住的，所以，钢筋的预加应力是通过锚具作用在构件端部，致使构件端部产生很大的局部承载压力。上述两种不同的传力特点，在设计和施工中，均应予以注意。

先张法生产电杆工艺流程见图 4-1。

2. 张拉控制应力 σ_{con}

张拉控制应力是指张拉钢筋时所要控制的最大应力值。如前所述，仅从抗裂而言，张拉控制应力越大越好，但一旦超过比例极限，因预应力钢丝的松弛使张拉控制应力显著降低，而且一部分塑性变形无法恢复也影响了预应力值。另外，张拉控制应力过大，考虑到同一根电杆中的钢筋强度不一，长度上的差异造成施加的应力不一，使个别钢筋受应力过大，会出现断筋现象，引起质量事故。另外，张拉力越大，预应力筋在使用过程中经常处于高应力状态下，电杆出现裂缝的荷载与破坏荷载很接近，往往在破坏前没有明显的警告，很危险。而张拉力如果较小，建立的预应力值较低，电杆则可能过早开裂，也不安全。因此，必须严格控制张拉力，设计图纸上最好要标明。GBJ10—89规范给出了张拉控制应力的允许值，此值见表4-1。

由于电杆是采用整组钢筋一起张拉的办法，故张拉时应先进行预张拉，调整预应力，使其相互之间的应力一致，另外还可采用调整骨架上主筋位置使应力一致。

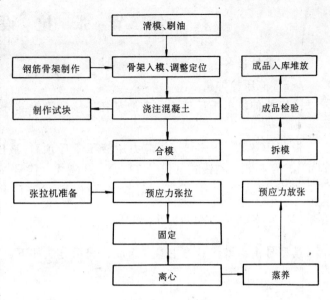

图 4-1　先张法生产电杆工艺流程图

为提高电杆在施工阶段的抗裂性能或为部分抵消由于应力松弛、温差混凝土收缩、徐变等等因素产生的预应力损失时，表4-1中的张拉控制应力允许值可提高$0.05f_{ptk}$或$0.05f_{pyk}$，即所谓的超张拉工艺。

表 4-1　　张拉控制应力允许值

钢　筋　种　类	先　张　法
碳素钢丝、刻痕钢丝、钢绞线	$0.75f_{ptk}$
热处理钢筋、冷拔低碳钢丝	$0.70f_{ptk}$
冷拉钢筋	$0.90f_{pyk}$

注　1. 预应力钢筋的强度标准值，按附录中钢筋强度取值要求。
　　2. 碳素钢丝、刻痕钢丝、钢绞线、热处理钢筋、冷拔低碳钢丝的张拉控制应力值不应小于$0.4f_{ptk}$，冷拉钢筋的张拉控制应力值不应小于$0.5f_{pyk}$。

当采用超张拉工艺减少预应力筋的松弛损失时，采用以下两种张拉程序：

（1）由 0（加荷）$\rightarrow 1.05\sigma_{con}$（持荷 2 min）$\rightarrow$卸荷至$1.0\sigma_{con}$。

（2）由 0 加荷$\rightarrow 1.03\sigma_{con}$。

采用应力控制方法张拉时，应校核预应力筋的伸长值。如实际伸长值比计算伸长值大于10%或小于5%，应暂停张拉，在采取措施予以调整后，方可继续张拉。预应力筋的计算伸长值 ΔL（mm），可按下式计算：

$$\Delta L = \frac{NL}{E_S A_P}$$

式中　A_P——预应力筋的截面面积（mm^2）；

　　　L——预应力筋的长度（mm）；

　　　E_S——预应力筋的弹性模量（N/mm^2）；

　　　N——预应力筋的张拉力（N）。

预应力筋的实际伸长值，宜在初应力为张拉控制力10%左右时开始测量，但必须加上初应力以下的推算伸长值。

第二节 张 拉 设 备

一、张拉设备

（一）液压拉伸机

液压拉伸机由千斤顶、配套油泵和外接油管等部分组成。

1. 分类

根据 JG/T5028—93《预应力用液压千斤顶》，液压拉伸机的型式分为拉杆式（代号 YDL）、穿心式、锥锚式（代号 YDZ）、台座式（代号 YDT）四种。其中，穿心式又分为：穿心单作用式（代号：YDC）、穿心双作用式（代号：ZYDC）、穿心拉杆式（代号：YDCL）三种。

2. 型号

其型号由组型代号、主参数组成、表示方法如下：

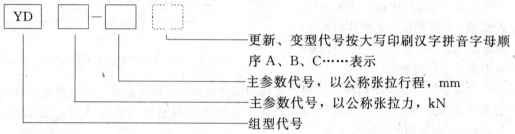

3. 标记示例

千斤顶 YDL650—160　JG/T5028；代表公称张拉力为 650 kN，公称张拉行程为 160 mm 的拉杆式预应力用液压千斤顶。

公称张拉力按表 4-2 选用，公称张拉行程按表 4-3 选用。

表 4-2　液压千斤顶公称张拉力　　　　　　　　　　　　　　　　　　　　　kN

第 一 系 列		200	300		650		1100	1500		2500		5000
第 二 系 列	160			400		800			2000		4000	

表 4-3　液压千斤顶公称张拉行程　　　　　　　　　　　　　　　　　　　　mm

第 一 系 列		100	150		200	250				
第 二 系 列	80			180			300	400	500	750	1000

（二）电动油泵

适用于预应力混凝土构件生产时与张拉千斤顶、液压镦头器配套的预应力用电动油泵。

1. 分类

根据 JG/T5029—93《预应力用电动油泵》，其型式划分为：

（1）按照工作原理可分为齿轮泵、叶片泵、柱塞泵（径向、轴向），见表4-4。

（2）按泵的流量特性可分为定量泵和变量泵。

（3）按照工作需要可分为单路供油泵和双路供油泵。

表 4-4		电 动 油 泵		
产品名称	齿轮泵	叶片泵	径向柱塞泵	轴向柱塞泵
代号（组型）	YBC	YBY	YBJ	YBZ

其型号由组型代号、主参数组成，表示方法如下：

1）单级预应力用电动油泵型号：

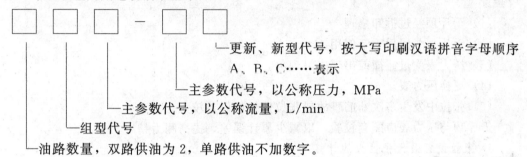

2）二级预应力用电动油泵型号：

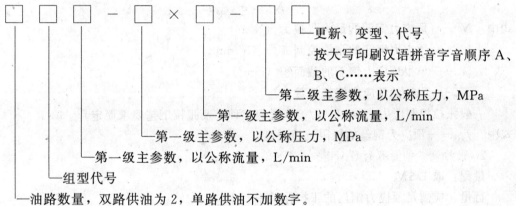

2. 标记示例

如 YBZ2—50　JG/T5029：表示采用公称流量为 2 L/min，公称压力为 50 MPa 的单级轴向柱塞泵，单路供油的预应力用电动油泵。

如 2YBZ5—32×2—80　JG/T5029：表示采用第一级公称流量 5 L/min，公称压力 32 MPa，第二级公称流量 2 L/min，公称压力 80 MPa 的二级轴向柱塞泵，双路供油的预应力，用电动油泵。

3. 主参数系列

公称流量按表 4-5 选用，公称压力按表 4-6 选用。

表 4-5				公　称　流　量							L/min
0.5	0.3	1	1.5	2	2.5	3	4	5	6	7.5	10

10	16	20	25	32	50	63	80			

二、张拉设备的选用与校验

根据预应力筋种类及其张拉锚固工艺情况，选用张拉设备。预应力筋的张拉力不应大于张拉设备额定张拉力，预应力筋的一次张拉伸长值不超过张拉设备的额定最大张拉行程。

张拉设备应定期校验，压力表定期送检。当张拉设备发生以下任一种情况时，应重新校验。

（1）千斤顶经过拆卸修理。

（2）千斤顶久置后重新使用。

（3）压力表受过碰撞或出现失灵现象。

（4）更换压力表。

（5）张拉中发生多次断筋事故或张拉伸长值误差较大。

千斤顶与压力表应配套校验，以减少累计误差，提高测力精度。

1. 张拉设备最大张拉力的计算

由张拉控制应力及钢筋的极限抗拉强度与张拉钢筋总截面积可以求得：

$$N_y = \sigma_{con} A_y n$$

式中 N_y——预应力钢筋的最大张拉力（N）；

      σ_{con}——预应力钢筋的张拉控制应力（N/mm²）；

      A_y——单根预应力钢筋的截面积（mm²）；

      n——张拉的预应力钢筋根数。

一般张拉控制应力 $\sigma_{con} = 70\% f_{ptk}$（视钢丝种类及张拉工艺要求而定）。

式中 f_{ptk}——预应力钢丝的极限抗拉强度。

2. 张拉设备的量程行程计算

量程：取 $1.5 N_y$

行量：应满足预应力钢丝的张拉伸长率要求。

$$\text{钢丝伸长率 } \Delta L = \frac{\sigma_{con}}{E_s} L$$

式中 E_s——预应力钢丝的弹性模量（MPa）；

      L——预应力钢丝的长度。

3. 压力表量程选择

$$\text{压力表读数} = \frac{N_y}{\text{活塞面积}} \text{（MPa）}$$

压力表量程应取（1.5~2）压力表读数。

【例 4-1】 $\phi 190 \times 12$ 锥形杆，配置的预应力主筋为 $18\phi 5.5$（冷拔低碳钢丝，$f_{ptk} = 650$ N/mm²），采用超张拉工艺，假设张拉机活塞面积为 2.50×10^4 mm²，计算其张拉机的最大张拉力及行程并选择油压表的量程。

    解   计算过程如下：

（1）张拉控制应力。$\sigma_{con} = 75\% f_{ptk} = 75\% \times 650 = 487.5$（N/mm²）

（2）单根预应力钢丝的面积。$A_y = \dfrac{\pi}{4} \times 5.5^2 = 23.76$（mm²）

（3）张拉机的最大张拉力及行程。

$$N_y = \sigma_{con} \cdot A_y \cdot n = 487.5 \times 23.76 \times 18 = 2.08 \times 10^5 \text{N} = 208 \text{（kN）}$$

（4）张拉机的行程为钢丝的伸长值。

$$\Delta L = \frac{\sigma_{con}}{E_s} \times L = \frac{487.5}{2.0 \times 10^5} \times 12000 = 29.3 \text{（mm）}$$

（5）压力表的量程选择。

$$\text{压力表读数} = \frac{N_y}{\text{活塞面积}} = \frac{2.08 \times 10^5}{2.5 \times 10^4} = 8.32 \text{（MPa）}$$

压力表的量程应选择（1.5~2.0）×8.32＝（12.48~16.64）（MPa）的范围。

三、液压张拉机使用注意事项及常见故障

操作人员必须了解液压张拉机的技术性能，并按规定的使用要求进行操作。

1. 高压油泵使用注意事项

（1）油泵和千斤顶使用的工作油液，一般用10号或20号机油，亦可用其他性能相近的液压用油，如变压器油等。灌入油箱的油液需经滤清，经常使用时每月过滤一次，不经常使用时至少三个月过滤一次，油箱应定期清洗。油箱内一般应保持85%左右的油位，不足时应补充，补充的油应与油泵的油相同。油箱内的油温一般应以10~4℃为宜，不宜在0℃以下使用。

（2）连接油泵和千斤顶的油管应保持清洁，不使用时用螺丝封堵，防止泥砂进入。油泵和千斤顶外露的油嘴要用螺帽封住，防止灰尘、杂物进入机内。每月用完后，应将油泵擦净，清除滤油铜丝布上的油垢。

（3）油泵不宜在超负荷下工作，安全阀须按设备额定油压或使用油泵调整压力，严禁任意调整。

（4）接电源时，机壳须接地线，检查线路绝缘情况后，方可试运转。

（5）高压油泵运转前，应将各油路调节阀松开，然后开动油泵，待负荷运转正常后，再紧闭回油阀，逐渐旋拧进油阀杆，增大负荷，并注意压力表指针是否正常。

（6）油泵停止工作时，应先将回油阀缓缓松开，待压力表慢慢退回至零位后，方可卸开千斤顶的油管接头螺母。严禁在有负荷时拆换油管或压力表等。

（7）配合双作用千斤顶的油泵，以采用两路同时输出的双联式油泵为宜。

（8）耐油橡胶管必须耐高压，工作压力不得低于油泵的额定油压或实际工作的最大油压。油管长度不宜小于2.5 m。当一台油泵带动两台千斤顶时，油管规格应一致。

2. 千斤顶使用注意事项

（1）千斤顶在使用时必须保证活塞外露部分的清洁，如果沾上灰尘杂物，应及时用油擦洗干净。使用完毕后，各油缸应回程到底，保持进、出口的洁净，加覆盖保护，妥善保管。

（2）千斤顶张拉升压时，应观察有无漏油和千斤顶位置是否偏斜，必要时应回油调整。

进油升压必须徐缓、均匀、平稳，回油降压时应缓慢松开回油阀，并使各油缸回程到底。

（3）双作用千斤顶在张拉过程中，应使顶压油缸全部回油。在顶压过程中，张拉油缸应予持荷，以保证恒定的张拉力，待顶压锚固完成时，张拉缸再回油。

3. 液压张拉机具常见故障及其排除

（1）高压油泵常见故障及其排除，见表4-7。

（2）千斤顶故障及其排除，见表4-8。

表 4-7　　　　　　　　　　　　　高压油泵故障与排除

故障现象	故障的可能原因	排除方法
不出油、出油不足或波动	1. 泵体内存有空气 2. 漏油 3. 油箱液面太低 4. 油太稀、太粘或太脏 5. 泵体的油网堵塞 6. 泵体的柱塞卡住、吸油弹簧失效和柱塞与套磨损 7. 泵体的进排油阀密封不严，配合不好	1. 旋拧各手柄排除空气 2. 查找漏油清除之 3. 添加新油 4. 调合适当或更换新油 5. 清洗去污 6. 清洗柱塞与套或更换损坏件 7. 清洁阀口或更换阀座、弹簧和密封圈
压力表上不去	1. 泵体内存有空气 2. 漏油 3. 控制阀上的安全阀口损坏或阀失灵 4. 控制阀上的送油阀口损坏或阀杆锥端损坏 5. 泵体的送油阀密封不严配合不好 6. 泵体的柱塞与套过度磨损	1. 旋拧各手柄排除空气 2. 查找漏油点清除之 3. 更换损坏件 4. 铣平接合处阀口和修换阀杆 5. 清洗阀口或更换阀座、弹簧和密封圈
持压时表针回降	1. 外漏 2. 控制阀上的持压单向阀失灵 3. 回油阀密封失灵	1. 查找漏油点清除之 2. 清洗和修刮阀口、敲击钢球或更换新件 3. 清洗和修好回油阀和阀杆
泄漏	1. 焊缝或管路破裂 2. 螺纹松动 3. 密封垫片失效 4. 密封圈破裂 5. 泵体的进排油阀口破坏或柱塞与套筒磨损过度	1. 重新焊好或更换损坏件 2. 拧紧各丝堵、接头和各有关螺钉 3. 更换新片、新件 4. 修复阀口或更换阀座、弹簧、柱塞和套筒
噪音	1. 进排油路有局部堵塞 2. 轴承或其他零件损坏或松动 3. 吸油管等混入空气	1. 除去堵塞物使油路畅通 2. 换件或拧紧 3. 排气

表 4-8　　　　　　　　　　　　　千斤顶故障及排除

故障现象	故障的可能原因	排除方法
漏油	1. 油封失灵 2. 油嘴连接部位不密封	1. 检查或更换密封圈 2. 修理连接油嘴或更换垫片
千斤顶张拉活塞不动或运动困难	1. 操作阀用错 2. 回程缸没有回油 3. 张拉缸漏油 4. 油量不足 5. 活塞密封圈胀得太紧	1. 正确使用操作阀 2. 使回程缸回油 3. 按漏油原因排除 4. 加足油量 5. 检查密封圈并更换
活塞不回程或回程困难	1. 操作阀用错 2. 张拉缸没有回油 3. 回程缸漏油 4. 回程时油量不足	1. 正确使用操作阀 2. 使张拉缸回油 3. 按漏油原因排除 4. 加足油量

故 障 现 象	故障的可能原因	排 除 方 法
千斤顶活塞运行不平稳	油缸中存有空气	空载往复运行几次排除空气
千斤顶缸体或活塞刮伤	1. 密封圈上混有铁削或砂粒 2. 缸体变形	1. 检查密封圈，清除杂物，修复缸体和活塞 2. 检查缸体材料、尺寸、硬度，修复或更换
千斤顶连接油管爆裂	1. 油管拆卸次数过多，使用过久 2. 压力过大 3. 焊接不良	1. 注意装拆，避免弯折，不易修复时应更换油管 2. 检查油表是否失灵，压力是否超过规定压力 3. 焊接牢固

四、预应力筋的锚固、放张

预应力张拉完毕后，进行锚固。电杆生产过程中，采用钢筋镦头锚固、螺栓锁定于杆模上，由杆模承受施加的预应力值，待到蒸养后，混凝土产生强度后，再剪筋放张，将预应力值移至电杆本体上。预应力钢筋的切断应对称进行（用钢丝钳或氧炔焰），使预应力缓慢释放，电杆受到均匀对称的预压应力。

放张时，混凝土脱模必须达到设计强度的 70%。

对允许用氧炔焰或电弧切割的钢筋，在操作时应采取隔热措施，防止烧伤端部混凝土；电弧切割时的地线应搭在切割点附近，不能搭在另一头，以防止过电后使预应力筋伸长造成应力损失。

锚固阶段张拉端预应力筋的内缩量不宜大于表 4-9 的规定。

五、张拉工艺操作注意事项

（1）张拉时要严格遵守操作规程，上岗人员应经过培训且能熟练操作，并熟悉张拉机的性能。

（2）张拉时应注意安全，两端不准站人，并设置防护措施，操作人员站在侧面工作，以防断筋射出伤人。

（3）出现断筋情况，应立即停止操作，将杆模吊开，拆模取出钢筋骨架另行处理，严禁继续操作。

表 4-9　锚固阶段张拉端预应力筋的内缩量允许值　　　mm

锚 具 类 别	内缩量允许值
支承式锚具 （镦头锚、带有螺丝端杆的锚具等）	1
锥塞式锚具	5
夹片式锚具	5
每块后加的锚具垫板	1

注　1. 内缩量值系指预应力筋锚固过程中，由于锚具零件之间和锚具与预应力筋之间的相对移动和局部塑性变形造成的回缩量。

　　2. 当设计对锚具内缩量允许值有专门规定时，可按设计规定确定。

（4）张拉后，应如实填写预应力张拉情况原始记录表（如表 4-10），以备质量的追踪查证。

表 4-10　　　　　　　　预应力张拉情况原始记录表

序　号	杆型规格	配筋数量	张拉控制情况		模　号	操作者	备　注
			压力表读数（MPa）	钢筋伸长值（mm）			

第五章　离心成型工艺

第一节　离心工艺过程及特点

利用高速旋转电杆钢模的内壁带动混凝土混合料运动，在离心力、重力、粘着力与摩擦力共同作用下，使混凝土混合料沿钢模内壁分布、密实，并将多余水分挤出，这样制得高密实、高强度的电杆，这种工艺称为离心工艺。

离心支承方法可分为托轮式（转速较低）与车床式（转速较高可达 800～1000 r/min），目前电杆生产多采用托轮式，由电动机带动主动轮，并依靠摩擦力带动钢模旋转。特点是构造简单、容易加工、操作方便、应用广泛，但一般托轮和钢模均为钢制，离心成型时相互撞击，噪音大，当跑轮与托轮磨损严重引起不圆时，不仅加大噪音，而且引起钢模剧烈振动、跳动，影响电杆成型质量。

车床式克服了托轮式离心机的上述缺点，它不用托轮支承钢模，而用卡盘将钢模两端夹牢在离心机上，电动机带动离心机，使钢模高速旋转。由于钢模在限制状态下旋转，故此，转速可以提高到 800～1000 r/min。混凝土在这样高的转速下成型，可以缩短时间，而且可以提高混凝土的密实度和强度；同时噪音减小，但构造复杂、操作不便。目前，国内少部分厂家用此方法生产小梢口径的普通杆，离心后直接脱模，不经蒸养，以自然养护为主，钢模周转快，产量很高。一根钢模，日可生产 50 根以上的普通杆，节省大量能源，投资省。

采用该法生产的电杆外表面比较光洁，无蜂窝麻面；内壁无露石现象，不存在合缝漏浆，但混凝土的配合必须与离心制度相适应，才可减少混凝土内外分层。

1. 离心工艺特点

混凝土在高速旋转的钢模中受到离心力的作用，使混凝土中的固相粒子（粗细集料、水泥粒子）沿着离心力方向沉降，与此同时把多余水分排出，从而形成密实的混凝土结构。但由于混凝土中的各固相粒子密度不同，在离心力作用下其沉降速度各不相同，另外还由于离心过程中产生的冲击振动作用，因此造成了混凝土内外分层现象：外分层的结果是产生三个分层，即内壁是水泥浆层，中间为水泥砂浆层，靠外壁是混凝土层；内分层的结果是由于水泥粒子的沉降在集料底部形成水膜，局部破坏了集料颗粒与水泥石之间的粘结力。这两种结果均引起混凝土结构强度的下降。可见，离心过程既是混凝土内部结构强化（提高密实度）的过程，又是混凝土结构的破坏过程。

在离心过程中，只有合理地选择离心工艺制度、混凝土配合比等，才能最大限度地发挥有利因素，限制不利因素，更好地控制离心混凝土的质量。

2. 离心成型产生的效果

（1）离心成型过程中会排出 20% 左右的水分，流失 5%～8% 的水泥浆。

（2）离心后，混凝土体积缩小 10%～12%，单位体积质量增加 8% 左右。

（3）离心混凝土 28 d 强度比一般成型的混凝土强度提高 20%～30%（在 W/C 相同条

件下）。

（4）离心成型后，混凝土的抗渗性、抗冻性均有所提高。

第二节　离　心　机　械

一、离心机

1. 技术要求

离心机技术要求要符合 2BQ92004—88《环形钢筋混凝土电杆离心成型机》标准。

（1）托轮组装配。

1）托轮中心线至底座上表面高度允差为±0.115 mm；

2）托轮轴距允差±0.30 mm；

3）托轮同侧端面应在同一平面内，误差不大于 1 mm；

4）托轮端面圆跳动不大于 0.30 mm，外圆跳动不大于 0.15 mm；

5）托轮应转动灵活，轴承轴向间隙为 0.08～0.15 mm。

（2）整机安装。

1）托轮与其公共基准轴线的同轴度：托轮组数小于 6 时，不大于 1.5 mm；托轮组数为 6～8 时，不大于 2 mm；

2）任意托轮的轮距偏差不大于 2.5 mm；

3）托轮公共基准轴线的水平度不大于 0.015/100；

4）组装后托轮应转动自动，没有阻滞现象；

5）各部位的紧固件不得松动，不允许有错装和漏装现象。

2. 型式

离心机的型式有双托轮与叁托轮两种，如图 5-1（a）、图 5-1（b）所示。

（1）型号表示方法如下。

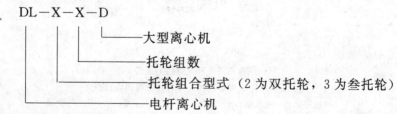

（2）有关技术参数详见表 5-1。

二、钢模

钢模要符合 JC364—86《环形预应力混凝土电杆钢模》要求。

钢模分锥形钢模与等径钢模，分别用符号 DMZ、DMD 表示（即用汉语拼音的第一个字母来表示）。如：DMD400—9。

DMD 表示等径电杆钢模；400 表示钢模公称内径为 400 mm；9 表示长度为 9 m。

DMZ 表示锥形电杆钢模（Z 表示锥形）。

有关技术参数如下：

（1）钢模筒体。

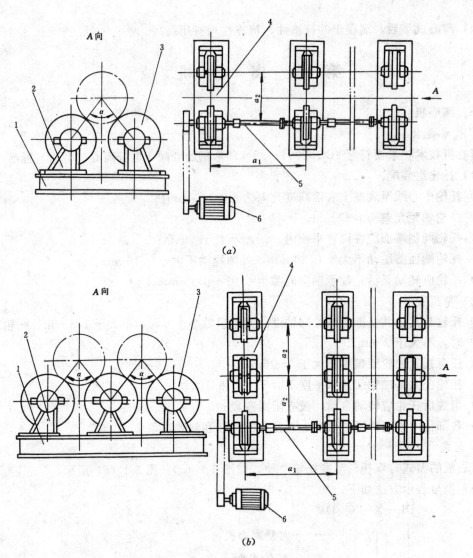

图 5-1　离心机组型式

(a) 双托轮离心机组；(b) 叁托轮离心机组

1—底座；2—轴承座；3—托轮；4—托轮组；5—轴；6—电动机

1）钢模长度偏差：钢模长度≤10 m，偏差为±5 mm；钢模长度>10 m，偏差为±7.5 mm；

2）内壁素线直线度为 $L/2500$ 且≤5 mm，距两端 1 m 内≤2 mm；

3）钢模内径偏差±1 mm，分模面处偏差＋4～＋2 mm，但须圆滑过渡；

4）连接法兰处内壁环向缝隙不大于 0.25 mm；钢模合模后，内壁轴向缝隙不大于 0.25 mm。

（2）跑轮。跑轮外径相差≤0.45 mm，任意跑轮轮距偏差≤5 mm。

（3）外观要求。

表 5-1

基 本 参 数 表

序号	项目	单位	DL2-4	DL2-5	DL2-6	DL2-7	DL28	DL2-5-D	DL3-4	DL3-5	DL3-6	DL3-7	DL3-8	DL3-5-D
						型		号						
1	托轮轮距（α_1）	mm	2000	2000	2000	2000	2000	2000	2000	2000	2000	2000	2000	2000
2	托轮轴距（α_2）	mm	800	800	800	800	800	暂缺	800	800	800	800	800	暂缺
3	托轮外径	mm	500	500	500	500	500	500	500	500	500	500	500	500
4	托轮宽	mm	80	80	80	80	80	80	80	80	80	80	80	80
5	托轮中心与钢模中心连线的夹角 α	(°)	75~110	75~110	75~110	75~110	75~110	75~110	75~110	75~110	75~110	75~110	75~110	75~110
6	组合型式		双托轮	双托轮	双托轮	双托轮	双托轮	双托轮	叁托轮	叁托轮	叁托轮	叁托轮	叁托轮	叁托轮
7	可成型电杆最大长度	m	8	10	12	14	15	9	8	10	12	14	15	9
8	可成型最大电杆直径　锥形杆根端	mm	550	550	550	550	550	630	550	550	550	550	550	630
	可成型最大电杆直径　等径杆	mm	500	500	500	500	500	500	500	500	500	500	500	500
9	电动机功率	kW	30~40	30~40	30~40	30~40	30~40	暂缺	37~40	37~40	37~40	37~40	37~40	暂缺
10	主传动轴转速范围	r/min	60~600（无级）	60~600（无级）	60~600（无级）	60~600（无级）	60~600（无级）	60~600（无级）	60~600（无级）	60~600（无级）	60~600（无级）	60~600（无级）	60~600（无级）	60~600（无级）

注　α优先选用 90°。

1）企口、法兰、跨轮、搭攀、螺栓等无毛刺、锐边、锈蚀及碰伤；

2）企口应平直，合缝严密，螺栓及附件齐全；

3）钢模内壁铆钉周围允许有深度不大于 1 mm 的凹坑，但须圆滑过渡；

4）钢模内壁应光滑，不得有裂缝和补疤，外表应涂油漆保护，不得有水泥浆堆积，暂停使用的钢模内壁和企口应清扫干净并抹油，然后合缝堆放。

三、变速箱

因离心成型时要求具有布料、加速、密实等不同转速，因此要求传动系统有广泛的调速范围。

变速箱变速方法有：

（1）机械变速—汽车变速机构，转速可调节，调速简单。

（2）绕线式异步电动机的串激调速，在绕线式异步电动机转子中串联电阻，改变电阻值的大小，即可达到变速的目的，但电阻有功率损耗。

（3）整流电子电动机，可在低速位置按指定方向直接起动，不仅起动电流小，而且起动力矩大，因此使用最广。

（4）直流电动机变速：调速性能比异步电动机好，能实现无级变级调速，便于自动控制。

（5）可控硅调速装置，调速范围广，耗电少，操作平稳。

四、钢模及离心机使用注意事项

（一）钢模在使用期间应注意下列事项

（1）严禁用手锤、铁棒等坚硬工具敲打钢模和企口，并防止企口与其他坚硬物体碰撞，以防企口变形，影响合缝严密。

（2）钢模长期使用引起疲劳变形，钢模弯曲度超过使用要求时，应停止使用进行校正。

（3）钢模吊放离心机上时应小心轻放，避免与托轮剧烈冲击。

（4）钢模在离心机上旋转中产生剧烈跳动影响产品质量和设备安全时，应停用检修。

（二）离心机使用注意事项

离心机在使用期间应指定专人进行下列检查和保养工作：

（1）全部机座螺丝应每班检查一次。

（2）离心机应定期检修，大修周期一般一年一次。

（3）需注油的部位应定期加注或更换润滑剂。

（4）离心机每工作班必须清洗干净，转轴、托轮、机座上不得有水泥浆。

第三节　离心工艺制度与工艺参数

一、离心工艺制度

离心工艺制度包括离心速度与离心时间，离心成型过程包括：布料、加速、密实、脱水，对应的离心速度分为慢速、中速、快速。布料阶段，模子的转速必须使混合料颗粒有一定的离心力并足以克服重力，保持与模壁接触并不致落下，同时转速不能过大，以免混合料分层。

1. 布料速度计算

$$P_{离} = m\omega^2 r = \frac{G}{g} \frac{\pi^2 n^2 r}{900} \left(\omega = \frac{2\pi n}{60} \right)$$

式中　g——重力加速度，980 cm/s²；

　　　m——颗粒重量（g）；

　　　r——钢模内径（cm）；

　　　ω——角速度（转/min）；

　　　G——颗粒的重量，$G=mg$（N）。

当颗粒处于最高点仍不落下时，此时极限条件为 $P_{离}=G$ 时，则可推导出此时转速 n。

$$n_0 = \frac{30}{\pi} \sqrt{\frac{g}{r}} = \frac{300}{\sqrt{r}} \tag{5-1}$$

考虑到机械在运转过程中，不可避免地产生振动，考虑1.4～1.8安全系数，故布料转速 $n_{布}$ 为：

$$n_{布} = (1.4 \sim 1.8) \frac{30}{\pi} \sqrt{\frac{g}{r}} = \frac{42}{\sqrt{r}} \sim \frac{54}{\sqrt{r}} \tag{5-2}$$

2. 离心密实转速的计算

适宜的密实转速是以离心力足以使混凝土中多余水分排出，产生挤压力（表面压力），同时克服混凝土的粘聚阻力等因素。

根据经验公式，密实转速为：

$$n_{密} = 52 \sqrt{\frac{P_{外} R}{r_{混}(R^3 - r^3)}} \text{ (r/min)}$$

式中　$P_{外}$——密实时混凝土对杆模的表面压力（Pa），经验表明：$P_{外}=(5 \sim 15) \times 10^4$Pa。

　　故　　　　　　　$$P_{外} = \frac{r_{混}}{3G} \times \frac{R^3 - r^3}{R}$$

式中　R，r——杆模外、内半径（m）；

　　　$r_{混}$——混凝土表观密度，$r_{混}=25000$ N/m³；

　　　G——颗粒的重量（N）；

　　　ω——角速度（rad/s）。

二、工艺参数

在离心成型中，所要控制的各种工艺参数就是：离心速度与离心时间。包括慢—中—快速及其相应的时间。

在离心过程中，采用了三档速度，即慢—中—快，这是为了便于布料，使料浆均匀分布，初步成型、中间过渡、密实这三个目的。因此，如何监控这些工艺参数十分必要，它关系到成型电杆的质量。

目前混凝土电杆厂中，采用的离心工艺制度参照 SD149—85《电杆制造工艺规程》（如表 5-2 所示），大型杆段取较低转速，小杆取较高转速。按公式（5-1），理论计算的慢速见表 5-3 所示，各种参数的选择完全取决于各厂的具体情况，如电杆梢径的大小、混凝土配合比、坍落度以及料浆的性能、骨料情况，这些情况由于受生产实际情况的变动会发生变化，

表 5-2	离 心 速 度 参 考 值		
	钢 模 转 速 （r/min）		时 间
慢速	80～120		1.5～3
升速			2～3
快速	ϕ190 以下：400～450 ϕ190～310：350～400 ϕ310 以上：300～370		6～10
	总 时 间		不少于 12

表 5-3	理 论 计 算 慢 速	r/min
梢 直 径	外 半 径 （cm）	$n_慢$
ϕ150	7.5	110
ϕ170	8.5	103
ϕ190	9.5	97
ϕ300	15	77
ϕ400	20	67
ϕ500	25	60

离心制度作些适当的调整是必要的。

关于离心工艺参数的控制手段目前已逐渐由简单到先进，设备不断更新；从原来有级调速到现在离心机已实行无级调速（由电磁调速或可控硅调速装置），通过控制盘控制速度与时间。目前，更为先进的手段是已经采用微机控制，但仍有少量厂家采用汽车挂档变速方法调节，更为落后，影响电杆的成型质量，有待改进。

值得的注意的是，因锥形杆杆模内径是变化的，根据公式计算其梢、根部转速是不一致的，而且梢部所需的转速大于根部所需转速，这样产生小头往大头溜料的现象，有待在工艺采取一些措施加以克服。如小头加料密实，大头少装料，或调整慢、中、快速的时间。

三、离心过程应注意事项

离心前钢模跑轮和离心机托座要对正放稳，离心过程中应密切注意运行情况，如发现跑浆、钢模剧烈跳动、螺丝松动或断裂情况应立即停机处理。离心应在混凝土的初凝前完成，离心后杆内余浆应倾倒干净，并做好离心工艺过程的原始记录（见表5-4）。

表 5-4 离 心 成 型 制 度 原 始 记 录 表

生 产 班 组　　　　　　　　　　　　　　　　年　月　日

序 号	杆 型 规 格	模 号	慢 速		中 速		快 速		操作者	备 注
			转速	时间	转速	时间	转速	时间		

四、设备选型计算

（一）产量计算

在设备选型之前，一般是进行产量计算，由车间或生产线全年的产量，换算成日或班产量，然后，以此为依据，进行设备选型计算，使得各设备的生产能力与车间生产线总的生产能力相适应，各工序生产设备之间的生产率相平衡。

车间或生产线的班产量计算：

$$Q_班 = \frac{Q_年}{T\,B}K_1$$

式中　$Q_年$、$Q_班$——年、班计算产量（m³/班或根/班）；

　　　　T——年工作天数（d/a）；

B——日工作班次；

K_1——日生产不平衡系数。

考虑到生产任务的不平衡而采用的系数，是最高日产量与平均日产量之比，生产中由于设备发生故障、停电、产品配套生产和供需不平衡等各种原因，使日产量有时产生波动，一般永久性工厂 K_1 取 1.2，临时性工厂取 1.4～1.6。

（二）主机设备计算

1. 设备台班产量计算

设备台班产量是根据工艺实际操作时间，求出该设备的生产周期（包括间歇时间），然后结合设备的产量定额计算的。此外，还需考虑计算系数。

计算公式如下：

$$Q_j = V_m T_b K_2 K_3$$

式中　Q_j——设备台班产量（m³/班·台或根/班·台）；

　　　V_m——设备产量定额（m³/班·台或根/班·台）；

　　　T_b——设备每班法定工作时间（h/班）；

　　　K_2——时间利用系数；

　　　K_3——设备利用系数。

K_2 是指工人在法定工作时间内，除了生产时间外，还有一些辅助工作时间（如交接班、操作前准备工作、设备的日常维修、保养等时间）、工序中间歇时间及其他非生产操作时间等而考虑的系数，一般取 0.9；

K_3 是指生产过程中设备的间歇式操作，设备本身的不可缺少的辅助时间，以及设备本身允许持续工作时间的限制等原因，而不能连续运转，造成设备达不到额定产量而考虑的系数，一般取 0.85。

2. 设备需要量计算

$$M = \frac{Q_班}{Q_j}$$

【例 5-1】　某电杆厂年生产 30000 根电杆（以 $\phi 190 \times 12$ 为例），采用 3 班制生产，年生产天数 $Tn = 306$ d，请对其离心机进行选型计算。

解　已知 $B = 3$ 班，$T_n = 306$ d，$Q_n = 30000$ 根/a，将数据计入公式，得班产量：

$$Q_s = \frac{Q_n}{BT_n} \times K_1 = \frac{30000}{3 \times 306} \times 1.2 \approx 40 \text{（根／班）}$$

设备生产能力（台班产量）：

$$Q_j = \frac{Vt}{t_e} \times K_2 K_3 = \frac{1 \times 8 \times 0.85 \times 0.9 \times 60}{20} = 18.36 \text{（根／班·台）}$$

（假设成型周期 $t_e = 20$ min，离心机每次成型电杆一根）

离心机设备数量：$M = \dfrac{Q_s}{Q_j} = \dfrac{40}{18.36} \approx 2$ 台

第六章 常压蒸养工艺

第一节 常压蒸养方式及其特点

常压蒸养是目前水泥制品最常用的一种快速养护方法，它加快了水泥的硬化速度，提高了钢模周转率，缩短了生产周期。

目前电杆蒸养的方式不外乎以下几种：电杆杆模内通蒸汽、坑式或窑式蒸养。内通蒸汽虽然投资省，操作方便，但由于其存在着蒸养效果不理想；蒸养时间不易控制，钢模的周转率低，能耗大等缺点，目前，已逐渐遭到淘汰。取而代之是采用坑式、窑式养护工艺，这两种工艺方式密封性好，蒸汽热量损失少、能耗少、蒸养周期短，提高了钢模的周转速度。个别已采用隧道式养护工艺，或者在坑式或窑式的基础上辅以先进的自动化设备，自动测温控制升、恒、降温过程。

养护坑与养护窑相比，投资省、操作简单，但蒸汽消耗量大。且由于一个坑容量较大，钢模周转慢，生产效率低。养护坑多建在地下，或一半露在地面。坑的深度、大小以及数量根据每天产量及产品规格具体计算，确保能满足生产要求。

一、养护坑

1. 构造及技术要求

普通养护坑多半是一种半地下式或地下式的构造，坑底为钢筋混凝土；坑壁为钢筋混凝土或砖砌筑。由于坑壁保温性能要求较高，多半采用耐高温保温材料做夹层，内壁抹防水砂浆不透水。坑盖可用薄铁板制作（中间填充保温材料），因坑盖是主要散热部位，因此，保温性能、密封性能要好，质量小，起吊方便，能起密封作用。坑的尺寸大小及深度根据杆型规格大小及产量大小、钢模周转情况具体设计计算，钢模与坑壁留有间隙（≥0.2 m），以防碰撞。深度一般不应超过3.5～4 m，通常为2.5 m左右。坑盖与坑壁之间采用水槽在蒸养时注水封闭，或采用砂封，以防止蒸汽外逸和冷空气吸入。为增加介质逸出及吸入阻力，提高密封性效果可采用"迷宫式"水封。

养护坑的蒸汽排放由铺设在坑底的蒸汽花管（或坑底与坑顶各一）送入蒸汽，花管上有小孔（3～4 mm）。这样蒸汽可从底部向上均匀连续地排放蒸汽。坑底设有集水坑，坑底向集水坑方向稍有坡度，以便排除坑底的冷凝水。在坑壁适当高度处设测温孔用玻璃水银温度计或电阻温度计测温。坑的高度不可太高，否则上、下温差太大，影响蒸养效果。

2. 养护坑的优点

设备构造简单，建造方便，耗钢量和投资少，见效快，能较好地适应产品品种和规格变化。

3. 养护坑的缺点

(1) 蒸汽空气混合物介质沿坑的高度产生分层——蒸汽在上，空气在下。这种介质的分层现象主要表现在深养护坑的升温阶段。通常上、下部介质的最大温差在10～15℃之间，上下层电杆强度差异较大。

（2）坑中的蒸汽空气混合物基本上处于静止状态，使内部空气不易排除，造成同一根电杆不同部位受热不均匀。尤其是因介质换热系数明显降低，因此养护周期长，能耗高。

（3）坑的围护结构不合理，热容量大，使蓄热量相当大，防水防蒸汽渗透未能很好解决，致使保温层失效或水泥砂浆开裂、剥落，增大了热损失。此外，围护结构各部分的热阻偏低，散热损失偏高。

（4）密封不严和坑的"呼吸"现象使介质逸漏损失大，恒温状态不稳定。所谓"呼吸"现象，即忽而呼出蒸汽空气混合气体，忽而吸入冷空气，造成大量的热损失，养护温度越高，损失越大。

（5）不能合理地调节养护制度，难以实现自动控制。

基于上述原因，养护坑具有能耗大、热利用率低、养护周期长、坑和钢模周转率低等缺点。

二、热介质定向循环养护坑

为了保证上、下温度及四周温度的均匀，克服养护坑存在的诸多问题，将养护坑进行了改造，即采用了热介质定向循环养护工艺，该工艺采用了"拉伐尔"喷嘴代替了蒸汽花管，能产生高速气流（降焓增速），获得强制流动的推动力，使坑内的基本静止的介质产生强制的定向循环流动，从而使坑内温差减小，电杆受热均匀，蒸养时间也缩短，降低蒸汽耗量。改变了坑内介质的静止状态并改善了坑内热交换强度。

喷嘴既是蒸汽入坑通道，又是实现混合介质定向循环流动的关键设施。因而，该工艺实施简便、投资少、见效快。

热介质定向循环养护坑与普通坑的主要区别之一是供汽系统，供汽管路中装有减压阀及阀前阀后压力表，使进坑蒸汽压力自动稳定在一定范围，并能在运行中方便地进行调节。此外还装有蒸汽电磁阀，作为简单的自动控制系统的执行机构，为了在养护坑空间保持较恒定的接近大气压的压力，坑外装有冷凝水封，它的回汽管经密封通过坑墙伸入坑内，其下端距坑底 200 mm。生产实践证明：定向循环养护坑与普通养护坑的热工状况有较明显的区别。上下层介质温差大为减小，尤其是加温速度可通过改变进汽压力加以合理调整。

较先进的方法是已采用了电磁阀控制蒸汽排放量，通过温度自动测控仪表，按蒸养制度的要求进行自动监控，自动记录温度、时间等参数。对于蒸养制度的监控，目前已实现了微机控制等先进手段。使电杆生产从劳动密集型转向高科技型，改善了劳动环境，降低了劳动强度。

三、养护坑的综合技术改造情况

由于养护坑存在着许多缺陷，不能很好地满足生产工艺技术要求，国内对此进行了许多研究探讨并采取措施，取得了较好的技术经济效益，主要有以下几个方面：

1. 改善养护坑的围护结构

养护坑围护结构的蓄热损失是热损失的最大项，且养护坑的围护结构一直处于加热与冷却交替之中，因此必须降低其结构热容量，以降低蓄热损失。同时相应提高围护结构各部分的总热阻，以减少散热损失，坑底采用陶粒混凝土底板，或在坑底的陶粒混凝土底板下设封闭的空气层，坑墙内壁采用泡沫玻璃（兼有保温、防水功能）、矿渣棉、玻璃棉保温层、矿渣棉保温层与铝箔热绝缘复合等材料。

为了减少蒸汽渗透，改进养护坑的防水防蒸汽渗透层，应使用如防锈薄钢板、塑料贴面、乳胶水泥（涂料）等材料。

2. 改进养护工艺

由于蒸养工艺忽视了湿热膨胀对混凝土的破坏作用，应采用干—湿热养护工艺，构件在低温介质中升温，高温介质中恒温湿养，有利于混凝土结构形成，可以取消或缩短预养期，养护同期缩短。

干——湿热养护工艺中有两套供热系统：升温用热排管，湿热阶段用蒸汽花管或喷嘴向坑内送入湿饱和蒸汽。

3. 微压养护坑

微压养护坑在 80 年代初苏联开始采用，该坑内介质的剩余压力为 0.02～0.06 MPa。其养护原理是：以足够快的升压速度，迅速提高坑内介质压力，使之提前超过混凝土内部产生的最大剩余压力，用以有效地抑制升温期混凝土内部相继产生的破坏作用，从而达到显著提高产品质量、节约能源、缩短养护周期的目的。

微压养护坑内的剩余压力和升温速度视混凝土的稠度而定，如对于塑性混凝土，其升温速度为 60℃/h，剩余压力为 0.02～0.03 MPa，对于工作度为 20～40 s 的干硬性混凝土，相应的升温速度为 60～70℃/h 或 90℃/h，剩余压力均为 0.06 MPa，当最高热养护温度为 100℃ 左右时，其热养护周期为 5～5.5 h。

四、养护窑

养护窑建于地面，它具有密封及保温性能好，节省蒸汽，蒸养时间短等优点，通常由一排多孔窑组成，每孔窑仅供 2～4 根电杆入内蒸养，钢模周转快，窑内温度比较均匀，蒸养效果也较理想，是目前电杆生产企业较为普遍采用的一种养护方式。

第二节　常压蒸养工艺原理与工艺参数的控制

一、工艺原理

蒸养是以常压蒸汽为介质与混凝土（从表面开始）进行热交换，从而加速水泥水化过程来达到混凝土的快速硬化及内部结构与强度形成的目的的一种硬化方法。

我们根据原材料及配合比情况和生产工艺要求，拟定加热强度，并以与之相适应的进汽压力来实现所预定的养护制度。实施该工艺必须保证进坑蒸汽表压力在 0.1～0.15 MPa 左右，以得到必要的流速和加热强度。若进坑蒸汽表压力低于 0.05 MPa，则坑内的热交换与普通养护坑相差不大。

蒸汽是由锅炉加热至高温高压下形成的。常压下水加热至 100℃ 开始沸腾蒸发，随着压力的增加水蒸气由湿饱和状态变成干饱和状态，这时温度超过 100℃，压力越大，温度越高，一般以锅炉的工作压力 0.40 MPa 为限。

从锅炉出来的蒸汽是高温高压状态，经过管道的热量损失到达养护窑时已是常压下水蒸汽（温度达 100℃ 左右）。故此通常蒸养亦称为常压蒸养。

热养护过程中，混凝土内产生一系列的物理、物理化学和化学变化，这些变化可归结为有利于加速结构形成和引起结构破坏的两类作用的变化。

有试验表明：80℃养护比20℃养护水泥水化速度提高5倍，100℃养护比20℃养护水泥水化速度提高6倍。

蒸养可使混凝土在短时间内获得需要的物理力学性能。由此可见，加速结构形成与引起结构破坏是高热养护期间的主要矛盾，在混凝土初始结构强度较低的升温期尤为突出。

用饱和蒸汽进行养护，蒸汽在电杆模具表面上凝结，气体对流换热系数较低。强制对流时，蒸汽的凝结换热系数大得多，膜状凝结时更大，所以蒸汽加热混凝土表面主要是依靠蒸汽的凝结换热。蒸汽养护电杆时，外部热交换强度主要取决于蒸汽的凝结速率。当蒸汽中混有不凝结气体（空气）时，介质对电杆的换热规律和换热强度发生了明显变化。

在静止的蒸汽混合物中混有少量空气时，聚集在凝结膜附近的空气分压较高的介质层将阻碍蒸汽质点向凝结膜移动，使凝结速度下降，从而使对蒸汽换热起主要作用的凝结热量急剧下降，这是静止的蒸汽空气混合物的换算系数显著降低的原因。

蒸汽空气混合物的换热系数与纯蒸汽换热系数之比见表6-1。

可知，在混合物基本静止，即质量流速为零时，即使混合物含有1％空气，也会使换热系数降低一半以上。若含有12％空气，其换热系数可降低90％，可见影响十分显著。

提高混合介质的流动速度，则可大大降低空气对混合介质换热系数的影响，而使换热系数明显恢复。混合介质中的空气含量愈高，提高流速使换热系数恢复的数值相对地愈大。

表 6-1　　蒸汽空气混合物的换热系数与纯蒸汽换热系数之比

混合物中空气含量（％）	混合物的质量流速 [kg/（m²·s）]			
	0	0.3	2.0	6.5
1	0.42	0.70	0.88	0.96
2	0.30	0.62	0.83	0.94
3	0.20	0.55	0.78	0.91
4	0.18	0.50	0.74	0.88
8	0.12	0.38	0.63	0.80
12	0.10	0.32	0.56	0.74

二、常压蒸养工艺参数

根据电杆蒸养结构形成与强度发展的需要，将蒸养过程分为三个阶段：升温期、恒温期、降温期。由于混凝土结构形成与强度发展与这三个阶段关系密切，为了保证混凝土在蒸养期间强度稳定快速发展，必须控制好这三个阶段的温度、时间（即蒸养工艺参数）。蒸养过程随着混凝土表面开始与湿热蒸气进行热量交换，温度形成是从表面向里发展，这样会产生温度梯度，以致产生温度应力（厚度越大，应力越大），影响混凝土的强度发展甚至阻碍混凝土结构形成，尤其在升温期。其次，随着温度的升高，混凝土内部水分蒸发，以及体积膨胀对混凝土的结构起着破坏作用，这对混凝土是很不利的，由此可见，蒸养过程是混凝土结构形成与强度发展过程，同时也是结构破坏过程。

从混凝土强度发展需要来看，尽量延长升温时间，减少升温过程对混凝土强度的影响，但从蒸养工艺上看，又不能随意延长升温时间，因此我们要控制蒸养工艺参数，目的在于克服这一对矛盾，尽量减少产生这种"破坏"的不利因素。

经过大量的实践论证，将蒸养过程分成三个阶段是比较合理的。在升温期阶段，控制一定升温速度，使混凝土形成一定的强度，足以抵抗升温过程对混凝土结构破坏。如果条件许可的话，在升温期前增加一个预养期，目的使混凝土初步具备一定的结构强度——称为初始结构强度，增强抵抗升温期对混凝土结构的破坏的能力。在恒温期，混凝土强度得以发展，必须确保有足够的恒温时间和相应的恒温温度，否则达不到设计强度。在降温期，尽量使电杆在不影响强度的情况下，顺利实现降温冷却并进入下一道工序（拆模）的目的。

（1）升温期。混凝土的结构缺陷主要发生在升温期，升温期是混凝土结构形成强度发展和结构破坏阶段。因为这一阶段随着水泥水化速度的加快，水化产物加速产生，并堆聚形成结构的同时，由于温度应力的影响，以及水泥结构形成不规则，随着水蒸气的蒸发在结构内部形成串通的孔，这些都影响了水泥石的强度。因此要控制升温速度，当然升温速度与混凝土的初始结构强度的大小、构件的厚度大小、是否密闭养护等等均有很大关系，很难制订一个统一的限值。常压蒸养升温速度是一个重要问题，因为升温初期混凝土尚处于凝结期间，因此该期间的升温速度对混凝土后期强度有很大影响。此外，升温速度太快，还会使混凝土表面因体积膨胀太快而产生裂缝。

（2）恒温期。恒温期是混凝土强度的发展阶段，也是混凝土结构的巩固阶段。

混凝土在恒温养护时的硬化速度取决于水泥的品种、水灰比和恒温温度。在恒温温度及水灰比相同条件下，硅酸盐水泥混凝土的强度增大最快，普通水泥混凝土次之。水灰比越小，混凝土硬化速度越快，所需的恒温时间越短。

关于恒温温度也视水泥品种不同而不同，采用硅酸盐水泥，恒温温度不得高于80℃，普通水泥不得高于85℃，而矿渣水泥可稍高一些，一般在90℃以内。恒温温度也取决于混凝土的水灰比、干硬性等因素，水灰比越小，干硬性混凝土允许的恒温温度也越高。

恒温温度过高会破坏混凝土的内部结构，而恒温温度过低，则混凝土强度增长缓慢，因此必须严格把握，此外，恒温阶段应保持90%～100%的相对湿度，以确保充分的水化反应。

关于恒温时间及最大升温速度见表6-2、表6-3。

表 6-2   恒 温 时 间   h

恒 温 温 度 （℃）		100			80			60		
水 灰 比		0.4	0.5	0.6	0.4	0.5	0.6	0.4	0.5	0.6
硅酸盐水 泥	达到设计强度70%	4			4.5	7	10.5	9	14	18
	达到设计强度50%	1	2	3	1.5	2.5	4	4	6	10
矿渣硅酸盐水泥	达到设计强度70%	4	5	7	8	10	14	13	17	20
	达到设计强度50%	2	2.5	3.5	3	5	8	6	9	12

表 6-3   最 大 升 温 速 度   ℃/h

预养期	干硬度（s）	最 大 升 温 速 度		
		密闭养护	带模养护	脱模养护
>4 h	>30	不 限	30	20
	<30	不 限	25	
<4 h	>30	不 限	20	15
	<30	不 限	15	

提高恒温温度，加快混凝土强度发展的速度，早期强度较高，但对后期强度发展有很大影响，试验表明，较高温度的养护，混凝土后期强度反而有所下降。因为增加初期水泥水化速度会导致水泥石中水化产物的不均分布和妨碍后期的水化作用。恒温温度及恒温时间的确定，主要取决于水泥品种、水灰比及脱模强度要求。

（3）降温期。降温过程由于温度梯度产生的温度应力作用，同样使混凝土的强度遭到一定的破坏作用，混凝土完成了升温、恒温过程后也有了一定的强度，因此，它已具备了抵抗降温过程对混凝土强度的破坏作用的能力。所以，一般来讲，允许有较大的降温速度，这同时也是生产所迫切要求的，它有利于钢模的周转，缩短生产周期。但是，过大的降温速度对混凝土强度的损伤，同样也是不容忽视的，最大降温速度可参考表 6-4。

表 6-4　　　　　　　　　　　　最 大 降 温 速 度　　　　　　　　　　　　℃/h

水 灰 比	最 大 降 温 速 度				
	密闭模板	厚大构件	薄壁构件	小型构件	低标号（<C10）构件
≥0.4	40	30	35		25
<0.4	60	40	40	40	

　　降温期对混凝土强度损伤的原因在于混凝土体积的收缩，拉应力的产生导致混凝土表面龟裂、酥松等结构损伤现象，降温速度越快，混凝土强度降低越大，甚至造成质量事故，同时失水过多，影响后期水化。

　　另外，湿热养护结束后，加强混凝土的后期养护是十分必要的，保持混凝土周围有足够的湿度，有利于水泥的继续水化及后期强度的增长。电杆脱模后有条件的，宜泡水养护 2～3d。或者采用洒水养护，洒水次数视气温、空气湿度情况而定（平均气温低于 5℃ 时，不得洒水养护）。

　　总之，蒸养制度对混凝土强度形成影响重大，它决定着电杆脱模强度及后期强度能否达到设计要求，从而决定着电杆的力学性能能否合格。因此生产过程中必须严格控制并加以记录（原始记录见表 6-5）。

表 6-5　　　　　　　　　　　　电杆蒸养制度原始记录表

生产班组：　　　　　　　　　　　　　　　年　　月　　日

序号	杆型规格	模号	窑号	升 温		恒 温		降 温		操作者	备注
				放汽时间	温度	持续时间	保持温度	停汽时间	出窑温度		

三、养护制度的控制与监测

　　养护坑内介质温度的监测和控制一般采用铜热电阻作为一次元件，执行机构大多采用电磁阀，自动控制装置有以下几种：

　　（1）微电脑热养护群控装置可同时控制 1～8 个养护坑。该装置的核心部分是用 TP801—A 单板计算机作为实时控制环节，能同时控制温度和时间两个参数，并能自动打印各养护坑坑号、工作时间、实测温度、给定温度等参数值。

　　（2）数字式蒸养温度自动程序控制仪，它能控制温度和时间两个参数，能准确地实施养护制度。

　　（3）XCF—102 型动圈式指示调节仪，它结构简单、体积小、寿命长、维修容易、投资少，而且能满足混凝土热养护工艺对控温精度的要求。它是一种简单控制系统，只能控制介质温度，缺少对时间的控制。

　　目前，采用以上手段及设备进行控制与监测的厂家仍有一部分，大部分采用最为简单的热工检测仪表进行温度及热流量的测量。

第三节 热工设备及选型计算

一、热工测量仪表

热工测量仪表是指为保证产品质量，对工艺过程的热工参数进行测量和控制的仪表。

热工参数主要指温度、湿度、压力、热流量等。

1. 温度测量

温度测量采用温度计，它是利用测温物质的体积或长度随温度变化的性质所制成的温度测量仪表。主要有以下两类：

（1）利用液体测温物质和玻璃管所制成的温度计——玻管温度计。如：内标水银温度计、触点式水银温度计（简单的自动温度调节器的特点是通过调节，在任何温度下即可接通电路）。

（2）利用不同线胀系数的两种固体制成的杆式温度计和双金属温度计。如压力式温度计，它是利用装入密闭系统内的工作介质（液体如水银、二甲苯、甲醇，气体或蒸汽）的体积或压力随温度而变化的特点而制成。

2. 热流量测量

热流量的测量采用热流计。热流计工作原理：在均质平板或平壁两边存在温度差时，其厚度方向就有热流通过，由于平板材料有热阻，厚度越厚，热阻越大，通过的热流量就越少，利用温差与热流量之间的对应关系可进行热流量的测定。

二、锅炉

（一）锅炉设备的组成及基本特性

中小型电杆生产企业一般采用小型锅炉，即压力低（1.5 MPa 以下），容量小（蒸发量 10 t/h 以下）。锅炉设备由锅炉本体和辅助设备两大部分组成。

1. 锅炉本体的组成

（1）汽锅。是由锅筒（又称汽包）、管束、水冷壁、联箱和下降管等组成的一个封闭的汽水系统。当汽锅的受热面受热时，汽锅中的水被高温烟气加热而产生饱和蒸汽。

（2）炉子。由燃烧设备和炉空空间组成。

（3）省煤器。使给水进入冷锅前在其中预热，降低排烟温度，从而减少热损失。

（4）蒸汽过热器。是使汽锅中产生的饱和蒸汽继续受热为过热蒸汽。

（5）空气预热器。预热燃烧用的空气，提高热效率，一般小锅炉很少装。

（6）仪表件。为了安全运行，蒸汽锅炉装有安全阀、水位表、压力表及阀门等。

压力表：指示的压力为表压力，其最大刻度宜为工作压力的 2 倍，压力表属强检仪器。

水位表：锅炉水位高低直接影响安全运行及蒸汽质量，必须安装，用于监视水位，每台锅炉应装两个彼此独立的水位表（只有蒸发量≤0.2t/h 的锅炉才允许只装一个），应有指示正常水位及最高、最低水位的明显标志。

安全阀：锅炉内压力超过金属所能承受的压力时，会造成爆炸事故，安全阀的作用是当锅炉内压力超过额定压力时，自动开启排汽阀门，使锅炉内压力降低，以保证安全运行。每台锅炉应至少装两个安全阀。

2. 辅助设备

包括给水设备、给水管道、蒸汽管道、通风除尘设备、运煤除灰设备及仪表控制设备等。

（二）几种锅炉的特点

几种小型锅炉技术参数见表 6-6。

表 6-6   小型锅炉选型参考数据表

锅 炉 炉 型	型 号	蒸发量（t/h）	蒸汽压力（MPa）	蒸汽温度（℃）	给水温度（℃）
立式锅炉	LSG1—8 直水管	1	0.8	175	20～40
	LSG0.7—8 直水管	0.7	0.8	175	20～40
	LSG0.4—8 弯水管	0.4	0.8	175	20
卧式烟火管锅炉	WNL2—8—1	2	0.8	175	20
卧式水火管锅炉	KZL4—R—Ⅱ	4	1.3	194	20
卧式快装锅炉	KZG1—8	1	0.8	175	20
	KZG1.5—8	1.5	0.8	175	20
	KZG2—8	2	0.8	175	20
双锅筒"D"型水管锅炉	SZZ4—13（B）型	4	1.3	194	20
单锅筒"人"字型水管锅炉	KZFH2—8—1	2	0.8	175	20

（1）立式直水管锅炉。蒸发量 1 t/h 以下，烧烟煤，构造简单、安装方便、占地面积小、水容积大、传热较好，与同容量的其他锅炉相比热效高，可达 70%左右，水垢易清除，换管方便。

缺点：燃烧条件差，锅壳直径大，耗钢量大，容量受限制。

（2）卧式烟火管锅炉。燃用烟煤，热效约 75%，水容量大，对水质要求不高，但燃烧条件不好，清垢困难，水平烟管易积灰。

（3）卧式快装锅炉。热效率可达 80%，结构紧凑，金属用量少，体积小，重量轻。

（4）双锅筒"D"型水容锅炉。水容量大，积灰易清除，热效高（设计热效约 86%），结构紧凑。

缺点：烟管间水垢不易清除，烟管中易积灰。

三、蒸养设备的选型计算

中小型电杆生产企业多采用较为简单的坑式、窑式、直通蒸汽等养护手段，蒸汽由小型锅炉（蒸发量 10 t/h 以下）产生，由蒸汽管道输送到养护地点。

选择何种养护方式，视工厂实际情况而定。锅炉选择根据蒸汽消耗量大小进行选择。

1. 养护窑（坑）计算

养护窑（坑）数
$$N = \frac{q_s T}{n} + B$$

式中　q_s——机组流水法每小时电杆产量（根/h）；

　　　T——电杆养护周期（h）；

　　　n——每孔窑（坑）所养护电杆数量（根）；

　　　B——备用数量（取 1）。

【例6-1】 某电杆厂采用机组流水法生产电杆，其流水线每小时生产4根电杆，电杆养护采用蒸养窑（每孔窑可同时养护两根电杆），蒸养窑为间歇式养护窑；蒸养时间为4h，计算需几孔窑可满足生产要求。

解 已知：$q=4$ 根/h，$T=4$h，$n=2$，取 $B=1$（备用）

将有关数据代入公式，得：

所需窑数
$$N = \frac{qT}{n} + B = \frac{4 \times 4}{2} + 1 = 9（孔）$$

2. 锅炉选型

(1) 选型原则。

1) 满足热养护过程对水蒸汽产量及状态参数的要求。常压蒸汽养护要求 0.3 MPa 以上，蒸压处理要求 1.0 MPa 或 1.5 MPa 以上。同时考虑管线压力降等因素。

2) 热效高，金属耗量少，安装容易，基建和管理费用低。能燃烧劣质燃料，能适应负荷波动。

3) 操作简便，工作安全可靠、检修方便。

(2) 选型步骤。

1) 根据热养护设备的热平衡，计算单台热工设备的每小时蒸汽消耗量 m；

$$m = \frac{qK}{h_v - h_e}（kg/h）$$

式中 q——热养护设备的每小时耗热量（kj/h）；

$\quad K$——储备系数，$K=1.2$；

h_v、h_e——分别为蒸汽与冷凝水的焓值，kj/kg（查表）。

100℃时，$h_v=2676.3$kj/kg，$h_e=419.1$kj/kg，$h_v-h_e=2257.2$kj/kg。

2) 根据锅炉供给的用汽设备数量及用汽规律确定每小时最高耗汽量。

3) 按小时最大耗汽量及所要求的蒸汽参数，选择锅炉型号及台数，再查产品目录确定合适的锅炉。

4) 根据燃料发热量和锅炉热效率计算小时耗煤量。

锅炉的燃料消耗量 B 可用下式计算：

$$B = \frac{D(h_v - h_e)}{\eta Q_{DW}^y}\,kj/kg$$

式中 D——锅炉蒸发量（kg/h）；

h_v、h_e——分别为蒸汽与给水的焓（kj/kg）；

Q_{DW}^y——燃烧的低位发热量（kj/kg）；

$\quad \eta$——锅炉热效率（%）。

【例6-2】 某电杆厂采用养护坑蒸养电杆（采用普通硅酸盐水泥生产），根据热平衡计算结果，每坑升温阶段小时耗热量为 $Q_1=1009020$kj/h，恒温阶段小时耗热量为 $q=100480$kj/h，同时升温及恒温的坑数有 2 个，试选择合适的锅炉，煤的发热量为 $Q_{DW}^y=23000$kj/kg，锅炉的热效率 η 为 75%，计算小时用煤量。

解 (1) 计算一个坑升温和恒温阶段的小时耗汽量。则由公式

$$m = \frac{qk}{h_v - h_e}$$

可得
$$m_1 = \frac{100902 \times 1.2}{2257} = 536 \ (\text{kg/h})$$

$$m_2 = \frac{100480 \times 1.2}{2257} = 33 \ (\text{kg/h})$$

（2）计算小时最大耗汽量。$m = (m_1 + m_2) \times 2 = 1178 \ (\text{kg/h})$

因此根据小时最大耗汽量可选择一台 KZG1.5—8 型锅炉，也可选择两台 LSG0.7—8 型锅炉。

（3）用煤量计算。

如选择 KZG1.5—8 型锅炉，则 $D = 1500\text{kg/h}$
$$B = \frac{D(h_v - h_e)}{\eta Q_{DW}^y} = \frac{1500 \times 2257}{0.75 \times 23000} = 196 \ (\text{kg/h})$$

3. 蒸汽负荷计算。

1）蒸汽耗量的计算：
$$G_{汽} = \frac{q_j/\varphi - Q_s}{\Delta h}$$

式中　$G_{汽}$——每 m^3 混凝土所需蒸汽量（kj/h）；

　　　Q_s——水泥水化热（kj/m^3），计算时可用 209 乘以每 m^3 混凝土中所用水泥数量（kg）；

　　　Δh——蒸汽焓降（一般可取 2257kj/kg）；

　　　q_j——基本热耗，一般在 16.7 万～18.8 万 kj/m^3 之间；q_j 值与混凝土的材料组成、水泥品种和标号及养护温度有关，对硅酸盐水泥构件可取 16.7 万 kg/m^3；

　　　φ——热效率因数，对有可靠的水封、墙体无开裂的围护结构的平均总热阻 $R \approx 1$，采用一般蒸汽养护的养护坑为 0.25，隧道窑为 0.35。

如果电杆水泥用量为 500 kg/m^3，则：
$$G_{汽} = \frac{167000/0.25 - 209 \times 500}{2257} = 250 \ (\text{kg/m}^3)$$

2）每 m^3 电杆耗煤量计算：
$$G_{煤} = \frac{q_j/\varphi - Q_s}{\eta_2 \cdot Q_{DW}^y} \ (\text{kg/m}^3)$$

式中　η_2——锅炉热效率。

如果 $\eta_2 = 0.75$，$Q_{DW}^y = 23000$ kj/kg，则：
$$G_{煤} = \frac{167000/0.25 - 209 \times 500}{0.75 \times 23000} = 32.7 \ (\text{kg/m}^3)$$

第七章 电杆成品检验与质量控制

第一节 电杆成品检验

电杆成品的检验分出厂检验与型式检验。

一、出厂检验项目及要求

（1）产品出厂检验项目为。外观质量、尺寸偏差、抗裂检验、裂缝宽度、标准检验弯矩下的挠度以及混凝土强度检验。产品外观质量、尺寸偏差按标准要求分三个等级：优等品、一等品、合格品。检验合格后方可打上相应等级的标志并堆放入库。对外观质量及尺寸偏差项目，应每根检验，记录在案，每日汇总一次。对于外观有严重缺陷、致命缺陷的成品因其影响使用要求、寿命及力学性能，应作废品处理。外观稍有缺陷，如合缝漏浆等，凡在国标规定范围内允许修补的，修补完好经检验合格后可按相应等组级（优等品、一等品、合格品）验收。

（2）属外观严重缺陷、致命缺陷的项目。表面裂缝、弯曲度超标、内外壁露筋、大面积蜂窝、内壁混凝土坍落等。其他如杆长、壁厚等均属轻微缺陷。

（3）电杆的外观质量及几何尺寸偏差检验项目要求以及采用的检测仪器及方法详见表7-1所示。

电杆出厂检验由质检员负责，每天进行质量汇总，电杆外观质量日报表如表7-2所示。

（4）标准检验弯矩下力学性能检验要求。

1）抽样：可在同型号、同材料、同工艺、同梢径（或直径）的电杆中，每1000根为一批（在两个月内生产总数不足1000根，但不少于30根时，也可作为一验收批），每批随机抽取10根，从外观质量及几何尺寸偏差检验合格的电杆中随机抽取一根进行抗裂检验、裂缝宽度检验及标准检验弯矩下的挠度检验。

2）评定：抗裂检验、裂缝宽度检验和标准检验弯矩下的挠度均符合标准要求时，则判为合格；如果合格则该批产品判为合格；如果不合格，允许再抽取2根进行复试，如仍有一根不合格，则判该批产品力学性能不合格。凡力学复试通过的产品只能作为合格品处理，不能评一等品。

二、型式检验项目及要求

1. 凡有下列情况之一者应进行型式检验

（1）当工厂在结构、材料、工艺有较大改变时。

（2）产品长期停产后，恢复生产时。

（3）出厂检验结果与上次型式检验有较大差异时。

（4）同类型产品连续生产3000根或在4个月内生产总数不足3000根时。

（5）国家或地方质量监督检验机构提出进行检验时。

2. 检验项目

其内容除包含出厂检验项目及内容外，力学性能检验方面还应包括承载力检验弯矩及

表 7-1　　　　　　电杆的外观质量及几何尺寸检测项目要求　　　　　　　　　　mm

项　目			检　测　要　求			检　测　仪　器
			优 等 品	一 等 品	合 格 品	
表面裂缝		预 应 力 杆	不 得 出 现 纵 、 横 向 裂 缝			目测裂缝宽度用读数显微镜
		普 通 杆	不得出现纵、横向裂缝		横向≤0.05 mm	
合缝漏浆	边模合缝处	深　　度	≤3	≤5	≤保护层	钢卷尺（钢直尺）深度游标卡尺
		每 处 长 度	≤100	≤200	≤300	
		累 计 长 度	≤5％杆长	≤8％杆长	≤10％杆长	
		对 称 搭 接	无　搭　接		≤100	
	钢板圈（或法兰盘）与杆身结合面	深度	≤3	≤5	≤保护层厚	
		环向	≤1/6周长	≤1/5周长	≤1/4周长	
		纵向	≤20	≤30	≤50	
弯曲度		梢、直径≤190	≤L/1000	≤L/800		拉线及钢直尺
		梢径＞190	≤L/1000			
内外表面露筋			不 允 许			目 测
内表面混凝土坍落			不 允 许			目 测
蜂　窝			不 允 许			目 测
壁　厚			+6 −2	+8 −2	+10 −2	钢直尺、钢卷尺
外　径			+4～−2			钢卷尺
杆长		整 根 杆	+20～−40			钢卷尺
		组 装 杆 段	±10			
端部倾斜		杆　底	≤5			角尺、钢直尺
		钢 板 圈	≤3	≤5	≤5	
		法 兰 盘	≤2	≤3	≤4	
保 护 层 厚 度			+5	+7	+10	深度游标卡尺
预埋件尺寸偏差			详 见 标 准 要 求			钢卷尺、钢直尺
标志、封头 防腐、堆放			标志内容完整、位置合理，封头严实， 有防腐、堆放支点与层数符合要求			目 测
麻面、粘皮			总面积≤1%	总面积≤3%	总面积≤5%	钢卷尺、钢直尺
钢板圈焊口距离			＞10			钢直尺
预留孔周围混凝土损伤（深度）			≤5	≤8	≤10	深度游标卡尺
梢、根端碰伤或漏浆		环向	≤1/6周长	≤1/5周长	≤1/4周长	钢卷尺、钢直尺
		纵向	≤20	≤30	≤50	
原材料要求			符 合 要 求			查阅资料
钢 材 强 度			符 合 要 求			
混 凝 土 强 度			符 合 要 求			

注　1. 表面裂缝中不计龟裂和水纹。

　　2. 麻面、粘皮的总面积百分系数为麻面、粘皮总面积与 1 m 长度内外表面积之比。

　　3. 保护层厚度偏差为制造与设计的差数。

表 7-2					电杆外观质量日报表						

生产班组：　　　　　　　　　　　　　　　　　　　　　　年　　月　　日

杆型规格	合缝漏浆	弯曲度	内外壁露筋	表面裂缝	蜂窝	内壁混凝土坍落	壁厚	杆长	根梢碰伤	评定

汇总：生产总根数　　　合格根数　　　合格率　　　（％）

复核：　　　　　　　　　　　　　　　　　　　　　　　检验员（签字）：

承载力检验弯矩下的挠度（即力学性能检验的全部要求）。

结果评定方法同出厂检验。

3. 力学性能检验要求

电杆力学性能检验要求应符合表 7-3 规定。

表 7-3　　　　　　抗裂检验、裂缝宽度检验、承载力检验弯矩及挠度检验要求

杆　型	抗　裂	裂　缝　宽　度	承载力检验弯矩	挠　度
普通杆		100％标准检验弯矩下 $W_{max} \leqslant 0.2$ mm 100％归零时 $W \leqslant 0.05$ mm 200％标弯下 $W < 1.5$ mm	$M_u^o \geqslant [\beta_u] M_k$	$\alpha_s^o \leqslant [\alpha_f]$
预应力杆	100％标准检验弯矩下不允许出现裂缝（即 $[\gamma_{cr}] > 1.0$）	200％标准检验弯矩下 $W_{max} < 1.5$ mm		
部分预应力杆	80％标准检验弯矩下不允许出现裂缝（即 $[\gamma_{cr}] > 0.8$）	100％标准检验弯矩下 $W_{max} \leqslant 0.10$ mm 100％归零时，$W \leqslant 0.05$ mm 200％标准检验弯矩下 $W_{max} < 1.5$ mm		

（1）承载力检验。承载力检验结果应符合表 7-4 及下式要求：

$$M_u^o \geqslant [\beta_u] M_k$$

式中　M_u^o——电杆达到承载力检验标志时的实测弯矩值（N·m 或 kN·m）；

$[\beta_u]$——电杆承载力综合检验系数允许值（取 2.0）；

M_k——标准检验弯矩值（N·m 或 kN·m）。

$$[\beta_u] = [\gamma_u] \gamma_o \gamma_s$$

式中 $[\gamma_u]$——电杆的检验系数允许值，根据配筋所用材料及受力情况按表 7-4 取值；

γ_o——构件的重要性系数，按结构安全等级取用，一级：1.1，二级：1.0，三级：0.9；

γ_s——荷载分项系数，电杆永久荷载分项系数为 1.2，可变荷载分项系数为 1.4，假设两者各占 50％，则 $\gamma_s = 1.3$。

因电杆是重要的构件，取最高安全等级 $\gamma_o = 1.1$。

故此，$[\beta_u] = [\gamma_u] \times 1.1 \times 1.3 = 1.43 \times [\gamma_u]$。

当 γ_u 取 1.4 时，$[\beta_u] \approx 2.0$。

表 7-4

电杆承载力检验系数的允许值

受力情况	电杆达到承载力的检验标志		$[\gamma_u]$	$[\beta_u]$*		
				$\gamma_o=1.1$	$\gamma_o=1.0$	$\gamma_o=0.9$
轴心受拉 偏心受拉 受弯 大偏心受压	受拉主筋处的最大裂缝宽度达到1.5m,或挠度达到规定值	I~II级钢筋、冷拉I、II级钢筋	1.20	1.72	1.56	1.40
		冷拉III、IV级钢筋	1.25	1.79	1.63	1.46
		热处理钢筋、钢丝、钢铰线	1.45	2.07	1.89	1.70
	受压区混凝土破坏,此时受拉主筋处的最大裂缝宽度小于1.5mm且挠度小于规定值	I~II级钢筋、冷拉I、II级钢筋	1.25	1.79	1.63	1.46
		冷拉III、IV级钢筋	1.30	1.86	1.69	1.52
		热处理钢筋、钢丝、钢铰线	1.40	2.00	1.82	1.64
	受拉主筋拉断		1.50	2.15	1.95	1.76
轴心受压 小偏心受压	混凝土受压破坏		1.45	2.07	1.89	1.70
	腹部斜裂缝达到1.5mm,或斜裂缝末端受压混凝土剪压破坏		1.35	1.98	1.76	1.58
受弯构件的受剪	沿斜截面混凝土斜压破坏,受拉主筋在端部滑脱、或其他锚固破坏		1.50	2.15	1.95	1.76

* $[\beta_u]$为$\gamma_s=1.3$时的计算值。

99

电杆检验时，统一取 $[\beta_u] = 2.0$，目的是为了统一检验指标，使检验结果有可比性。

（2）抗裂检验。抗裂检验结果应符合下式要求：

$$\gamma_{cr}^o > [\gamma_{cr}]$$

式中　γ_{cr}^o——抗裂检验系数实测值，为初裂弯矩（裂缝宽度为 0.02 mm 时的弯矩值）与标准检验弯矩（或抗裂弯矩计算值）之比。

即

$$\gamma_{cr}^o = \frac{M_f}{M_k}$$

式中　M_f——实测初裂弯矩值（N·m 或 kN·m）；

$[\gamma_{cr}]$——电杆的抗裂检验系数允许值。

对预应力杆：$[\gamma_{cr}] > 1.0$；对于部分预应力杆：$[\gamma_{cr}] > 0.8$。亦可在设计图纸中明确给出抗裂检验允许值的指标。

对于电杆的正截面抗裂检验系数允许按下式计算：

$$[\gamma_{cr}] = 0.95 \cdot \frac{\sigma_{pc} + \gamma f_{tk}}{\sigma_{sc}}$$

式中　σ_{sc}——荷载的短期效应组合下，抗裂验算边缘的混凝土的法向应力（N/mm²）；

γ——受拉区混凝土的塑性影响系数；

f_{tk}——检验时的混凝土抗拉强度标准值（N/mm²）；

σ_{pc}——检验时抗裂验算边缘的混凝土预压应力（N/mm²）。

（3）挠度检验。电杆的挠度检验结果应符合下式要求：

$$\alpha_s^o \leqslant [\alpha_f]$$

式中　α_s^o——短期标准检验荷载及承载力检验荷载作用下的挠度实测值（mm）；

$[\alpha_f]$——标准规定的挠度允许值（或应设计图纸中注明的挠度允许值）。

4. 力学性能检验合格评定

凡试验结果符合表 7-3 要求的，即可评定为合格。

承载力检验弯矩下出现以下几种情况之一者即可判定为承载力检验不合格。

（1）受拉区裂缝宽度达 1.5 mm，或受拉钢筋被拉断。

（2）受压区混凝土破坏。

表 7-5　　　　　　　　标准检验弯矩下各杆型规格电杆的最大挠度要求

杆　　型		杆　　　　长		
		≤12 m		>12 m
预应力杆		$(L_1 + L_3)$ /70		$(L_1 + L_3)$ /50
部分预应力杆		$(L_1 + L_3)$ /50		$(L_1 + L_3)$ /35
普通杆*	杆长　　梢径	<10 m	10～12 m	>12 m
	100 mm	$(L_1 + L_3)$ /35		
	<150 mm	$(L_1 + L_3)$ /35	$(L_1 + L_3)$ /32	
	>150 mm	$(L_1 + L_3)$ /35	$(L_1 + L_3)$ /32	$(L_1 + L_3)$ /25

*　等径杆及对挠度和裂缝宽度有特殊要求的锥形杆，其挠度及裂缝宽度由供需双方协议规定。

(3) 挠度❶。标准检验弯矩下各种杆型规格电杆的最大挠度要求见表 7-5。悬臂式试验的锥形杆挠度大于 $(L_1+L_3)/10$。简支式试验的等径杆：直径 300 mm，挠度大于 $L_o/50$；直径大于或等于 400 mm，挠度大于 $L_o/70$。

第二节　电杆力学试验布置及计算

一、试验方式的确定

对不同杆型采用不同的试验方式，根据标准要求，锥形杆试验采用悬臂式，等径杆试验采用简支式。

二、荷载与检验弯矩的换算

1. 锥形杆

整根锥形杆是根据荷载等级来划分，如 C 级，标准荷载 $P=1.5$ kN，D 级，标准荷载 $P=1.75$ kN，则荷载与检验弯矩的换算关系为：

$$M_{ui} = P_{ui}L_1$$

式中　M_{ui}——任一级荷载作用下的弯矩值；

　　　P_{ui}——任一级荷载加荷值；

　　　L_1——有效力臂（荷载点高度）。

对于以标准检验弯矩标定的组装锥形杆，其标准荷载 $P=M_k/L_1$。

2. 等径杆

加荷时可采用单点加荷，即只用一个荷载传感器，也可采用双点加荷，即采用两个荷载传感器。根据标准要求，加荷值 P_1、P_2（也可为合力通过横担分解成两个相等的力 $P/2$ 作用在电杆上，即单点加荷）之间距离取 $\dfrac{L_o}{2} \sim \dfrac{L_o}{3}$，通常，试验中为使计算算出的加荷值不致太大（加荷方便及消除集中荷载过大对电杆的不利影响），P_1、P_2 之间距离设定为 $\dfrac{L_o}{3}$。

同样，任一级荷载加荷值 $P_{ui} = \dfrac{M_{ui}}{a}$（$a$ 为支座中心至临近一个加荷点 P_1 或 P_2 的距离）。这样，根据换算好的荷载值，即可按照标准要求的试验加荷步骤逐级加荷。

三、等径杆试验加荷方式的布置

等径杆试验加荷方式分水平方向、向上方向、向下方向三种。加荷时尚应考虑加荷点的位置及作用方式（单点加荷或双点加荷）。通常，加荷的力为水平方向比较方便，并可消除电杆自重的影响。而向上、向下加荷均需考虑电杆自重及设备重量的影响，对不同方式分别采用不同的计算公式，当采用图 7-1 所示的加荷方式时（单点加荷），其计算公式如下：

水平方向加荷：　　　　　　　$M_{ui} = \dfrac{P_{ui}}{2}\alpha$ 　　　　　　　　　　　（7-1）

向下加荷：　　　　　$M_{ui} = \dfrac{(P_{ui}+Q)}{2}a + \dfrac{q}{8}L_o^2$ 　　　　　　（7-2）

向上加荷：　　　　　$M_{ui} = \dfrac{(P_{ui}-Q)}{2}a - \dfrac{q}{8}L_o^2$ 　　　　　　（7-3）

---

❶ 梢径为 310 mm 以上，长度在 8 m 以下的组装锥形杆杆段，不做挠度试验。

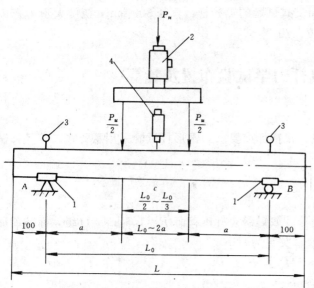

图 7-1 等径杆试验加荷布置图

1—宽 150 mm 硬木制成的 U 型垫板；2—测力器；
3—支座位移百分表；4—挠度仪；P—荷载；L_o—跨距；L—杆长

式中　q——电杆单位长度的自重（kN/m）；

　　　Q——试验设备总重（包括传感器、悬挂的葫芦、横担以及其他辅助工具等等，但应视是否直接作用在电杆本体上，否则，应不予考虑，此时 $Q=0$）。

由于传感器本身具有测力及调零作用，故可在试验设备作用在电杆上之前，预先将传感器调零；这样通过传感器作用电杆上的设备重力可不考虑，直接由传感器测读出来，作为试验加荷值的一部分。

向上、向下加荷的另一种简单计算方法：根据荷载效应，在弯矩值相等条件下，可将电杆自重（均布荷载）折算成集中力（P_G）。此时

$$\frac{q}{8}L_o^2 = \frac{P_G}{2} \cdot a$$

推算出

$$P_G = \frac{qL_o^2}{4} \cdot a$$

这样，计算时可不考虑电杆自重的影响，由水平加荷计算公式（7-1）求出任一级的加荷值 $P_{ui} = \frac{2M_{ui}}{a}$，加上或扣除设备总重及电杆自重折算值 P_G。

即向下加荷时：

$$M_{ui} = \frac{(P_{ui} + Q + P_G)}{2}a$$

$$P_{ui} = \frac{2M_{ui}}{a} - Q - P_G$$

同样向上加荷时：

$$M_{ui} = \frac{(P_{ui} - Q - P_G)}{2}a$$

$$P_{ui} = \frac{2M_{ui}}{a} + Q + P_G$$

这样计算过程中可不必考虑公式的换算关系，仅按水平加荷公式计算，计算出来的 P_{ui} 值根据向下（或向上）加上（或减去）P_G 及 Q 即可，非常方便。

顺便说明一下，由于荷载传感器具有可调零作用，故 Q 值可不在公式中体现出来，直接在加荷之前通过传感器调零扣除。

四、加荷过程的控制

1. 加荷设备配备

可采用电动机械传动、卷扬机或手动葫芦等方式加荷。

最大拉力一般取最大检验荷载的 1.5～2 倍为宜，以保证安全要求。所以，对锥形杆检验一般采用 10 kN 葫芦（或其他加荷设备）就足够（个别情况除外）。

对等径杆检验，由于荷载变化幅度大，且受试验方式、条件以及杆长、弯矩大小的不同而变化，应针对具体情况计算。但大多数情况下（采用单点加荷），一只 100 kN 葫芦（或其他加荷设备）就足够。可以对标准检验弯矩为 40 kN 以下的 6 m 杆进行试验（对 4.5 m 杆只能检验至 30 kN 以下），如果拉力不够，可采用多组动滑轮来达到省力的目的，但如果采用两点加荷，则需配备两只葫芦。

2. 加荷速度的控制

加荷速度会影响到电杆力学试验的精度，尤其在裂缝出现以及达到承载力检验弯矩时，更应注意。加荷太慢会延长电杆受荷时间；太快会加快裂缝的出现。

应根据具体情况及经验灵活掌握合适的加荷速度。我们根据长期检验经验提供一个加荷速度的参考范围：对锥形杆取 0.01～0.03 kN/s，等径杆取 0.1～0.3 kN/s（荷载小取上限，荷载大取下限）。

其次，加荷速度又与加荷葫芦的最大拉力有关，最大拉力大，拉力变化范围大。必须针对试验，选择合适的手拉的葫芦（或其他加荷设备）。加荷中在静停时间内当由于电杆挠度增加（屈服）或钢丝绳松弛、裂缝扩展等使传感器拉力值下降时，应补加荷载损失值，以达到恒载的目的。即保证两个到位，一个是加荷值到位，另一个是时间到位，静停时间不能少于标准规定。

但是，当加荷至抗裂弯矩、标准检验弯矩、承载力检验弯矩时，加荷值的允许偏差为 2%，超过 2% 时才能补加荷载。

五、混凝土电杆力学试验台座的布置与设计

混凝土电杆因其粗大、笨重，力学试验又多在现场进行，多数厂家无吊装设备，装卸困难，使试验过程费时费力。如果因试验台座设计不合理，或很不规范、配套不齐全，不但增添了不少麻烦，而且影响了试验的准确性与精度。

检测工作的质量及试验的准确度很大程度上取决于试验台座布置的合理程度。因此，一个设计合理、配套齐全的试验台座是决定电杆力学试验能否快速、简便、准确地进行的重要条件。

因此我们在经过长期的电杆力学试验的经验总结的基础上，绘制出图 7-2 所示力学试验台座布置与设计图，供同行们参考。该布置图具有结构简单、操作方便、试验快速准确、省时省力等特点。由于不同厂家场地条件不一，可根据具体情况稍加改造便可使用。

1. 场地要求

地面平整，使支撑电杆的滚动支座能自由滚动，没有阻力，保证了电杆受力方式、大小不变。

试验台座侧面应配置预埋铁件，以便安装百分表。

加荷点处设置预埋铁锚，应位置准确、高度与电杆安装时中心线一致，保证受力方向与电杆中心线垂直，确保荷载值及方向不变。

要考虑到 220 V 电源线能够到位，以便检测仪器能工作。

2. 百分表的安装

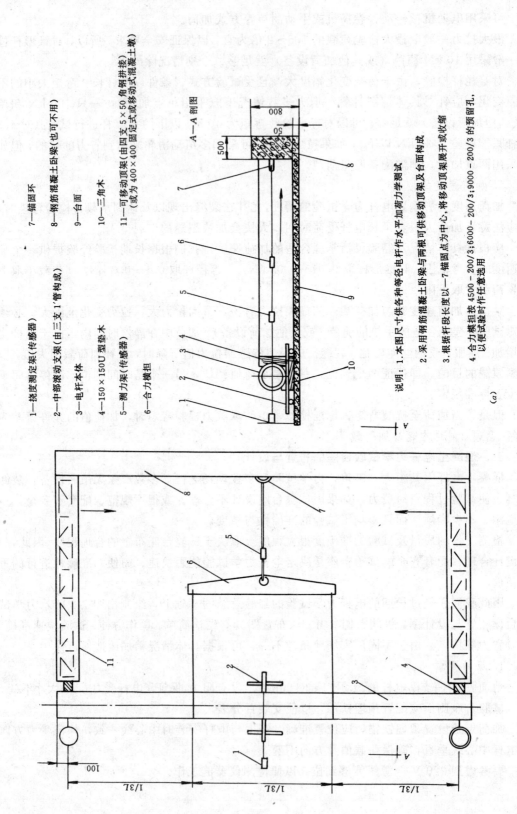

1—挠度测定架（传感器）
2—中部滚动支架（由三支1″管构成）
3—电杆本体
4—150×150U型垫木
5—测力架（传感器）
6—合力横担

7—锚固环
8—钢筋混凝土卧梁（也可不用）
9—台面
10—三角木
11—可移动顶架（由四支5×50角钢拼接，或为400×400固定式或移动式混凝土墩）

说明：1. 本图尺寸供各种等径电杆作水平加荷力学测试
2. 采用钢筋混凝土卧梁与两根可供移动顶架及台面构成，
3. 根据杆段长度以1—7锚固点为力中心，将移动顶架展开或收缩
4. 合力横担按4500—200/3；6000—200/3；9000—200/3的预留孔，以便试验时作任意选用

(a)

A—A 剖图

500
800
50

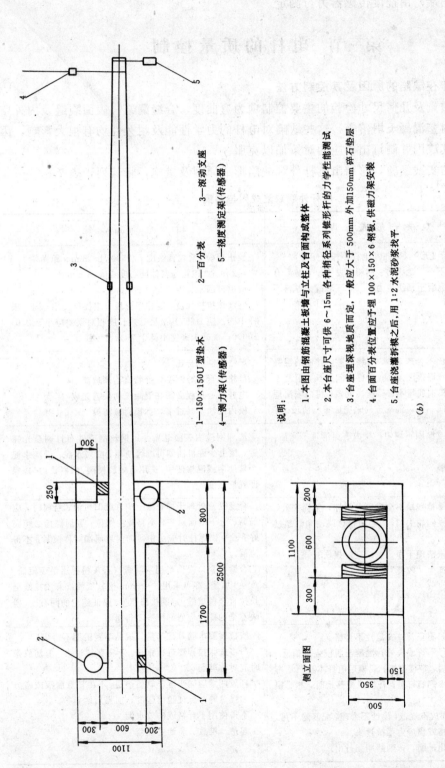

1—150×150U 型垫木　　2—百分表　　3—滚动支座
4—测力架（传感器）　　5—挠度测定架（传感器）

说明：

1. 本图由钢筋混凝土板墙与立柱及台面构成整体
2. 本台座尺寸可供 6～15m 各种梢径系列锥形杆的力学性能测试
3. 台座埋深视地质而定，一般应大于 500mm 外加150mm 碎石垫层
4. 台面百分表位置应平埋 100×150×6 钢板，供磁力架安装
5. 台座浇灌拆模之后，用 1:2 水泥砂浆找平

(b)

图 7-2　力学试验台座布置与设计图

(a)环形等径电杆力学试验台平面布置图（水平加荷）；(b)锥形电杆试验台座平面布置图

锥形杆试验，百分表安装于支持点 A、B 相反两侧。等径杆试验，百分表安置于 A、B 同侧，跨中（梢端）由挠度传感器另行测定。

第三节 电杆的质量控制

一、外观存在缺陷的原因及其控制方法

电杆外观质量及几何尺寸检验的主要控制项为弯曲度、合缝漏浆、表面裂缝及内外壁露筋、蜂窝、内壁混凝土坍落等，这些缺陷对电杆的力学性能及耐久性均有很大影响，因此应认真分析其成因并制订出相应的对策加以克服。

根据长期的实践经验，总结出电杆外观缺陷形成原因及措施，将其列于表 7-6。

表 7-6　　　　　　　　　　　　电杆外观缺陷成因与对策

	外观缺陷形成原因	相应措施
弯曲度	除钢模（疲劳变形）及弯曲和电杆不按规定堆放外，主要由于"四不一"造成的：钢筋强度不一，镦后有效长度不一，混凝土预压应力不一，环形截面厚薄不一	校正钢模，素线直线度 $L/2500$ 且 $\leqslant 5\,mm$ 距两端 1 m 内 $\leqslant 2\,mm$，跑轮与模体同心度 $\leqslant 0.05\,mm$ 按电杆国家标准规定堆放 钢丝按抗拉强度、延伸率分级分组控制使用；同一根杆中的预应力筋，其镦后有效长度相对误差应小于 2.0/10000；混凝土强度不低于 70% 设计强度
蜂窝麻面	混凝土配合比不合理，砂、石级配差，拌制的混凝土和易性不好，坍落度太小；静停时间太长，混凝土开始凝结；脱模剂质量不好，刷油太多，模内未清理干净；慢速时间不够，混凝土尚未完成布料阶段	严格控制配合比 严格执行离心制度。严禁直达高速离心 电杆离心过程必需在混凝土初凝前完成 模内上油不要过多，拆模后应清模
粘皮	脱模剂失效或涂刷不均匀；模内表面清理不光洁，长斯堆积老垢 脱模强度不够 热模灌注混凝土	清理钢模内表面老垢。用钢丝刷或砂布打刷至光亮后，擦上少许机油即可继续使用；变质水泥、受潮水泥严禁使用或混掺使用；选用有效脱模剂，涂刷要均匀，保证脱模强度
合缝漏浆	钢模及跑轮螺栓残缺不全或部分损坏，紧固失效 离心机或钢模跑轮失圆，离心时模体跳动频幅超过有利震动 合缝企口处未清理干净，企口变形损伤 横向错位，产生"咬缝"现象	合缝处应处理干净；涂上少许废旧机油；合模时，应前后、上下端面对齐，不得横向错位；紧固螺栓必须完好齐全，锁螺栓时应由中段向前后两端对称锁紧，不得遗漏 合缝处企口损伤可用灰油膏（石灰粉拌适量废机油、黄油）填塞；亦可采用 3～5 mm 松软纸质或麻质捻线全长拉直全段填缝。定期检修钢模，保证跑轮的同心度，残缺不全的螺栓应修好配齐不得遗漏
裂缝	水泥凝结时间不正常，安定性不合格 水泥品种标号不符或失效；混凝土脱模强度偏低 离心成型之后，带模碰撞；脱模后电杆本身严重弯曲；应力松弛或钢筋打滑；杆段脱模落地时，梢、根两端不同步 单点起吊、堆放不规范，设计不合理，配筋量不足，抗裂设计不合格或预应力张拉过头 混凝土的硬化干缩，未到龄期强行出厂	按抗裂要求验算配筋量，成品不到龄期不得出厂 严格按张拉程序进行张拉，不得张拉过头，剪筋放张时应对称剪筋 杆段两端应同步落于软质垫层，不得任意溜滚或碰撞 加强蒸养，保证脱模强度，加强后期养护 不得使用不合格或失效水泥 起吊、堆放、装卸要规范

	外 观 缺 陷 形 成 原 因	相 应 措 施
内壁混凝土坍落	蒸养时在升温期蒸汽量太足，在混凝土未凝结硬化时将混凝土冲坍 离心过程中，高速未达到或时间不够，混凝土未完全密实 混凝土配合比不合理，料稀骨料粒径大，粘聚性不好，产生离析	升温初期，蒸汽量适中，尤其采用直通蒸养方式时应注意，加强离心制度，严格执行离心工艺规程 严格控制配合比
内外壁露筋	骨架绑扎成型时，架立圈尺寸偏差或位置不对，引起主筋不在设计位置，未绑扎，骨架松散，钢筋移位。混凝土浇注之前，钢筋骨架未调整并进行预张拉，骨架松散 螺旋筋缠绕不紧或未绑扎	严格骨架绑扎工序，混凝土浇注之前应进行预张拉，调整好钢 筋位置 架立圈尺寸偏差应符合设计要求 加强螺旋筋绑扎工序

电杆在生产制造阶段外观有无缺陷，首先取决于设备是否完好。因此，在生产中，离心机、钢模必须处于完好状态。

其次，应加强人员的技术培训，加强工艺纪律的教育，严格按照工艺规程、操作规程进行生产。再者，加强原材料质量控制。

另外，各工艺各环节加强质量监控手段。通过上述措施，便可在制造阶段减少工序中存在的外观缺陷，甚至消除缺陷。

总之，外观存在缺陷应从"人、料、机、环、法"几个环节去寻找原因。

二、保护层的控制

钢筋保护层是保证钢筋隔绝空气、水分，防止钢筋因氧化、锈蚀而引起膨胀，导致钢筋截面积减少以及混凝土开裂等不良影响，使电杆保证有稳定的力学性能，并能长期在露天、潮湿以及风吹日晒雨打等恶劣气候条件下达到安全运行的目的。混凝土保护层除了保证力学性能以外还是混凝土耐久性能的一项重要指标。从混凝土的碳化角度出发，足够的保护层厚度可延长混凝土碳化深度达到钢筋表面的时间，从而保证了电杆的使用寿命，可见混凝土保护层十分重要。

电杆新国标对保护层做出了更严格的规定，体现出了我国电杆生产技术已达到了较高水平。

然而，在电杆生产过程中，保护层厚度的控制难度较大，特别是锥形杆，由于其锥度关系引起电杆直径变化，使保护层厚度更加难以把握。

究其原因，保护层的控制与设计、骨架制作、绑扎成型、主筋定位、混凝土浇注、钢筋张拉以及人员的操作等等均有很密切的关系。要保证保护层厚度达到要求，就必须从以上几个环节逐个落实，正确无误后，方可保证。无论哪个环节稍有疏忽就难以保证。

1. 设计阶段

由于电杆的极限承载力与钢筋所在圆的半径成正比，因此，在设计时，一般都在满足净保护层厚度之后，采取了放宽钢筋所在圆半径的做法。所以，在没有富余厚度的情况下，如果制造阶段出现失误，就会出现保护层不足。因此在设计阶段，必须使保护层有足够的余量。

2. 架立圈的制作

架立圈，是保证钢筋（特别是主筋）按设计定位的重要构造钢筋。其圆度、直径必须与所设计的尺寸相符，保证钢筋处在精确的设计位置，否则，如果架立圈失圆、直径的偏差，都必将影响到钢筋偏离设计位置而导致保护层偏差。

从结构上讲，架立圈的制作工艺，无论是对普通杆段或是预应力杆都是十分重要。然而，如何制作架立圈并使其达到设计要求以确保质量，单纯有良好的愿望往往是不够的，它取决于设备精度、技术及工艺。除了设备精度要保证外，人员操作及技术水平、工艺措施均要保证，这在第三章第四节的"骨架制作与成型"中已有提及。

3. 骨架成型方法及质量

骨架成型方法有的采用自动滚焊机，这种机械成型方法克服了人为因素的影响，骨架质量好，各种钢筋位置容易保证，而且生产效率高，采用这种方法保护层大多能保证。

然而，大部分厂家受设备及条件限制，仍采用手工绑扎方法，骨架质量受影响的因素很多，如与操作人员的认真和熟练与否均有很大关系，特别是对锥形杆，由于锥度关系，截面变化，沿长度方向每移动 75 mm，直径变化 1 mm。因此，除了架立圈直径及圆度符合设计要求外，在安放架立圈时，安放的位置要准确，也不能倾斜，否则，就难以保证主筋在原来设计位置上。尤其是当多个不同直径的架立圈要逐个放入骨架时，要将它们逐个编号，顺序不能乱。否则骨架绑扎好后主筋不在同一直线上，呈波浪起伏状态，这样张拉时，不但影响预应力值一致，而且骨架绑扎好后架立圈受力后容易移位。

此外，骨架绑扎成型时，一要用细铁丝绑牢扎紧，螺旋筋通长布置。绑扎之前采用预张拉，骨架不能松弛、变形，保证主筋在绷紧状态下绑扎，这样位置准确，否则，松松垮垮，既使绑扎出来，位置也容易移动。

二是绑扎时尽量不在模内进行，因模内受空间与条件限制，操作麻烦。螺旋筋不能够紧贴主筋外表面缠紧，较松弛，主筋容易移位。

4. 浇注

浇注之前，骨架要预张拉，沿长度方向每隔一段距离的断面上加垫圈或垫块，每个截面上对称三点，调整好被移动的架立圈或螺旋筋位置，架立圈倾斜要摆正，然后开始浇注混凝土，均匀顺序地浇注。借助拌铲将混合料捣入模内，在骨架上不能直接压上其他重物，以免骨架变形，或受重力影响，使靠近底模的钢筋贴紧钢模。

5. 离心阶段

对锥形杆，由于混凝土截面半径变化，在离心力作用下出现梢端混凝土向根端溜料的现象，常使梢端壁厚变薄，根端变厚，这样，会出现梢端保护层不足，甚至内壁钢筋未被混凝土包裹。因此，在离心工艺上把握慢速不能太长，否则溜料更严重。其次，浇注时要保证距梢端 1 m 长度内尽量密实，如有办法在慢速、中速阶段采用同材料同配合比的混凝土，从梢口进行投料。这种二次投料工艺对大梢径电杆比较容易执行，而小梢径电杆，尤其是张拉头在模内时不易执行，另外得采用梢端浇注饱满的办法，必要时借助"插入式微型震动器"震动密实。张拉头在模内由于要占据位置，而张拉时张拉头外移，使模内一段（钢筋伸长长度）缺料，也引起梢端偏薄。

总之，以上几个环节每个环节严格控制，加上操作人员的精心施工，保护层问题是不难解决的。

三、电杆运输及焊接质量要求

根据 GBJ233—90《110～500 kV 架空电力线路施工
及验收规范》要求，电杆在运输以及焊接时要注意以下
几点：

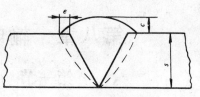

图 7-3　V 型坡口

(1)装卸运输中严禁互相碰撞、急剧坠落和不正确的
支吊，以防止产生裂缝或使原有裂缝扩大。

(2)钢圈连接的电杆，应采用电弧焊接。要求：

1）焊工考核有证，焊完的焊口应及时清理，自检合格后，在规定部位打上焊工代号钢印。

2）清除焊口及附近的铁锈及污物。

3）钢圈厚度大于 6 mm 时应采用 V 型坡口多层焊（V 型坡口形状见图 7-3）。

4）焊缝应有一定的加强面，其高度和遮盖宽度应符合表 7-7 规定。

表 7-7　　　　焊缝加强面尺寸　　　　　　　　mm

项　目	钢圈厚度 s	
	<10	10～20
高度 c	1.5～2.5	2～3
宽度 e	1～2	2～3

5）焊接前做好准备工作，一个焊口宜连续焊成，焊缝应呈平滑的细鳞形，其外形缺陷允许范围及处理方法应符合表 7-8 规定。

6）采用气焊时尚应遵守下列规定：①钢圈宽度≥140 mm；②应减少不必要的加热时间，应采用必要的降温措施，以减少电杆因焊接而产生的纵裂。当产生 0.05 mm 以上的裂缝时，应采取有效的补修措施。

7）因焊口不正，造成的分段或整根电杆的弯曲度不应超过其对应长度的 2‰，超过时应割断调直、重焊。

(3)电杆的钢圈焊接接头应按设计规定进行防锈处理。无设计规定时应将钢圈表面铁锈、焊渣及氧化层除净，然后涂刷防锈油漆。

(4)电杆上端应封堵，设计无特殊要求时，下端不封堵，放水孔应打通。

表 7-8　　焊缝外观缺陷允许范围及处理方法

缺陷名称	允许范围	处理方法
焊缝不足	不允许	补焊
表面裂缝	不允许	割开重焊
咬边	母材咬边深度不得大于 0.5 mm 且不得超过圆周长的 10%	超过者清理补焊

四、杆段端部纵裂的处理

对大型杆段，尤其是组装杆段，由于所受荷载较大，设计中常采用高强钢丝，主筋布置较密集，在预应力"放张"时，钢丝本身自锚不足，往往会由于钢丝的回缩使杆段端部产生纵裂。因此，在高压线路（110 kV 以上）上使用的杆段，一般均采用两端加钢板圈作为端部主筋的锚固作用，这样可使钢筋应力传递均匀，大大减少纵裂现象的发生。

此外，可采用减少螺旋筋间距（尤其在杆段端部更应密缠）和加大螺旋筋直径等方法。

第八章　输电线路电杆杆塔荷载计算

第一节　电杆的功能、用途及分类

架空输电线路中多采用电杆杆塔以及铁塔的形式，一般情况下，目前大部分杆塔均采用电杆，但对某些大跨越和运输十分困难的地区及其他特殊原因不能采用电杆的地段采用了铁塔。电杆主要用于 35 kV 以下的低压线路以及 35～220 kV 的高压线路。它与一般的构件相比，有一定的特殊性，考虑到使用环境、荷载作用形式的不同，设计过程也比较复杂。目前，混凝土电杆的应用还比较普及，因为，它较铁塔而言，能节约大量钢材，降低线路造价，运行维护简便，检修工作量少，且使用年限也比较长，可达 30～50 年以上。因此，它具有较大的优越性和较好的经济效益。

目前我国输电线路中采用的电杆从外形上看有方形、环形、H 型等，但大部分为环形，因为环形混凝土电杆具有几个优点：

1）环形截面电杆各向承载力均等；

2）环形截面电杆比实心截面电杆节省材料约 40% 左右；

3）环形截面电杆表面光滑、美观，截面无突出部分，便于运输，不易损坏。

另外，生产工艺方面，可采用较先进的离心工艺进行生产，经离心后，混凝土中排出多余的水分与空气，混凝土更加密实，因此，可提高混凝土的强度。

一、分类

输电线路中的杆塔可根据电压高低、线路回数、杆塔在线路上的用途等进行划分。

（一）按电压分类

（1）低压线路杆塔。配电线路，电压在 1000V 以下多采用单柱式，在转角和耐张杆上采用拉线杆。

（2）高压线路杆塔。电压在 35～220kV 之间。110 kV 直线杆大部分采用单杆或双杆，转角及耐张杆塔采用带拉线的单杆或双杆。个别跨越或不能使用拉线杆的地方采用铁塔。

（3）超高压线路杆塔。电压在 330kV 及以上线路。

（二）按回路分类

（1）单回路杆塔。导线呈水平、上字形及三角形三种排列方式，单柱杆塔的导线多为三角排列，双柱杆塔的导线多为水平排列，适用于各种电压。

（2）双回路杆塔。一般适用于 220 kV 以下线路，我国多用于 35 kV 及以下线路，导线排列方式有伞形、倒伞形及桶形等，双回路导线水平排列用于低压线路的较多。

（3）多回路杆塔。多适用于低压配电线路上，导线排列与双回路相同。

（三）按用途分类

（1）直线杆塔（又称中间杆塔）。线路上用量最多，在平坦地区，约占全线杆塔总数的 80%。在线路正常运行情况下，直线杆塔不承受顺线路方向的张力；只有在杆塔两侧档距相差悬殊或一侧发生断线时，才承受相邻两档导线的不平衡张力。

（2）耐张杆塔（承力杆塔）。线路正常情况下，耐张杆与直线杆所受荷载相同，为了保证线路运行的可靠，当直线杆倾倒时要求耐张杆能够限制事故范围，不致使线路杆全部倾倒。因此，其安全系数要求较大。

（3）转角杆塔。设立在线路改变方向的地方，它有直线型与耐张型两种，直线型用于小于5°的转角处。

（4）终端杆塔。终端杆塔是靠近发电厂和变电所的第一基杆塔。当线路引进发电厂和变电所时，需用终端杆塔承受线路导线的拉力。

（5）换位杆塔。在线路中需要改换同一回路的导线位置所用的杆塔，有直线型及耐张型两种。

（6）跨越杆塔。当线路跨越河流、山谷、铁路、公路、通讯线及其他电力线路时使用的杆塔，有直线型及耐张型。

二、杆塔的型式

杆塔型式取决于电压等级、线路回数、地形、地貌、地质情况和使用条件。通常有以下几种型式：

1. 35～110 kV 单回路直线杆

荷载小，一般设计成单杆，导线多呈三角形布置，主杆梢径为 $\phi150—\phi190\times$（15～18 m）锥形杆，当荷载大时（如导线截面大，档距大），常用双杆或带拉线的单杆（如图8-1、图8-2、图8-3所示）。

2. 220～330 kV 单回路直线杆

荷载大，大多采用带叉架的双杆（如图8-4所示）或带拉线的八字杆（如图8-5所示），少数荷载较小的线路也采用带拉线的单杆。

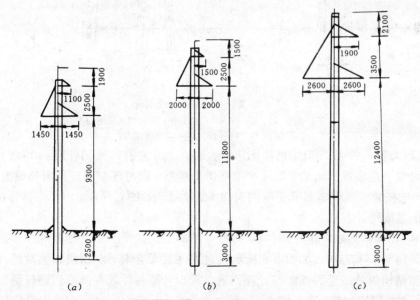

图 8-1 35～110 kV 直线单杆

(a) 35 kV 单杆；(b) 66 kV 单杆；(c) 110 kV 单杆

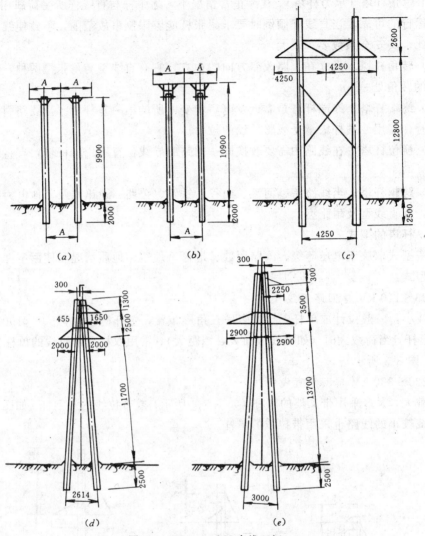

图 8-2 35～110 kV 直线双杆

(a)、(b) 不带避雷线的 35～66 kV 门型双杆；(c) 带叉梁的门型双杆；

(d)、(e) 66～110 kVA 字型双杆

带叉梁的双杆，一般可采用梢径 $\phi190～\phi230$，27 m 左右的锥形杆或 $\phi400$ 等径杆，在主杆平面内设置一层或双层叉梁，以减少主杆所受弯矩，有时还在电杆平面外设置 V 型外拉线，以增加电杆的纵向稳定和承受纵向荷载。带双层叉梁的直线杆，由于根部弯矩较小，对软弱地基的基础设计有利。

3. 35～110 kV 双回路直线杆

大多采用 A 字型双杆（如图 8-6 所示），主杆采用锥形杆段，荷载较大时还可设置外拉线。该杆型结构简单，受力性能好，耗钢量也较少，是一种较好的双回路杆型。

4. 35～110 kV 单回路承力杆

承力杆（指耐张杆、转角杆、终端杆）所承受荷载较大，一般均需设置拉线，其外形

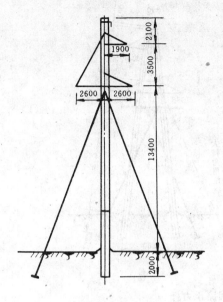

图 8-3 带拉线的直线单杆

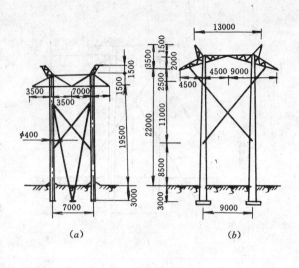

(a)　　　　　　　　　(b)

图 8-4 带叉梁的 220～330 kV 直线杆

(a) 220 kV 直线杆；(b) 330 kV 直线杆

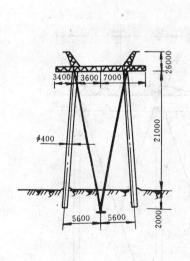

图 8-5 带拉线的八字型杆

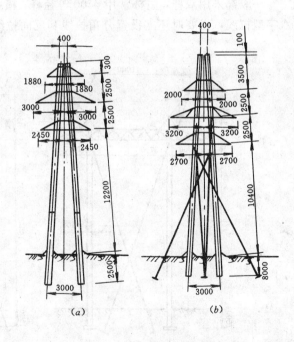

(a)　　　　　　　　　(b)

图 8-6 35～110 kV 双回路直线杆

(a) 不带拉线的 A 字型双杆；(b) 带交叉拉线的 A 字型双杆

有 A 字型或门型。拉线布置方式在小转角时可用 V 型或交叉型，大转角时可用八字型，必要时还要设置反向拉线和分角拉线（如图8-7所示）。

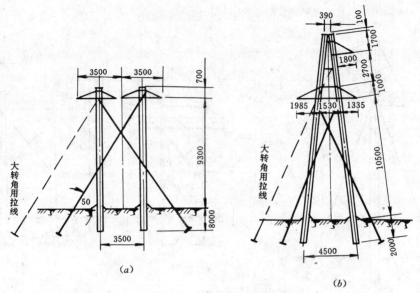

图 8-7　35～110kV 单回路承力杆

(a) 门型承力杆；(b) A 字型承力杆

5. 220 kV 单回路承力杆

一般都采用双杆，主杆常用 $\phi400$ 等径杆，横担用钢结构，拉线大多布置成交叉拉线或八字型拉线，必要时还需设置分角拉线和反向拉线（如图 8-8 所示）。

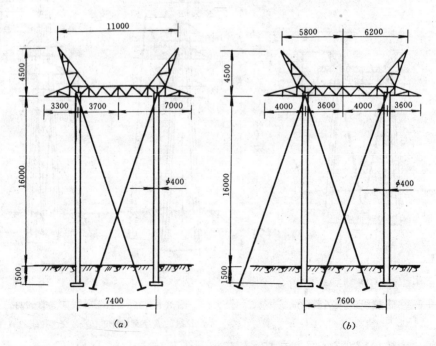

图 8-8　220 kV 单回路承力杆

(a) 耐张杆；(b) 5°～30°转角杆

第二节　荷载的分类和荷载代表值

结构荷载是结构计算中的基本变量，在设计中首先要了解和掌握荷载的分类及其变化规律，电杆在使用环境中，受到自身或外部的直接或间接的各种荷载作用，这些荷载的作用将使电杆产生内力或变形，这种内力或变形可能导致电杆结构发生破坏（即结构失效）。

一、按荷载作用时间分类

（1）永久荷载（恒载）。指在设计基准使用期内，其值不随时间变化，或其变化与平均值相比可以忽视不计（《结构设计统一标准》规定为 50 a）。如电杆自重，电线、绝缘子、金具重量及其他固定设备的重量。

（2）可变荷载（活荷载）。指在设计基准使用期内其值随时间变化，如电线、绝缘子上的覆冰荷载。电线拉力及施工、检修时的临时荷载、风、雪荷载等。

（3）偶然荷载。指在设计基准使用期内可能发生，但不一定发生的荷载，它的发生带有偶然性，但发生时的量值对结构危害很大，所以是不可忽略的。

二、荷载代表值

（1）在结构设计时，对不同荷载应采用不同的代表值。对永久荷载，应采用标准值作为代表值；对可变荷载，应根据设计要求采用标准值、组合值或准永久值作为代表值；对偶然荷载，应根据试验资料，结合工程经验确定其代表值。

（2）在结构设计时，应采用标准值作为荷载的基本代表值。

永久荷载标准值，对结构自重，可按结构构件的设计尺寸与材料单位体积的自重计算确定。

可变荷载标准值，应按《荷载规范》中的规定采用。

（3）当结构承受两种或两种以上可变荷载时，承载能力的极限状态设计或正常使用极限状态按短期效应组合设计，应采用组合值作为荷载的代表值。

可变荷载组合值，应为可变荷载标准值乘以荷载组合系数。

（4）正常使用极限状态按长期效应组合设计，应采用准永久值作为可变荷载代表值。

可变荷载准永久值，应为可变荷载标准值乘以荷载准永久值系数。

三、荷载的主要符号

G_k——永久荷载（恒荷载）标准值；

Q_k——可变荷载（活荷载）标准值；

C——荷载效应系数；

S——荷载效应组合的设计值；

S_s——荷载短期效应组合的设计值；

S_l——荷载长期效应组合的设计值；

S_k——雪荷载标准值；

S_o——基本雪压；

W_k——风荷载标准值；

W_o——基本风压；

β——风振系数；

γ_G——永久荷载分项分数；

γ_Q——可变荷载分项分数；

γ_o——结构重要性系数；

μ_z——风压高度变化系数；

μ_s——风荷载体型系数；

ψ——荷载组合系数；

ψ_c——荷载组合值系数；

ψ_G——荷载准永久系数。

四、荷载效应组合

（1）建筑结构设计应根据使用过程中在结构上可能同时出现的荷载，按承载能力极限状态和正常极限状态分别进行荷载效应组合，并取各自的最不利组合进行设计。

（2）对于承载能力极限状态，应采用荷载效应的基本组合和偶然组合进行设计，并采用下列的设计式：

$$\gamma_o S \leqslant R$$

式中　γ_o——结构重要性系数，按设计规范规定确定；

S——荷载效应组合的设计值；

R——结构构件抗力的设计值，按设计规范确定。

（3）对于荷载基本组合、荷载效应组合的设计值，应按下列公式确定：

$$S = \gamma_G C_G G_K + \gamma_{Q1} C_{Q1} Q_{1k} + \sum_{i=2}^{n} \gamma_{Qi} C_{Qi} \psi_{ci} Q_{ik}$$

式中　　γ_G——永久荷载的分项系数；

γ_{Q1}、γ_{Qi}——分别为第 1 个和第 i 个可变荷载的分项系数；

G_K——永久荷载的标准值；

Q_{1k}、Q_{ik}——第 1 个和第 i 个可变荷载的标准值；

C_G、C_{Q1}、C_{Qi}——分别为永久荷载、第 1 个可变荷载和第 i 个可变荷载的荷载效应系数；

ψ_{ci}——第 i 个可变荷载的组合值系数。

（4）对于偶然组合，荷载效应组合的设计值宜按下列规定确定。偶然荷载的代表值不乘分项系数；与偶然荷载同时出现的可变荷载，可根据观测资料和工程经验采用适当的代表值。各种情况下荷载效应的设计值公式，可按有关规范的规定采用。

（5）对于正常极限使用状态，应根据不同设计要求，分别采用荷载的短期效应组合和长期效应组合进行设计。荷载短期效应组合的设计值 S_S 和荷载长期效应组合的设计值 S_l 应按下列公式确定：

1）短期效应组合：

$$S_S = C_G G_K + C_{Q1} Q_{1k} + \sum_{i=2}^{n} C_{Qi} \psi_{ci} Q_{ik}$$

2）长期效应组合：

$$S_l = C_G G_K + \sum_{i=1}^{n} C_{Qi} \psi_{qi} Q_{ik}$$

式中 ψ_{qi}——第 i 个可变荷载的准永久值系数。

（6）荷载分项系数，应按下列规定采用。

1）永久荷载的分项系数：当其效应对结构不利时，取 1.2；当其效应对结构有利时，取 1.0。

2）可变荷载的分项系数：一般情况下取 1.4。

（7）在一般情况下，当有风荷载参与组合时，荷载组合值系数取 0.6，当没有风荷载参与组合时，荷载组合值系数取 1.0。对于高耸结构物，荷载组合值系数应符合国家现行有关规范的规定。

对一般排架、框架结构，当有两个或两个以上的可变荷载参与组合且其中包括有风荷载时，荷载组合系数取 0.85，其他情况下均取 1.0。

有关荷载分项系数和荷载组合系数详见表 8-1。

表 8-1　　　　　　　　　　　　荷载分项系数及荷载组合系数

极限状态			荷载类型	荷载分项系数 γ_G, γ_Q	可变荷载组合值系数 ψ_c	
					一般情况	
承载能力	承载力、稳定	永久荷载	对结构不利时	1.2		
			对结构有利时	1.0		
		可变荷载		1.4	有风	0.6
					无风	1.0
	倾覆滑移	永久荷载（对结构有利时）		0.9		
		可变荷载		1.4	有风	0.6
					无风	1.0
正常使用	挠度、抗裂度、裂缝宽度	永久荷载		1.0		
		可变荷载	短期效应组合	1.0	有风	0.6
					无风	1.0
			长期效应组合	1.0		

五、风荷载

1. 风荷载标准值及基本风压

垂直于建筑物表面上的风荷载标准值，应按下式计算：

$$W_k = \beta_z \mu_s \mu_z W_o$$

式中　W_k——风荷载标准值，kN/m^2；

　　　β_z——Z 高度处的风振系数；

　　　μ_s——风荷载体型系数；

　　　μ_z——风压高度变化系数（见表 8-2）；

　　　W_o——基本风压，kN/m^2。

基本风压系以当地比较空旷平坦地面上离地 10 m 高统计所得的 30 年一遇 10 min 平均最大风速 v_o（m/s）为标准，按 $v_o = v^2/1600$ 确定的风压值。

基本风压应按全国基本风压分布图的规定采用，但不得小于 0.25 kN/m^2；陆地地面物

表 8-2 风压高度变化系数 μ_z *

离地面或海平面高度 (m)	地面粗糙度类别			备　注
	A 类	B 类	C 类	
5	1.17	0.80	0.54	风压随高度的变化规律与地面粗糙度有关,地面粗糙度分为 A、B、C 三类:
10	1.38	1.00	0.71	
15	1.52	1.14	0.84	A 类——指近海面、海岛、海岸、湖岸及沙漠地区
20	1.63	1.25	0.94	
30	1.80	1.42	1.11	B 类——指田野、乡村、丛林、丘陵以及房屋比较
40	1.92	1.56	1.24	稀疏的中小城镇和大城市郊区
50	2.03	1.67	1.36	C 类——指有密集建筑群的大城市市区
60	2.12	1.77	1.46	
70	2.20	1.86	1.55	
80	2.27	1.95	1.64	
90	2.34	2.02	1.72	
100	2.40	2.09	1.79	
150	2.64	2.38	2.11	
200	2.83	2.61	2.36	
250	2.99	2.80	2.58	
300	3.12	2.97	2.78	
350	3.12	3.12	2.96	
≥400	3.12	3.12	3.12	

* 山顶及山坡的基本风压,可根据山麓附近的基本风压,按相差高度乘以风压高度变化系数确定。

表 8-3 陆地地面物征象与相应风速

风力等级	陆 地 地 面 物 征 象	相当距地 10 m 处的风速 (m/s)
0	静、烟直立	0～0.2
1	烟能表示风向,但风向标不能转动	0.3～1.5
2	人面感觉有风,树叶有微响,风向标能转动	1.6～3.3
3	树叶及微枝摇动不息,旌旗展开	3.4～5.4
4	能吹起地面尘土和纸张,树的小枝摇动	5.5～7.9
5	有叶的小树摆动,内陆水面有小波	8.0～10.7
6	大树枝摆动,导线呼呼有声,举伞困难	10.8～13.8
7	全树摇动,大树枝弯下来,逆风步行感觉不便	13.9～17.1
8	可折断树枝,人向前行感觉阻力很大	17.2～20.7
9	烟囱及平房屋顶受到损坏,小屋遭受破坏	20.8～24.4
10	陆上少见,可使树木拔出或将建筑物吹毁	24.5～28.4
11	陆上很少,有则必有重大损失	28.5～32.6
12	陆上极少,其摧毁力极大	＞32.6

征象与相应风速见表 8-3。

山区的基本风压应通过实际调查和对比观测,经分析后确定,在一般情况下,可按相邻地区的基本风压值乘以下列调整系数。

山间盆地、谷地等闭塞地形:0.75～0.85

与风方向一致的谷口、山口:1.2～1.5

沿海海面和海岛的基本风压,当缺乏实际资料时,可按陆地上的基本风压值乘以表 8-4

表 8-4　　海面和海岛基本风压调整系数	
海面和海岛距海岸距离（km）	调整系数
<40	1.0
40～60	1.0～1.1
60～100	1.1～1.2

表 8-5　　导线、绳索的基本风压调整系数		
跨长（m）	调整系数	备注
≤150	1.0	1. 中间值按插入法计算
300	0.8	2. 表中未考虑风的脉动影响
450	0.7	

所列调整系数采用。

计算导线、绳索的风力时，基本风压值可乘以表 8-5 的调整系数。当采用荷载的长期效应组合时，可不考虑风荷载。

2. 基准风速

按 SDJ3—79《架空送电线路设计技术规程》及其有关规定，在选取架空送电线路的设计基准风速时，采用表 8-6 所示的相关标准。

表 8-6　不同电压等级的设计风速对重现期基准高度和时距的取值				
线路电压等级（kV）	重现期（a）	基准高度（m）	时距（min）	备注
35～110	15	15	10	
220～330	30	15	10	
500	50	20	10	

设计风速一般取与基准风速相同的值，但设计中需根据杆塔所在地的地形、地物特点和杆塔高度进行修正后计算风压。

3. 风压高度变化系数 μ_z

由于现行规程对不同电压等级的送电线路取用不同基准高度的基准风速，故风压高度变化系数 μ_z 也与电压有关，按表 8-7 采用。

4. 风振系数（风压调整系数 β_z）按表 8-8 采用

表 8-7			风压高度变化系数 μ_z		
计算高度（m）	35～330 kV	500 kV	计算高度（m）	35～330 kV	500 kV
15	1.0	1.0	80	1.60	1.47
20	1.09	1.0	90	1.65	1.52
30	1.23	1.13	100	1.70	1.56
40	1.34	1.23	150	1.90	1.75
50	1.42	1.30	200	2.07	1.90
60	1.49	1.37	250	2.20	2.02
70	1.55	1.42			

注　1. 当塔位于陡岸、海岸、湖边时，计算高度自水面起算。

　　2. 中间值可按插入法计算。

表 8-8　　计算杆塔的风振系数（风压调整系数）β_z			
线路电压（kV）	杆塔全高（m）		
	$h<30$	$30 \leqslant h < 50$	$h \geqslant 50$
35～110	1.0	1.2	1.5
154～330	1.3	1.3	1.5
500	1.5	1.5	1.6

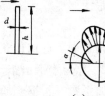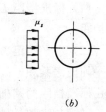

图 8-9　体型系数

（a）局部计算时表面分布的体型系数；（b）整体计算时的体型系数

5. 风载体型系数 μ_s

对圆截面构筑物（包括烟囱、塔桅等），风载体型系数见表 8-9。

表 8-9 局部计算时表面分布的风载体型系数 μ_s

α (°)	$h/d \geqslant 25$	$h/d=7$	$h/d=1$	α (°)	$h/d \geqslant 25$	$h/d=7$	$h/d=1$
0	+1.0	+1.0	+1.0	105	−1.9	−1.7	−1.2
15	+0.8	+0.8	+0.8	120	−0.9	−0.8	−0.7
30	+0.1	+0.1	+0.1	135	−0.7	−0.9	−0.5
45	−0.9	−0.8	−0.7	150	−0.6	−0.5	−0.4
60	−1.9	−1.7	−1.2	165	−0.6	−0.5	−0.4
75	−2.5	−2.2	−1.5	180	−0.6	−0.5	−0.4
90	−2.6	−2.2	−1.7				

上表数值适用于 $W_o d^2 \geqslant 0.015$ 的情况，其中 W_o 以 kN/m^2 计，d 以 m 计。图 8-9 (a) 为局部计算时表面分布的体型系数 μ_s，图 8-9 (b) 为整体计算时的体型系数 μ_s。

当 $W_o d^2 \leqslant 0.002$ 时，$\mu_s = +1.2$；

当 $W_o d^2 > 0.015$ 时，$\mu_s = +0.7$。

中间值按插入法计算。

第三节　杆塔的荷载计算

一、荷载种类

（1）垂直荷载。杆塔、导线、避雷线、金具绝缘子等的自重，覆冰的重量，安装检修人员及工具的重量，由拉线拉力产生的垂直分力。

（2）水平荷载。杆塔及导线、避雷线的横向风压荷载，转角杆塔上导线、避雷线张力产生的水平分力（纵向、横向）；导线、避雷线断线时及不平衡张力所产生的水平分力（纵向、横向）。

二、荷载计算

（一）各种档距的确定

在计算杆塔荷载时，需首先确定各种杆塔的标准档距、水平档距、垂直档距和代表档距，以便计算导线和避雷线的风压、重量和张力。

（1）标准档距 L_b。求出允许的最大弧垂 f_m 后，对平地无高差时，弧垂为 f_m 所能施放的档距。

（2）水平档距 L_h。计算承受风荷载时，近似地认为电线单位长度上风压与杆塔两侧档距平均值之乘积，$L_h = (L_1 + L_2)/2$，称为水平档距。为了计算导线、避雷线风压荷载，一般在标准档距的基础上考虑一个增加系数。根据经验，在一般平原地区的线路，取水平档距 L_h 较标准档距大 10%（直线杆塔）～20%（耐张型杆塔）。山区线路的水平档距变动范围大，可根据具体情况，设计几种不同的水平档距和杆高。

（3）垂直档距 L_v。计算承受电线垂直荷载时，近似认为是电线上单位长度上的垂直重量与杆塔两侧电线最低点（O 点）间的水平距离的乘积。决定杆塔的垂直荷载，其大小直接影响横担及吊杆的强度，一般对平原与丘陵地带的垂直档距，取水平档距的 1.2～1.4 倍，对起伏较大的山区线路，应根据实际情况确定。

（4）代表档距。导线、避雷线的张力取值按代表档距确定，因此代表档距的大小直接影响导线和避雷线的应力。根据经验，绝大多数的代表档距小于标准档距，一般在计算直线杆塔的风偏角度时，取代表档距 $L_o = 0.8L_b$，计算耐张杆塔导线、避雷线的张力时，可取 $L_o = 0.7L_b$（当标准档距接近临界档距时，取代表档距等于临界档距）。

（二）电线垂直荷载与杆塔自重荷载计算

1. 导线、避雷线的垂直荷载计算

$$G = L_v \cdot q \cdot n + G_1 + G_2$$

式中 L_v——垂直档距，m；

   q——电线的单位长度的重量（N/m）；

 G_1、G_2——绝缘子、金具、防振锤、重锤等的重量（N）；

   n——每相电线的根数。

2. 杆塔自重荷载

杆塔自重荷载一般可根据设计经验，并参照其他杆塔的资料做适当假定，也可对杆塔的每根构件逐一统计后获得。

（三）风荷载计算

设计时杆身、导线、避雷线风荷载均应按下列三种最不利的风向情况来计算。

（1）风向与线路方向垂直（转角杆按转角等分方向）。

（2）风向与线路方向夹角成 60°和 45°。

（3）风向与线路方向一致。

风向与线路方向垂直时风荷载计算：

1）风向与线路方向垂直时杆身风荷载计算：

$$W = \mu_s F \cdot \frac{V^2}{1600} \text{ (kN)}$$

式中 W——风向与线路垂直时的杆身风荷载（kN）；

   μ_s——风载体型系数，对环形截面钢筋混凝土电杆采用 0.6；

   F——风压方向杆身侧面构件的投影面积（m²）；

   V——计算风速（m/s）。

2）风向与线路方向垂直时作用在导线和避雷线上的风荷载计算：

$$W = \alpha \cdot \mu_s \cdot \mu_z \cdot L_h \cdot d \frac{V^2}{1600} \text{ (kN)}$$

式中 W——垂直线路方向导线或避雷线的风荷载（kN）；

   α——风速不均匀系数，按表 8-10 取值；

   μ_z——风压高度变化系数，按表 8-7 取值；确定风压高度变化系数时，应取电线的平均高度计算。分裂导线的风荷载应取单根导线风荷载乘以导线根数；

   μ_s——风载体型系数，可用下列数值：

电线直径<17 mm 时，取 1.2；

电线直径$\geqslant 17$ mm 时，取 1.1；

电线覆冰时（不论线径大小），取 1.2。

　　d——电线直径，电线覆冰时取覆冰后的平均外径，m；

　　V——计算风速（m/s）；

　　L_h——计算电线风荷载时的水平档距（m）。

风向与线路方向一致或成 θ 角时的风荷载计算：

1）电线风荷载：风向与电线之间的夹角为 θ 时，垂直于电线方向的风荷载可近似地按下式计算。

$$W_x = W \sin^2\theta$$

式中　W——风向与电线垂直时的电线风荷载。

　　W_y 按表 8-11 计算。

2）杆身风荷载：在斜向风作用下，杆身风荷载按表 8-11 计算。

表 8-10　　计算电线风压时的风速不均匀系数 α

计算风速 （m/s）	$V<20$	$20\leqslant V<30$	$30\leqslant V<35$	$V\geqslant 35$
α	1.0	0.85	0.75	0.7

表 8-11　　　　　　　　　斜向风时电线及杆身风荷载计算

风向与线路方向夹角 θ（°）	导线、避雷线风荷载		杆身风荷载		横担风荷载	
	W_x	W_y	W_x	W_y	W_x	W_y
0	0	$0.25W$	0	W_b	0	W_b'
45	$0.5W$	$0.15W$	$0.707kW_b$	$0.707kW_b$	$0.4W_b'$	$0.7W_b'$
60	$0.75W$	0	$0.866kW_b$	$0.5kW_b$	$0.4W_b'$	$0.7W_b'$
90	W	0	W_a	0	$0.4W_b'$	0

注　1. W_x、W_y 分别为垂直线路、顺线路方向的风荷载分量。

　　2. W 为垂直线路方向风吹时，导线和避雷线的风荷载。

　　3. W_a、W_b 分别为垂直线路、顺线路方向风吹的杆身风荷载。

　　4. W_b' 为顺线路方向风吹的横担分压。

　　5. 杆身风压系数 K 取 1.2。

（四）电线不平衡张力及其角度合力计算

1. 电线不平衡张力

对耐张杆塔：

$$\Delta T = (T_1 - T_2)\cos\theta/2$$

式中　ΔT——垂直于杆塔平面的纵向荷载（称不平衡张力）；

　　θ——线路转角（见图 8-10）。

对直线杆塔，因杆塔前后两档内的电线张力相等，故一般情况下没有不平衡张力，即 $\Delta T = 0$。

2. 角度合力计算

当线路转角时，则导线张力顺横担方向的合力 T 按下式计算。

$$T = (T_1 + T_2)\sin\frac{\theta}{2}$$

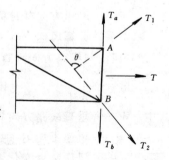

图 8-10　线路转角示意图

垂直横担方向张力 T_a、T_b 分别为：

$$T_a = T_1\cos\frac{\theta}{2}, T_b = T_2\cos\frac{\theta}{2}$$

式中　T_1、T_2——分别为横担两侧导线的张力（N）；

　　　　θ——线路转角。

（五）断线张力

按 SDJ3—79 规定，对任何杆塔都要计算断线情况下杆塔的强度和稳定。各种杆塔的断线张力见表 8-12、表 8-13。

表 8-12　　采用单根导线的送电线路直线杆断线张力

钢芯铝绞导线截面（cm²）	断线张力取导线最大使用张力[1]的百分数（%）
95 及以下	30
120～185	35
240 及以上	40

[1] 电线最大张力系指工程设计中电线在最大荷载下的张力。

表 8-13　　采用分裂导线的送电线路直线杆塔断线张力

每相导线的子导线根数	占一相导线最大使用张力的百分数（%）		最小限值（kN）
	平地	山地	
2	20	25	≥10
4	15	>15	≥20

直线杆塔避雷线的不平衡张力，不应小于避雷线最大使用张力的 15%～20%。

对各级电压等级的耐张杆塔、转角杆塔及终端杆塔，导线断线张力取该导线最大使用张力的 70%，地线断线张力取该地线最大使用张力的 80%。

（六）安装情况荷载

1. 直线杆塔安装荷载计算

上字型杆塔起吊上导线时，需绕过下横担，如图 8-11 所示，这时横担上的水平荷载和垂直荷载的计算分为三种方式。

（1）图 8-11（a）所示起吊方式。

设 G 为导线重量，则上横担 A 点的水平荷载 H 和垂直荷载 V 计算如下：

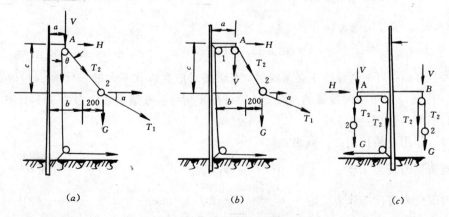

图 8-11　直线杆塔导线起吊方式
1—反向滑轮；2—导线

123

$$\sum F_H = 0, T_1 \cos\alpha = T_2 \sin\theta$$
$$\sum F_v = 0, G + T_1 \sin\alpha = T_2 \cos\theta$$

因此，提升导线时，$H = T_2 \sin\theta, V = T_2 \cos\theta$。

（2）图 8-11（b）为安装反向滑轮时的起吊导线方式。此时作用在上横担 A 点的荷载为：

水平荷载 $\qquad\qquad\qquad\qquad H = T_2 - T_2 \cos\theta$

垂直荷载 $\qquad\qquad\qquad\qquad V = T_2 \cos\theta$

（3）图 8-11（c）右侧所示起吊右侧下导线时，此时作用在下横担 A 点的荷载为：
$$H = 0, V = 2T_2 = 2G$$

图 8-11（c）左侧所示起吊左侧下导线安装反向滑轮时，此时作用在下横担 A 点的荷载为：
$$H = T_2 = G, V = T_2 = G$$

2. 耐张型杆塔安装荷载计算

耐张型杆塔的导线和避雷线的紧线安装，一般有两种情况：①一侧导线避雷线未安装，正在紧另一侧导线或避雷线 [如图 8-12（a）所示]；②一侧导线、避雷线均已架好，正在紧另一侧导线或避雷线 [如图 8-12（b）所示]。

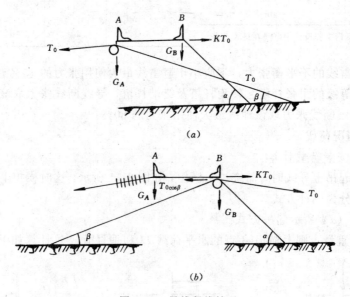

图 8-12　导线紧线情况

图 8-12（a）；当一侧导线正在紧线时，牵引线对地夹角 β 不大于 25°，临时拉线对地夹角 α 不小于 45°。对于临时拉线的荷载，一般可按平衡导线或避雷线张力的 30% 计算，即临时拉线的平衡系数 $K = 0.30$。

此时，作用在横担上的荷载为：

垂直横担的张力 T 为：$\qquad T = (T_0 - KT_0) \cos\dfrac{\theta}{2}$

沿角度合力方向的张力 T' 为：$T' = (T_0 - KT_0) \sin\dfrac{\theta}{2}$

作用在横担 A、B 两点的垂直荷载 G_A、G_B 分别为：
$$G_A = T_0 \sin\beta + G$$

124

$$G_B = K_0 T_0 T_g \alpha + G$$

式中　T_0——紧线时导线张力（N）；

　　　G——导线及绝缘子串金具重量（N）；

　　　α——临时拉线对地夹角（°）；

　　　β——牵引绳对地夹角（°）；

　　　K——临时拉线平衡系数；

　　　θ——线路转角。

图 8-12（b）为一侧导线（或避雷线）已紧好，在紧另一侧导线（或避雷线）。这种情况下，作用在横担上的荷载为：

垂直横担的张力：

$$T = (T_0 \cos\beta - K T_0)\cos\frac{\theta}{2} = (T_0 \cos\beta - K)\cos\frac{\theta}{2}$$

沿角度合力方向的张力：　$T' = (T_0 - K T_0)\sin\dfrac{\theta}{2}$

垂直荷载：　　　　　　　$G_B = T_0 \sin\beta + K T_0 \mathrm{tg}\alpha + G$

$$G_A = G$$

无论是断线修复工作或安装，需有相当的工作人员停留在杆塔上作业，因此在计算安装情况或断线情况的荷载时，还应考虑工作人员登杆塔作业时的附加荷载重（工人及工具重），其值可按表 8-14 取值。另外，提升导线时，应考虑 1.1～1.2 的冲击系数。

表 8-14　　　　　　　　　　　　　　附　加　荷　载　　　　　　　　　　　　　　kN

荷载　　分类 电荷等级（kV）	导　　线		地　　线	
	直线杆塔	耐张转角杆塔	直线杆塔	耐张转角杆塔
110	1.5	2.0	1.0	1.5
220	3.0	4.0	1.5	2.0
330	4.0	5.0	2.0	2.0
500	4.0	6.0	2.0	1.0

三、荷载组合

杆塔设计中一般需要考虑线路在正常运行、施工操作（包括安装）、事故断线及特殊荷载等四种情况，并应计算以上四种情况所受荷载，进行杆塔的强度、稳定及变形和抗裂计算，但对针式绝缘子的线路和 10 kV 以下的瓷横担线路，可不进行杆塔断线情况计算。详见表 8-15。

（一）各种荷载组合时的气象条件

架空线路在进行计算前，必须全面了解沿途线路的气象资料。这些气象资料来源于沿途线路附近约 100 km 范围内各气象台（站）逐年记录的气象数据。

1. 最大风速值的选择

最大设计风速的选取，按《规程》规定，线路应按其重要程度的不同，分别考虑最大风速的重现期。

表 8-15 各类杆塔荷载计算条件荷载组合

杆 塔 类 别	运 行 情 况	断 线 情 况	安 装 情 况
直线杆塔	1. 最大风速、无冰、未断线 2. 覆冰、相应风速、未断线 3. 最低气温、无风、无冰、未断线	1. 断一相导线，避雷线未断、无风、无冰 2. 断一根避雷线，导线未断、无风、无冰	1. 按安装荷载、相应风速、无冰条件计算 2. 一般采用无冰，风速为 10 m/s
耐张型杆塔	1. 最大风速、无冰、未断线 2. 覆冰、相应风速、未断线 3. 最低气温、无风、无冰、未断线	1. 在同一档内断两相导线、避雷线未断、无风无冰 2. 在同一档内断一根避雷线、导线未断、无风、无冰 3. 单回路终端杆塔，应按断一相导线，避雷线未断、无风、无冰条件计算	1. 按安装荷载、相应风速、无冰条件计算 2. 一般采用无冰，风速为 10 m/s 3. 对终端杆塔，应按进档架线和未架线两种情况计算

对 35～110 kV 线路，应采用 15 年一遇；

对 220～330 kV 线路，应采用 30 年一遇；

对 500 kV 线路，应采用 50 年一遇。

重现期越长，说明该风速越稀少，即风速越大。

2. 架空线覆冰厚度

3. 气温的选取

(1) 最高气温。

(2) 最低气温。

(3) 年平均气温。

(4) 最大风速时的气温。

根据 SD13—79 规定，各种荷载组合时的气象条件见表 8-16。

4. 线路正常运行情况下的气象条件组合

表 8-16   各种荷载组合时的气象条件

组　　　合		气 象 条 件		
		风速 (m/s)	冰厚 (mm)	气温 (℃)
正常运行	最大风	最大	0	−5
	最大覆冰	相应	最大	−5
	最低气温	0	0	最低
施工操作	安装、检修	10	0	−5
事　故	断导线	0	0	
	断避雷线	0	0	
特殊情况	地　震	1/2 最大	0	相应

线路在正常运行中使导线和杆塔受力最严重的气象条件有大风、覆冰、最低气温三种情况。其组合情况为：

(1) 最大风速时无冰、气温取 −5℃。

(2) 最低气温时不考虑同时出现冰、风，故按无冰、无风设计。

(3) 覆冰：一般取相应风速为 10 m/s，若地区最大风速达 35 m/s，覆冰时气温取 −5℃。

（二）荷载组合系数

根据 SDJ3—79《架空送电线路设计技术规程》的规定，各种荷载组合时的组合系数见表 8-17。

表 8-17 中的验算情况包括大跨越杆塔按稀有气象条件验算，各类杆塔地震影响的验算，重冰区杆塔不均匀覆冰时的验算以及在安装检修时，对人重引起的附加弯矩的验算。

(三) 杆塔荷载组合基本原则

1. 正常运行情况

(1) 最大风速、无冰、未断线，按最不利风向组合。

(2) 覆冰、相应风速、未断线。

(3) 最低气温、无风、无冰、未断线。

2. 断线情况（适用于采用悬垂绝缘子的线路）

(1) 直线杆。

1) 断一相导线，避雷线未断、无冰、无风。

2) 断一根避雷线，导线未断、无冰、无风。

导线的断线张力见表 8-12、表 8-13。

对具有避雷线的 35 kV 线路，还要计算避雷线的不平衡张力，此时，导线未断、无冰、无风。

(2) 耐张转角杆。

1) 无冰、无风，在同一档内断两相导线（对终端杆在同一档内断两相导线），避雷线未断。

2) 无冰、无风，在同一档内断一根避雷线（对终端杆为在同一档内断一根避雷线），导线未断。

此外，终端杆应按进档架线及未架线两种情况计算。单回路终端杆还应按断一相导线，避雷线未断、无冰、无风条件计算。

3. 安装情况

相应的气象条件见表 8-16。

(1) 直线杆。

1) 有一根避雷线进行挂线作业，另一根避雷线尚未架设或已架设，导线均未架设。

2) 有一相导线进行挂线作业，其余导线尚未架设或已经架设的最不利组合，避雷线已经架设完毕。

3) 部分或全部电线进行锚线作业。

(2) 耐张、转角杆。

1) 在一档内有一根避雷线正在进行挂线或牵引作业，其余避雷线已经架设或尚未架设，导线尚未架设；相邻档内的导线、避雷线已经架设或尚未架设。

2) 在一档内有一相导线正在进行挂线或牵引作业，其余导线已经架设或尚未架设，避雷线已经架设完毕；相邻档内的导线、避雷线已经架设或尚未架设。

3) 在一档内的导线、避雷线已经全部架设完毕，相邻档内的导线或避雷线已在

表 8-17 荷载组合系数

荷 载 组 合 情 况		荷载组合系数
运 行 情 况		1.0
断线情况（包括纵向张力）	220 kV 及以上	0.9
	110kV 及以下	0.75
安 装 情 况		0.9
验 算 情 况		0.75

架设。

（四）荷载组合方法

通过电线力学计算，可得到在各种情况下的电线风荷载、重量、张力等荷载。根据这些数据将它们分解作用在杆身平面内的横向荷载、作用在与杆身平面相垂直的纵向荷载和垂直荷载，并按前述要求分别进行适当组合后，用图形展示出来供计算时使用。

第九章 结构设计与计算

第一节 基本概念与准则

一、结构可靠度的概念

结构设计的目的一是保证结构安全可靠满足使用要求；二是经济合理。《建筑结构设计统一标准》中规定了建筑结构应满足的四项基本功能：

(1) 能承受正常施工和正常使用时可能出现的各种作用，即结构安全可靠，不会破坏。

(2) 在正常使用时具有良好的工作性能而满足适用性的要求。

(3) 具有足够的耐久性，如电杆保护层厚度要求等。

(4) 在偶然事件发生时及发生后，仍能保持必要的整体稳定性。

结构可靠度用概率法来统计，根据概率，结构的可靠度大于 0 而小于 1。

二、极限状态

1. 极限状态

整个结构或结构的一部分超过某一特定状态就不能满足设计规定的某一功能要求，此特定状态即为该功能的极限状态。

2. 极限状态的分类

(1) 承载能力极限状态。这种极限状态对应于结构或结构构件达到最大承载力、疲劳破坏或不适于继续承载的变形。

(2) 正常使用极限状态。这种极限状态对应于结构或结构构件达到正常使用或耐久性能的某项规定限值。

3. 设计要求

电杆在设计、计算中应根据以下承载能力极限状态及正常使用极限状态的要求进行计算。

(1) 承载力计算。

(2) 变形计算。对使用上需控制变形的构件，应进行变形验算，如挠度。

(3) 抗裂及裂缝宽度验算。对使用上要求不出现裂缝的构件，应进行混凝土拉应力验算；对使用上允许出现裂缝的构件，应进行裂缝宽度验算。

注：承载力计算采用荷载设计值，变形、抗裂及裂缝宽度验算采用相应的荷载代表值。

三、混凝土电杆的设计依据、设计原则

混凝土电杆的设计与计算过程是个综合的多因素的制约与协调过程，它必须遵照各有关现行标准、规范的规定，同时考虑生产上的工艺要求与限制，根据本厂的生产工艺实际情况确定必备的工艺参数来进行计算。

由于电杆所处的环境、地理位置、用途的差异以及使用部门的不同，对混凝土电杆的一些设计参数也有所不同。原则上，均应向现行国家标准的有关规定靠拢。

（一）设计依据

(1) GBJ10—89《混凝土结构设计规范》。

（2）SDJ3—79《架空送电线路设计技术规程》。

（3）GBJ9—87《建筑结构荷载规范》。

（4）GBJ68—84《建筑结构设计统一标准》。

（5）GBJ83—85《建筑结构设计通用符号、计量单位和基本术语》。

以及其他相关标准。

如电杆处在特殊地区及特殊环境下，设计时还应符合专门规定。

GBJ10—89规范与以上各种建筑结构设计标准、规范配套使用，不得与未按GBJ68—84制订、修订的国家各种建筑结构设计标准、规范混用。

（二）设计原则

现在设计、计算所采用的新规范GBJ10—89是由旧规范TJ10—74《钢筋混凝土结构设计规范》修订而成。新规范与旧规范对比主要有以下几个不同之处：

（1）采用以概率论为基础的极限状态设计方法，修订了材料强度取值。

（2）全面改进了正截面承载力计算。

（3）完善了裂缝控制等级的划分，裂缝宽度和刚度计算方法。

（4）修改了符号、计量单位和基本术语。

TJ10—74规范：主要采用多系数分析、单一安全系数来表达的极限状态设计方法。这种设计原则存在的问题是：许多设计参数（如标准荷载和材料强度）由数理统计分析得来，大多作为定值而论，但其实际上为随机变量（如安全度指标 K），没有足够的科学依据。

如表达式 $KM \leqslant M_p$ 就体现了这一点。

M——标准荷载作用下构件的内力（即荷载效应）；

M_p——截面破坏内力（结构抗力）。

采用单一安全系数是将各分项安全系数经综合分析后近似得出的，其目的是为了使计算过程简化。

通常，在应用该规范进行设计中，结构的安全系数取值由规范规定，它是一个经验系数。但事实上，影响结构安全的各种参数并非确定的量，而是随机变化的量。因此，在新规范中采用了概率（或近似概率）的设计方法。

GOJ10—89规范：采用结构的可靠度计算方法，即采用了概率（近似概率）的设计方法，称为"以概率论为基础的极限状态设计方法"，即用结构截面抗力小于荷载效应时的概率（失效概率）来表示结构的安全度，不再采用单一的安全系数来表示。因此，它较旧规范更具科学性。

但这种概率计算相当复杂，为了简便计算进一步采用了近似概率法，而在具体设计中，为了便于工程设计人员使用，在此基础上使用以材料强度标准值、荷载标准值以及各分项系数组成的设计表达式来进行设计。这样，与旧规范相比，在形式上仅仅是将单一安全系数 K 改用几个分项系数（γ_G、γ_Q）替代。这是考虑到旧习惯，为了应用方便，不需要对各种参数进行统计分析和概率计算。

四、新旧规范中使用的符号及其含义

TJ10—74设计中所用的有关符号见表9-1、表9-2。

表 9-1　　　　　　　　　　　**TJ10—74 设计中使用的有关符号**

序　号	符　号	含　　义	单　位
1	A	环形截面面积	cm²
2	A_g、A_y	非预应力钢筋、预应力钢筋截面面积	cm²
3	R_g、R_g'	非预应力钢筋截面受拉、受压设计强度	kg/cm²
4	R_y、R_y'	预应力钢筋受拉、受压设计强度	kg/cm²
5	R_w^b、R_w	混凝土弯曲抗压强度标准值、设计值	kg/cm²
6	r_g、r_y	非预应力钢筋、预应力钢筋所在圆半径	cm
7	σ_k	钢筋张拉控制应力	kg/cm²
8	R_y^b	钢筋标准强度	kg/cm²
9	a	受压区混凝土面积与全截面积之比	
10	R_1、R_2	环形截面内、外半径	cm
11	E_s、E_h	钢筋、混凝土弹性模量	kg/cm²
12	R	混凝土立方强度	kg/cm²
13	σ_h	由预应力产生的混凝土法向应力	kg/cm²
14	R_s^b、R_y^b	普通钢筋、预应力钢筋的标准强度	kg/cm²

表 9-2　　　　　　　　　　**按 GBJ10—89 进行设计常用的有关符号**

分　类	序　号	符　号	含　　义	单　位
材料性能	1	E_c、E_s	混凝土、钢筋弹性模量	N/mm²
	2	f_y、f_y'	普通钢筋的抗拉、抗压设计强度	N/mm²
	3	f_{yk}、f_{pyk}	普通钢筋、冷拉预应力钢筋强度标准值	N/mm²
	4	f_{py}、f_{py}'	预应力钢筋的抗拉、抗压强度设计值	N/mm²
	5	f_{stk}	乙级冷拔低碳钢丝的强度标准值	N/mm²
	6	f_{ptk}	用作预应力钢筋的碳素钢丝、刻痕钢丝、钢铰线、甲级冷拔低碳钢丝和调质热处理钢丝的标准强度	N/mm²
	7	f_{cu}、$f_{cu,k}$	边长为 150 mm 的混凝土立方体抗压强度及标准强度	N/mm²
	8	f_{ck}、f_c	混凝土轴心抗压强度标准值、设计值	N/mm²
	9	f_{cu}'	边长为 150 mm 的施工阶段混凝土立方体抗压强度	N/mm²
	10	$f_{cm,k}$、f_{cm}	混凝土弯曲抗压标准、设计强度	N/mm²
	11	f_{tk}、f_t	混凝土轴心抗拉强度标准值、设计值	N/mm²
作用和作用效应	12	M_{cr}	受弯构件的正截面开裂弯矩标准值	N·m
	13	M、M_k	设计弯矩值、标准弯矩	N·m
	14	M_u	受弯构件的正截面受弯承载力设计值	N·m
	15	N、N_k	轴向力设计值、标准值	N 或 kN
	16	N_p	预应力钢筋的合力	N 或 kN
	17	N_{po}	混凝土法向预应力等于零时预应力钢筋及非预应力钢筋的合力	N 或 kN
	18	M_s、M_l^2	按荷载的短期效应组合、长期效应组合计算的弯矩值	N·m
	19	ω_{max}	考虑裂缝宽度分布的不均匀性和荷载长期效应组合影响的最大裂缝宽度	mm
	20	B	受弯构件的截面刚度	

分 类	序 号	符 号	含 义	单 位
应 力	21	σ_{con}	预应力钢筋的张拉控制应力	N/mm²
	22	σ_{pc}	由预加应力产生的混凝土法向应力	N/mm²
	23	σ_{tp}、σ_{cp}	混凝土中的主拉应力、主压应力	N/mm²
	24	σ_{sc}、σ_{lc}	荷载的短期效应组合、长期效应组合下抗裂验算边缘的混凝土法向应力	N/mm²
	25	σ_{ss}	按荷载的短期效应组合计算的纵向受拉钢筋应力或等效应力	N/mm²
	26	σ_l、σ_l'	受拉区、受压区预应力钢筋在相应阶段的预应力损失值	N/mm²
	27	σ_{pe}	预应力钢筋的有效预应力	N/mm²
	28	σ_{po}	预应力钢筋合力点处混凝土法向应力等于零时的预应力钢筋应力	N/mm²
	29	σ_s、σ_s'	受拉区、受压区纵向非预应力钢筋应力	N/mm²
计 算 系 数 及 其 他	30	θ	考虑荷载长期效应组合对挠度增大的影响系数	
	31	ψ	裂缝间纵向受拉钢筋应变不均匀系数	
	32	ρ	纵向受拉钢筋配筋率	
	33	α_t	混凝土线膨胀系数	
	34	α_E	钢筋弹性模量与混凝土弹性模量的比值	
	35	γ_m	截面抵抗矩塑性系数	
	36	γ	受拉区混凝土塑性影响系数	
	37	α_{ct}	混凝土拉应力限制系数	
	38	β	混凝土局部受压时的强度提高系数	
几 何 参 数	39	A_s、A_s'	受拉区、受压区纵向非预应力钢筋的截面面积	mm²
	40	A_p、A_p'	受拉区、受压区纵向预应力钢筋的截面面积	mm²
	41	W	截面受拉边缘的弹性抵抗矩	mm³
	42	W_o	换算截面受拉边缘的弹性抵抗矩	mm³
	43	I	截面惯性矩	mm⁴
	44	I_o	换算截面惯性矩	mm⁴
	45	e_b	轴向力对截面重心的偏心矩	mm
	46	e_a	附加偏心矩	mm
	47	e_i	初时偏心矩	mm
	48	h	截面高度	mm
	49	h_c	截面有效高度	mm
	50	α	受压区混凝土截面面积与全截面面积之比	
	51	α_t	受拉纵筋与全部纵筋截面面积之比	
	52	r_s、r_p	非预应力筋、预应力筋所在圆的半径	mm
	53	A_o	构件换算截面面积	mm²
	54	A	构件截面面积	mm²
	55	Z	纵向受拉钢筋合力点至混凝土受压区合力点之间的距离	mm
	56	X	混凝土受压区高度	mm

五、GBJ10—89 实用设计表达式

对于承载力极限状态，应采用荷载效应的基本组合和偶然组合进行设计。

1. 承载力极限状态设计表达式

$$\gamma_0 S \leqslant R$$

式中　γ_0——结构构件重要性系数，按表9-3
取值；

S——荷载效应组合的设计值；

R——结构构件承载力的设计值。

2. 正常使用极限状态表达式

正常使用极限状态一般指验算在正常使

表 9-3　　　　建筑结构安全等级

安全等级	破坏后果	建筑类型	γ_0取值	备注
一　级	很严重	重要建筑物	1.1	
二　级	严　重	一般建筑物	1.0	
三　级	不严重	次要建筑物	0.9	

用条件下的抗裂性、裂缝宽度和变形，并要求它们不超过相应的允许值。由于验算的是正常使用条件下的情况，因此这里荷载分项系数 γ_G 及 γ_Q 一律取1.0，材料分项系数也均取1.0，即材料强度取用标准值而不用设计值。

由于荷载作用时间的长短将影响对抗裂性能的要求、裂缝宽度和变形的大小，因此在正常使用极限状态验算时，应按荷载的短期效应组合及长期效应组合分别验算，使计算值不超过规定限值。

六、材料强度取值

1. 材料强度的标准值

根据《建筑结构设计统一标准》规定：材料强度的标准值（又称特征值）应该取平均值减1.645倍标准差。根据正态分布规律，它的保证率为95%。

（1）钢材的强度标准值 f_{yk}、f_{ptk}。钢材强度标准值（过去称"标准强度"）——即钢材出厂时规定的保证值（或废品限值）。因钢材为冶金产品，根据冶金部标准，钢材的强度标准值按废品限值取用（所谓废品限值就是当测得一组钢材强度低于某一限值时，即为废品，该限值称为废品限值）。它的保证率为97.725%，更加严格；所以钢材强度的标准值仍按冶金部的废品限值取用。如Ⅰ级钢取 235 N/mm² 做为强度标准值。

（2）混凝土立方体抗压强度标准值 $f_{cu,k}$。按 GBJ107—87《混凝土强度检验评定标准》，混凝土立方体抗压强度标准值仍按其平均值减1.645倍标准差取用（即保证率为95%）。

2. 材料强度的设计值

材料强度设计值为材料强度标准值除以材料分项系数，钢材强度设计值 $f_y = \dfrac{f_{yk}}{\gamma_s}$，混凝土强度设计值 $f_{cu} = \dfrac{f_{cu,k}}{\gamma_c}$，式中 γ_s、γ_c 分别为钢材与混凝土的材料分项系数。

GBJ10—89规定 γ_s 取 1.10～1.20，γ_c 取 1.35。

对不同钢材、不同强度等级的混凝土其强度标准值、设计值详见附录。

第二节　普通杆的结构设计与计算

一、一般概念及其特点

钢筋混凝土构件是由钢筋和混凝土两种物理、力学性能完全不同的材料所组成。前面

章节中，我们已经知道：混凝土的抗压强度较大而抗拉强度却很小，钢筋的抗拉与抗压强度均很大。因此，把混凝土与钢筋这两种材料结合在一起共同工作，不管在结构或构件中共同承受外部荷载作用，可各自发挥其优点。另外钢筋混凝土结构还具有其他优点：

（1）耐久性能好。钢筋混凝土中的钢筋处于碱性环境中受到保护不易锈蚀（因混凝土碳化相对较缓慢，这种环境不易改变），此外，钢筋混凝土结构可通过有目的地选择合适的原材料，改进配合比，使之具有较强的抵抗侵蚀性气体、海水以及其他因素的破坏作用。

（2）耐火性。混凝土包裹在钢筋之外，起着保护作用，不致因火灾使钢材很快达到软化的危险温度而造成结构的整体破坏。

（3）钢筋与混凝土之间有较好的粘结力，使两者可靠地结合在一起，从而保证在外荷载作用下，两者能共同变形，因为两者的线膨胀系数比较接近［钢筋为 1.2×10^{-5}，混凝土为 $(1.0\sim1.5)\times10^{-5}$］。

此外，钢筋混凝土结构还有能就地取材，充分利用当地的自然资源（砂、石），制作工艺简单等优点。

近年来，随着混凝土材料科学研究的不断进步、发展，新材料、新工艺的出现，使得钢筋混凝土结构应用范围越来越广泛。

二、钢筋混凝土电杆受荷载作用特点

钢筋混凝土电杆简支和悬臂试验如图 9-1 所示。

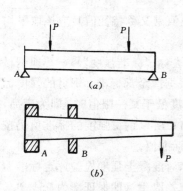

图 9-1 电杆试验方式
（a）简支试验；（b）悬臂试验

电杆受到外部荷载 P 的作用，对其截面 $A—A$ 进行受力分析，得知，电杆中和轴上方部位承受压力作用，电杆中和轴下方承受拉力作用，由于混凝土的抗拉强度很低，如果没有钢筋的作用，这根电杆受到很小的荷载作用就会被拉断；反之，如果在电杆中和轴下方（受拉区）配置适量的钢筋，这样，钢筋帮助混凝土抵抗拉力的作用，就大大提高了电杆的承载能力。

电杆受弯情况下正截面工作情况如图 9-1 所示，其受力图见图 9-2。

通过有关试验，电杆的受力和变形过程可划分为三个阶段：

（1）第 I 阶段。外力很小时，钢筋与混凝土的应力均不大，所产生的变形也很小（该变形的变化规律符合平截面假定），属于弹性变形，因此，这时电杆基本上还处于弹性工作阶段，应力—应变关系是线性关系，受拉区和受压区混凝土应力分布图形为三角形。

I a 阶段：随着荷载的逐渐增加，应变也随着增大，但其变化仍符合平截面假定。由于混凝土抗拉能力远小于其抗压能力，故很快受拉区混凝土的应力—应变接近极限，此时受拉区混凝土应力—应变曲线图形为曲线，而受压区应力图形仍为三角形。

当荷载继续增加时，受拉区的混凝土产生裂缝，钢筋与混凝土的拉应变基本相等，$\varepsilon_g = \varepsilon_u$，约为 $(1.5\sim2.0)\times10^{-5}$。可见，此时钢筋所受的拉应力仅为 $\varepsilon_g E_s = 30\sim40\text{N/mm}^2$；此时为第 I 阶段末，以 I a 表示，I a 阶段可作为抗裂度验算的依据。

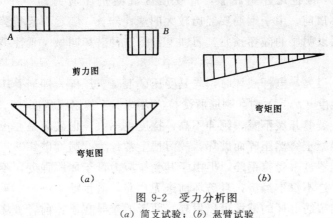

剪力图

弯矩图

弯矩图

(a)   (b)

图 9-2 受力分析图
(a) 简支试验；(b) 悬臂试验

（2）第Ⅱ阶段。随着荷载的继续增加，裂缝的不断扩展，混凝土逐渐脱离工作，达到阶段Ⅱ，此时受拉区的所有拉力均由钢筋承担。在受压区域由于混凝土的压应力增大，塑性变形增加，应力—应变图形呈曲线裂缝出现，即使在荷载不变的情况下（$M=M_{cr}$），钢筋的应力较开裂前突然增大许多。故裂缝一旦出现即具有一定的开展宽度，并将沿电杆截面延伸到一定的高度，从而在这个截面处的中和轴上的位置也将随之上移。但在中和轴以上裂缝尚未延伸到的部位上，混凝土仍可承受一小部分拉力，在第Ⅱ阶段中，随着弯矩 M 的增加，电杆的挠度逐渐加大，裂缝开展越来越宽。由于受压区混凝土应变不断增大，这时受压区混凝土塑性性质将表现得越来越明显，应力增长速度较应变增长速度越来越慢，故受压区应力图形将呈曲线变化。

Ⅱa 阶段：当弯矩（荷载）继续增加使得受拉钢筋的应力刚好达到屈服强度（f_y）时，称为第Ⅱ阶段末，以Ⅱa 表示。Ⅱa 阶段为极限状态，此时受压区混凝土的应力 $\sigma_h < f_c$，或当受压区混凝土应力达到强度限值时，$\sigma_h = f_c$。（此时 σ_g 可能小于 σ_s）。阶段Ⅱa 相当于电杆使用时的应力状态，可作为使用阶段的变形和裂缝开展计算时的依据。

（3）第Ⅲ阶段。此阶段为极限应力状态，由于钢筋屈服，它将继续变形而保持应力大小不变（f_y），当荷载（弯矩）再稍有增加，则钢筋应变骤增，裂缝宽度随之扩展并沿截面向上延伸，中和轴继续上移，受压区高度进一步减小，受压区混凝土应力图形呈曲线，此时钢筋所承受的总拉力与受压区混凝土的总压力保持不变。

Ⅲa 阶段：此时为第Ⅲ阶段末，以Ⅲa 表示，当荷载（或弯矩）增加至极限时，此时受压区压应变达到（或接近）混凝土受弯时的极限压应变 ε_{cu}（弯曲抗压强度达到 $f_{cm \cdot k}$），标志着电杆已开始破坏，在此过程中，钢筋所承受的总拉力和受压区混凝土所承受的总压力始终保持不变。

Ⅲa 阶段作为"极限状态"强度计算的依据。

三、电杆试验时正截面破坏形式

以上所述电杆的正截面三个阶段的工作特点及其破坏特征系指正常配筋的电杆，电杆的正截面破坏形式与配筋率 ρ、钢筋和混凝土的强度有关。在采用相同材料前提下，其破坏形式与 ρ 大小有关。

1. 正常配筋

其特点是受拉区的筋先开始屈服，而受压区混凝土压应力还小于弯曲抗压强度（$f_{cm \cdot k}$），在电杆破坏以前，由于钢筋要经历较大的塑性伸长，随之引起裂缝急剧开展和挠度的激增，它将给人以明显的破坏预兆，习惯上常把这种破坏叫做"延性破坏"。

2. 超筋

若电杆配筋率 ρ 很大，电杆破坏时，先是受压区混凝土压碎，即当受压区混凝土的压应力达到弯曲抗压强度（$f_{cm \cdot k}$）时，钢筋所受拉应力尚小于其屈服强度（f_y），而破坏前仍处于弹性工作阶段，裂缝开展不宽，延伸不高，挠度也不大。但破坏是在没有明显预兆的情况下由于受压区混凝土突然压碎而破坏，故习惯上常称为"脆性破坏"。

超筋电杆虽然配置过多受拉钢筋，但由于其受拉应力低于屈服强度，不能充分发挥作用，造成钢材浪费，这不仅不经济，且破坏前毫无预兆，故设计中一般不采用。

比较正常配筋和超筋电杆的破坏可以发现，两者的差异在于：前者破坏是自受拉钢筋先屈服，后者是受压区混凝土破坏。显然，当钢筋和混凝土强度确定之后，有一个特定的配筋率 ρ_{max}，作为"正常配筋"与"超筋"之间的界限，它使得电杆在破坏时钢筋应力达到屈服的同时，受压区混凝土的压应力刚好达到弯曲抗压强度（$f_{cm \cdot k}$），这种破坏则称为"界限破坏"，而该特定的配筋率 ρ_{max} 实际上则限制了正常配筋的最大配筋率，最大配筋率见表 9-4。

表 9-4　　　　钢筋混凝土受弯构件的最大配筋率　　　　　%

钢筋强度		混凝土强度等级			
		C30	C40	C45	C50
Ⅰ 级		4.77	6.21	6.79	7.51
Ⅱ 级	$d \leqslant 25$	2.90	3.78	4.13	4.57
	$d = 28 \sim 40$	3.16	4.12	4.50	4.98
Ⅲ 级		2.56	3.34	3.65	4.04

当实际配筋率 $\rho < \rho_{max}$ 时，破坏时受拉钢筋先屈服，当 $\rho > \rho_{max}$ 时，破坏时受压区混凝土压碎；当 $\rho = \rho_{max}$，破坏时受拉钢筋屈服的同时受压区混凝土压碎。

3. 少筋

当电杆配筋率 ρ 很小时称为少筋。其特点是电杆破坏时的极限弯矩 M_u 小于在正常情况下开裂弯矩 M_{cr}，当 $M_u = M_{cr}$ 时，原则上讲，这是少筋与正常配筋的界限，这时的配筋率 ρ_{min} 就是正常配筋的最小配筋率的理论值。在这一特定情况下，电杆一旦开裂，钢筋应力立即达到屈服强度，有时可迅速经历整个流幅而进入强化阶段工作，在个别情况下，钢筋甚至可能被拉断。

少筋电杆破坏时，裂缝往往集中出现一条，不仅开展宽度很大，且沿截面延伸较高，即使受压区混凝土尚未压碎，但此时裂缝宽度大于 1.5 mm 甚至更大，已标志着电杆被"破坏"。

少筋电杆在设计中亦不允许采用，它亦属于"脆性破坏"性质。三种配筋形式见图 9-2。

四、截面相对界限受压区高度 ξ_b 的计算

受弯构件或偏心受压构件边界破坏是指截面上受拉钢筋应力达到屈服的同时，受压区混凝土边缘纤维应变也正好达到混凝土极限应变 ε_{cu} 值时的破坏，此时的配筋率为界限配筋率（最大配筋率）。电杆发生界限破坏时，混凝土相对受压区高度称为截面相对界限受压区高度 ζ_b。

GBJ10—89 将受压区高度的限制条件修改为：$X \leqslant \zeta_b h_o$。（ζ_b 不为常数）[1]

受拉钢筋和受压区混凝土同时达到其设计强度时的截面界限相对受压高度 ζ_b 按下列公式计算：

（1）对有屈服点的钢筋（热轧钢筋），根据定义：

$$\zeta_b = \frac{X_b}{h_o} \tag{9-1}$$

根据平截面假定：界限破坏时的实际受压区高度 X_n。

$$\frac{X_n}{h_o} = \frac{\varepsilon_{cu}}{\varepsilon_{cu} + \varepsilon_y} \tag{9-2}$$

式中 ε_{cu}——受压区混凝土边缘纤维的极限压应变，取 0.0033；

ε_y——受拉钢筋的屈服应变。

$$\varepsilon_y = \frac{f_y}{E_s} \tag{9-3}$$

界限受压区高度 X_b 与界限破坏时的实际受压区高度 X_n 之间的关系为：

$$X_b = \beta \cdot X_n = 0.8 X_n \tag{9-4}$$

将式（9-2）、（9-3）、（9-4）代入式（9-1）得

$$\zeta_b = \frac{X_b}{h_o} = \frac{0.8\varepsilon_{cu}}{\varepsilon_{cu} + \varepsilon_y} - h_o = \frac{0.8}{1 + \dfrac{f_y}{0.0033 E_s}} \tag{9-5}$$

$f_y = 210 \text{ N/mm}^2$，$E_s = 2 \times 10^5 \text{ N/mm}^2$ 时，$\zeta_b = 0.607$。

（2）对有屈服点的冷拉钢筋：此时受拉钢筋应变取为 $(f_{py} - \sigma_{po}) / E_s = \varepsilon_{py} - \varepsilon_{po}$。

根据平截面假定：

$$\frac{X_n}{h_o} = \frac{\varepsilon_{cu}}{\varepsilon_{cu} + (\varepsilon_{py} - \varepsilon_{po})} \tag{9-6}$$

代入式(9-1)得 $\zeta_b = \dfrac{X_b}{h_o} = \dfrac{0.8\varepsilon_{cu}}{\varepsilon_{cu} + (\varepsilon_{py} - \varepsilon_{po})} = \dfrac{0.8}{1 + \dfrac{f_{py} - \sigma_{po}}{0.0033 E_s}}$

式中 ε_{py}——预应力冷拉钢筋的应变；

f_{py}——预应力冷拉钢筋的强度设计值；

ε_{po}、σ_{po}——受拉区纵向预应力钢筋合力点处混凝土法向应力等于零时的预应力钢筋的应变、应力。

（3）对无屈服点的钢筋（热处理钢筋、钢丝、钢绞线）：对无屈服点的钢筋，根据条件屈服点的定义，尚应考虑 0.2% 的残余应变，此时受拉钢筋的应变取为 $(f_{py} - \sigma_{po}) / E_s + 0.002 = \varepsilon_{py} - \varepsilon_{po} + 0.002$。

根据平截面假定：

$$\frac{X_n}{h_o} = \frac{\varepsilon_{cu}}{\varepsilon_{cu} + (\varepsilon_{py} - \varepsilon_{po} + 0.002)}$$

$$\zeta_b = \frac{X_b}{h_o} = \frac{0.8\varepsilon_{cu}}{1.6 + \dfrac{f_{py} - \sigma_{po}}{0.0033 E_s}}$$

---

[1] 旧规范为 $X \leqslant 0.55 h_o$（热轧、冷拉钢筋）；$X \leqslant 0.4 h_o$（钢丝、钢绞线）。

经计算得出钢筋混凝土构件相对界限受压区高度 ζ_b，如表 9-5 所示。

ζ_b 主要取决于钢筋种类，混凝土极限应变的大小。求出 ζ_b 后，可求出最大配筋率。

$$\rho_{\max} = \frac{A_{s,\max}}{bh_o} = \zeta_b \frac{f_{cm}}{f_y}$$

计算结果详见表 9-4 所示。

五、电杆正截面承载力计算

1. 设计公式的推导根据

电杆设计计算公式是根据以下四个基本假定的基础上推导出来的。

（1）截面变形后仍保持平面即平截面假定。

（2）受拉区混凝土早已开裂，不考虑混凝土的抗拉强度，拉力全部由钢筋承担。

（3）混凝土轴心受压的应力—应变关系曲线为抛物线，其极限压应变取 0.002，相应的最大压应力取混凝土轴心抗压强度设计值 f_a。

表 9-5 钢筋混凝土构件相对界限受压区高度 ξ_b

钢筋种类		f_y (N/mm²)	ζ_b
热 轧 钢 筋	Ⅰ	210	0.607
	Ⅱ	290 (d≤25) (d=28～40)	0.556 0.544
	Ⅲ	310	0.528
乙 级 冷 拔 低 碳 钢 丝	用于焊接骨架	320	0.384
	用于绑扎骨架	250	0.404

对非均匀受压构件，当压应变 $\varepsilon_a \leqslant 0.002$ 时，σ—ε 曲线为抛物线，当压应变 $\varepsilon_c > 0.002$ 时，σ—ε 曲线呈水平线，其极限压应变 ε_{cu} 取 0.0033，相应的最大压应力取混凝土弯曲抗压强度设计值 f_{cm}。混凝土的应力—应变关系如图 9-3 所示。

（4）钢筋应力取等于钢筋应变与其弹性模量的乘积，但不大于其强度设计值，受拉钢筋的极限拉应变取 0.01。钢筋的应力—应变关系如图 9-4 所示。

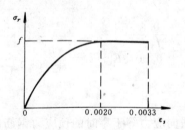

图 9-3 混凝土受压时应力—应变关系

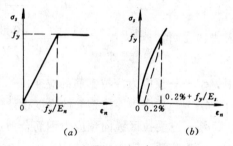

图 9-4 钢筋应力—应变关系
(a) 有屈服点的钢筋；(b) 无屈服点的钢筋

2. 等效应力图

计算时，受压区混凝土的应力图形 [见图 9-5 (a)] 可简化为等效的矩形应力图 [见图 9-5 (b)]，其高度 $X = 0.8X_n$，X_n 为按平截面假定所确定的中和轴高度。

矩形应力图的应力可取为混凝土弯曲抗压强度设计值，其为 f_{cm} [见图 9-5 (c)]。

3. 正截面强度计算

沿周边均匀配置纵向钢筋的环形截面偏心受压构件（如图 9-6 所示），其正截面受压承载力可按下式计算。

环形钢筋混凝土电杆计算公式为：

$$N \leqslant \alpha f_{cm} A + (\alpha - \alpha_t) f_y A_s$$

138

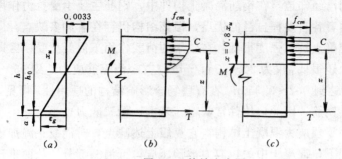

图 9-5 等效应力图

（a）截面应变；（b）实际应力图；（c）等效应力图

$$N\eta e_i \leqslant f_{cm}A(r_1+r_2)\frac{\sin\pi\alpha}{2\pi} + f_yA_sr_s\frac{(\sin\pi\alpha + \sin\pi\alpha_t)}{\pi}$$

经推导得：

$$\alpha = \frac{f_yA_s + N}{f_{cm}A + 2.5f_yA_s}$$

对于受弯构件（ $N=0, M=N\eta e_i$ ）则：

$$M = f_{cm}A(r_1+r_2)\frac{\sin\pi\alpha}{2\pi} + f_yA_sr_s\frac{(\sin\pi\alpha + \sin\pi\alpha_t)}{\pi}$$

式中

$$\alpha = \frac{f_yA_s}{f_{cm}A + 2.5f_yA_s}\ ;$$

以上公式适用于截面内纵筋≥6根，且 $r_1/r_2 \geqslant 0.5$

$\alpha_t = 1 - 1.5\alpha$;

$e_i = e_o + e_{a\alpha}$

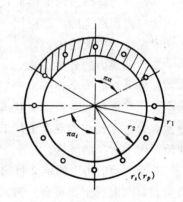

图 9-6 沿周边均匀配筋
的环形截面

对钢筋混凝土电杆：

$$e_a = 0.12[0.3(r_2 + r_s) - e_o]$$

式中 A ——电杆截面面积；

A_s ——全部纵向普通钢筋的截面面积；

r_1、r_2 ——环形截面内外半径；

r_s ——纵向普通钢筋所在圆半径；

e_o ——轴向力对截面重心的截心距；

e_a ——附加偏心距；当 $e_o \geqslant 0.3$ （r_2+r_s）或 $e_o \geqslant 0.3$ （r_2+r_p）时，取 $e_a = 0$ ；

α ——受压区混凝土截面面积与全截面面积的比值；

α_t ——受拉纵向钢筋截面面积与全部纵向钢筋截面面积的比值。

当 $\alpha > 2/3$ 时，取 $\alpha_t = 0$ 。

第三节 预应力杆的结构设计与计算

一、预应力混凝土的基本概念

通过对高强钢丝、低碳冷拔钢筋等的预张拉作用，施加于已经硬化了的混凝土本体上，使之产生预压应力，即在混凝土未受到外部荷载（弯矩）作用时就已经保持受压状态，这

139

一类混凝土统称为预应力混凝土。

从前面所述我们已经知道，在钢筋混凝土构件中，钢筋主要承受拉力作用，混凝土主要承受压力作用，两者各自发挥自己的优点，但该结构仍存在着许多缺点，即钢筋强度不能充分发挥。因为混凝土抗拉强度很低，在较小的荷载作用下混凝土受拉区即可开裂，而此时钢筋所受的应力还很低，仅为 $20\sim30\ N/mm^2$ 左右，当钢筋应力达到 $150\sim240\ N/mm^2$ 时，裂缝宽度就已经达到 $0.2\sim0.3mm$。在有些场合影响结构的适用性。可见，钢筋混凝土结构只能采用低强度钢筋，因此，构件常常粗、笨重，承载能力也小。

因此，人们想到了预应力混凝土结构，它克服上述缺点，对混凝土施加预压应力，这样，在外部荷载作用下，混凝土中的拉应力被预压应力抵消一部分，从而推迟了构件的开裂，提高了构件的抗裂度。预应力筋中的应力，除原先已产生的预拉应力外，在荷载作用下，其拉应力将继续增大因而可更有效地利用预应力筋的抗拉强度。

预应力混凝土的广泛应用，充分发挥了高强钢材的强度的优势，节省大量钢材，而这在普通混凝土中无法做到。

二、预应力的分类

预应力划分为全预应力、部分预应力。两者划分是相对的，取决于实际作用的荷载的大小，同一电杆在某种荷载状态下可能为全预应力，而在另一种荷载状态下可能转变为部分预应力。全预应力混凝土用于抗裂性能要求较严的场合，部分预应力混凝土利用于抗裂性能要求不太严的场合。

关于"预应力"的定义目前仍有多种，根据 1970 年 FIP—CEB（即国际预应力混凝土协会和欧洲混凝土委员会）第六届会议的混凝土结构设计与施工建议，混凝土结构分为：

Ⅰ级——全预应力。在使用荷载最不利组合下不容许混凝土出现弯曲拉应力。

Ⅱ级——有限预应力。在全部荷载作用时容许出现低于混凝土抗拉强度的弯曲拉应力，但在持续荷载作用时应避免出现拉应力。

Ⅲ级——部分预应力。对拉应力无限制，但必须控制裂缝宽度。

此外，将钢筋混凝土列为 Ⅳ 级。

目前，各类结构混凝土对拉应力和开裂的限制见表 9-6。

表 9-6 结构混凝土的分类

名 称	FIP—CEB 分类	预加应力	拉 应 力		开 裂	
			经常荷载	设计最大荷载	经常荷载	设计最大荷载
全预应力混凝土	Ⅰ	有	无	无	无	无
有限预应力混凝土	Ⅱ	有	无	有	无	无
部分预应力混凝土	Ⅲ	有	有	有	无	有
钢筋混凝土	Ⅳ	无	有	有	有	有

对部分预应力的定义有狭义与广义两种意见：前者认为Ⅱ、Ⅲ仍都是部分预应力，而后者只承认Ⅲ级为部分预应力。

由于该分类法对部分预应力的优越性强调不够，容易造成错觉，似乎Ⅰ级比Ⅱ级好，Ⅱ级比Ⅲ级好。因此1982年制定的"FIP实用设计建议（草案）"从实用方便出发，对预应力度又引入了按应力状态的三类分类法。

预应力度按任何荷载组合作用的应力状态来定义，即：

（1）全预应力。沿预应力筋方向没有达到消压极限状态。

（2）限值预应力。主拉应力没有达到混凝土抗拉强度设计值。

（3）部分预应力。混凝土的拉应力没有限制。

这种分类法把预应力度和荷载组合联系起来，使预应力度成为一个随荷载而改变的相对概念。例如，在正常使用极限状态，按全部荷载最不利组合（不常遇组合或短期荷载组合）时设计的一些部分预应力结构，在准永久荷载组合（长期荷载组合）时，则变为全预应力或限值预应力结构。这样的分类，既方便于设计，又有利于克服对部分预应力的一些偏见。

中国土木工程学会编《部分预应力混凝土结构设计建议》将混凝土结构按预应力度分成全预应力、部分预应力和钢筋混凝土三类。部分预应力采用广义定义，包括 1970 年的 CEB/FIP 建议中的限值预应力与部分预应力两部分。

$$\text{预应力度} \qquad\qquad d_p = \frac{M_0}{M}$$

式中 M_0——消压弯矩，即使构件控制截面受拉边缘应力抵消到零时的弯矩；

M——使用弯矩（不包括预应力），短期荷载组合下控制截面的弯矩。

按预应力度可划分为：

全预应力混凝土：$d_p \geqslant 1$。

部分预应力混凝土：$1 > d_p > 0$。

钢筋混凝土：$d_p = 0$。

全预应力混凝土钢筋张拉应力较高，配筋量往往也较大，混凝土受拉区内所产生的预压应力也较高，构件在使用荷载作用下所产生的拉应力不足以抵消原先存在的压应力，因而构件不会开裂，但构件脆性较大，部分预应力混凝土钢筋张拉应力较小，混凝土的预压应力也较低，不足以抵消构件在使用荷载作用下所产生的拉应力，因而构件要开裂。

部分预应力一般配置有一定数量的非预应力筋，它较全预应力混凝土具有一定的韧性，脆性相对较小。

关于采用全预应力、部分预应力视具体情况而定，两者各有优劣。

全预应力混凝土虽然抗裂度较高，但延性差，脆性大，对张拉设备要求较高，易发生钢丝脆断事故。对钢丝相对长度误差要求严格，当钢丝长度不一致时，引起应力不均，张拉端的局部承压应力较高，非张拉端则易产生纵向裂缝，构件运输、起吊、装卸也易出现纵裂现象。

部分预应力混凝土克服了这些缺点，但只能用于对抗裂度要求不严的场合。

三、预应力混凝土电杆的应力计算

应力计算分四个阶段，如图 9-7 （a）、（b）、（c）、（d）、（e）。

（1）第 I 阶段。张拉阶段。

张拉控制应力 σ_{con} 的确定可按表 4-1 选择，张拉控制应力的大小由结构设计要求确定，钢筋拉力为 $N_{po} = \sigma_{con} A_{po}$。

张拉钢筋时，由张拉设备（液压千斤顶）完成，应力大小由油压表读数显示，预应力

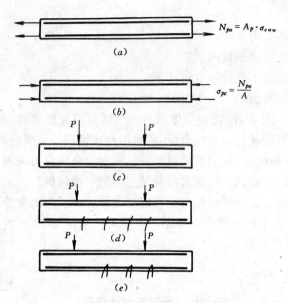

图 9-7 预应力混凝土受弯构件的应力阶段
(a) 预应力钢筋张拉；(b) 预应力钢筋锚固；(c) 预应力
混凝土受荷；(d) 预应力混凝土受荷至开裂；(e) 预应力
混凝土裂缝扩展至破坏

张拉后锚固于钢模上，进入下一道工序，张拉中考虑锚具压缩、钢筋松弛等造成的预应力损失 σ_1。

张拉结束后，钢筋的应力 $\sigma_{po} = \sigma_{con} - \sigma_1$

（2）第 II 阶段。预应力的放张阶段。

待蒸养后混凝土产生一定的强度，通过切断钢筋镦头（"放张"），将钢筋应力转移至电杆本体上，使之承受预压应力作用。

混凝土在预压应力作用下产生"徐变"，另外混凝土本身随时间推移不断发生碳化收缩等物理化学作用，这些亦使建立的预应力值减小。放张后，作用于混凝土截面上产生的预应力为：

$$\sigma_{po} = \frac{(\sigma_{con} - \sigma_1)A_p}{A}$$

（3）第 III 阶段。在外部荷载（弯矩）作用下，混凝土内部的预压应力逐渐为拉应力所抵消直到开裂。

（4）第 IV 阶段。荷载逐渐增大，混凝土裂缝逐渐增大直到破坏。

四、关于预应力损失计算的规定（先张法构件）

（1）镦头锚具变形和钢筋内缩引起的预应力损失。

$$\sigma_{l1} = \frac{\alpha E_s}{L}（\alpha \text{ 值可查表或为实测数据}）$$

（2）混凝土加热养护时，受拉钢筋与承受拉力的设备之间的温差引起损失 σ_{l3}。

$$\sigma_{l3} = 2\Delta t$$

（3）预应力钢筋的应力松弛 σ_{l4}（按下面的规定取值）。

1）冷拉钢筋、热处理钢筋：$0.05\sigma_{con}$（一次张拉）❶， $0.035\sigma_{con}$（超张拉）。

2）碳素钢丝、钢绞线❷：

$$\psi\left(\frac{0.36\sigma_{con}}{f_{ptk}} - 0.18\right)\sigma_{con}$$

一次张拉：$\psi = 1$，超张拉：$\psi = 0.9$。

3）冷拔低碳钢丝：$0.085\sigma_{con}$（一次张拉），$0.065\sigma_{con}$（超张拉）。

（4）混凝土的收缩、徐变 σ_{l5}、$\sigma_{l5'}$。

$$\sigma_{l5} = \frac{\left(45 + \dfrac{220\sigma_{po}}{f'_{cu}}\right)}{1 + 15\rho}$$

❶ 当取上述超张拉应力松弛损失值时，张拉程序应符合国家现行规范《混凝土结构工程施工及验收规范》的要求。
❷ 对碳素钢丝、钢绞线，当 $\sigma_{con}/f_{ptk} \leqslant 0.5$ 时，预应力钢筋的应力松弛损失值为 0。

$$\sigma_{l5'} = \frac{\left(45 + \dfrac{220\sigma'_{po}}{f'_{cu}}\right)}{1 + 15\rho'}$$

式中　σ_{p0}、σ'_{p0}——受拉区、受压区预应力钢筋在各自合力点处混凝土法向压应力；

　　　f'_{cu}——施加预应力时的混凝土立方体抗压强度。

$$\rho = \frac{Ap + As}{A}, \quad \rho' = \left(\frac{Ap' + As'}{A}\right)$$

式中　ρ、ρ'——受拉区、受压区预应力钢筋和非预应力钢筋的配筋率。

对于对称配置预应力钢筋和非预应力钢筋的构件，取 $\rho = \rho'$，此时配筋率应按其钢筋载面积的一半进行计算。

（5）预应力构件在各阶段的预应力损失值。

1）混凝土预压前（第一批）的损失：

$$\sigma_{L\,I} = \sigma_{L1} + \sigma_{L3} + \sigma_{L4}$$

2）混凝土预压后（第二批）的损失：

$$\sigma_{L\,II} = \sigma_{L5}$$

第一批、第二批预应力总损失值<100 N/mm^2 时，取 100 N/mm^2。

五、预应力钢筋应力计算

1. σ_{pc}、$\sigma_{pc'}$ 的计算

由预加应力产生的混凝土法向应力：

$$\sigma_{pc} = \frac{N_{po}}{A_o} \quad (\sigma_{pc} \leqslant 0.5 f'_{cu})$$

预应力钢筋合力点处混凝土法向应力等于零时的预应力钢筋应力：

$$\sigma_{pc} = \sigma_{con} = \sigma_L$$
$$N_{po} = \sigma_{pc} A_p$$

此时预应力损失仅考虑第一批损失。

相应阶段预应力钢筋的有效预应力：

$$\sigma_{pc} = \sigma_{con} - \sigma_L - \sigma_E - \sigma_{pc}$$

式中　$\alpha_E = \dfrac{Es}{Ec}$（钢筋与混凝土弹模之比），查附表；

　　　N_{po}——预应力钢筋的合力。

计算预应力混凝土电杆端部锚固区的正截面和斜截面受弯承载力时，锚固区内的预应力钢筋抗拉强度设计值在锚固起点处应取零，在锚固终点处应取 f_{py} 在两点之间可按直线内插法取值，对采用冷拉Ⅱ级、Ⅲ级钢筋的预应力混凝土电杆，其锚固区预应力钢筋的抗拉强度设计值可不折减。

预应力钢筋的锚固长度 l_a 应按表 9-7 取用。

2. 几点说明

表 9-7　　　预应力钢筋锚固长度　　　mm

预应力筋种类	混凝土强度等级		
	C30	C40	≥C50
刻痕钢丝（$d>5$ mm）	160d	100d	80d
钢铰线（$d=9\sim15$ mm）		100d	100d
冷拔低碳钢丝（$d=4\sim5$ mm）	110d	100d	100d

（1）当采用骤然放松预应力钢筋的施工工艺时，锚固长度的起点应从离电杆末端 $0.25l_{tr}$ 处开始，应力钢筋的预应力传递长度 l_{tr} 应按表 9-8 取用。

（2）当确定预应力传递长度 l_{tr} 时，表中混凝土强度等级应按放张时的混凝土立方体抗压强度确定。

（3）当刻痕钢丝的有效预应力值 σ_{pe} 大于或小于 $1000\ \text{N/mm}^2$ 时，其预应力传递长度应根据表中的数值按比例增减。

（4）当采用骤然放松预应力钢筋的施工工艺时，l_{tr} 的起点应从距电杆末端 $0.25l_{tr}$ 处开始计算。

（5）对冷拉 Ⅱ、Ⅲ 级钢筋，可不考虑预应力传递长度。

对预应力混凝土电杆端部进行斜截面受剪承载力计算以及正截面、斜截面抗裂验算时，应考虑预应力钢筋在其预应力传递长度 l_{tr} 范围内实际应力值的变化。预应力钢筋的实际预应力按线性规律增大，在电杆端部取零，在其预应力传递的末端取有效预应力值 σ_{pe}（见图9-8），预应力钢筋的预应力传递长度 l_{tr} 应按表 9-8 取用。

表 9-8　预应力钢筋的预应力传递长度 l_{tr}　mm

预应力钢筋种类	混凝土强度等级			
	C20	C30	C40	≥C50
刻痕钢丝（$d=5\ \text{mm}$）	150d	100d	65d	50d
钢铰线（$d=9\sim15\ \text{mm}$）		85d	70d	70d
冷拔低碳钢丝（$d=4\sim5\ \text{mm}$）	110d	90d	85d	80d

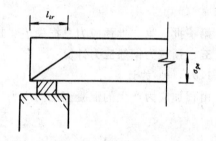

图 9-8　预应力钢筋的预应力传递长度范围内有效预应力值的变化

六、正截面承载力计算

（一）预应力混凝土电杆的计算公式❶

$$N \leqslant \alpha f_{cm} A - \sigma_{po} A_p + \alpha f'_{py} A_p - \alpha_t (f_{py} - \sigma_{po}) A_p$$

$$N\eta e_i \leqslant f_{cm} A(r_1 + r_2) \frac{\sin\pi\alpha}{2\pi} + f'_{py} A_p r_p \frac{\sin\pi\alpha}{\pi} + (f_{py} - \sigma_{po}) A_p r_p \frac{\sin\pi\alpha_t}{\pi}$$

式中　$e_i = e_o + e_Q$；

$\alpha_t = 1 - 1.5\alpha$（当 $\alpha > \dfrac{2}{3}$ 时 $\alpha_t = 0$）。

由上式可推导出：

$$\alpha = \frac{f_{py} A_p + N}{A_p[1.5(f_{py} - \sigma_{po}) + f'_{py}] + A f_{cm}}$$

对受弯构件 $N=0$、$M=N\eta e_i$，可推导出正截面承载力计算公式：

$$M = \left[\left(f_{cm} A \frac{r_1 + r_2}{2} + f_{py} A_p r_p\right)\sin\pi\alpha + (f_{py} - \sigma_{po}) A_p r_p \sin\frac{3}{2}\pi\alpha\right]/\pi$$

（二）加配部分非预应力钢筋的电杆（部分预应力混凝土电杆）正截面承载力计算

（1）部分预应力混凝土特点。全部设计荷载作用时无拉应力限度的规定，但有严格的

---

❶　这些公式适用于截面内纵向钢筋的数量不少于 6 根且 $\dfrac{r_1}{r_2} \geqslant 5$ 的情况。

裂缝限制条件。此外，并不是在每种荷载情况下都允许出现裂缝，一般说来在恒载和经常作用的活载作用时是不允许开裂的。即使是在全部设计荷载作用之后，也要保证裂缝能够闭合。因此，对耐久性不会有较大的影响。

1）混凝土强度低是造成钢材浪费的重要原因，在目前我国混凝土强度仍普遍较低的情况下采用部分预应力杆，可在承载能力相同时，节省预应力钢筋。

2）由于部分预应力混凝土要求总预应力值较小，在不增加电杆的断面尺寸下，可以采用强度较低的钢材，可选用冷拔低碳钢丝、冷拉Ⅱ、Ⅲ级钢筋。

3）由于较大的预应力易产生纵向裂缝，部分预应力混凝土的总预应力值较小。另外，部分预应力杆对混凝土的脱模强度要求低于预应力杆，因而可以避免纵向裂缝的出现。

4）有数量较多的低强度钢筋，它不仅能安全地承受静力和疲劳荷载，而且有良好的抗震性能，避免出现脆性破坏的可能。

5）设计上较合理，配筋经济，且能与混凝土正常配合工作。因为预应力杆以抗裂弯矩来控制截面配筋，抗裂计算的配筋率要高于按承载力极限弯矩计算的配筋率，且应采用整长配筋。但对于截面以锥度变化的锥形杆来说带来很大的浪费。

6）预应力杆脆性大，在拆模以及起吊、装卸、安装过程中受冲击碰撞引起的纵裂问题比较突出，电网运行当中也时有发现，而部分预应力杆则相对较好一些。另外，随着当前电力建设的发展，电杆逐渐向高等级、大杆型规格方向发展，组装杆越来越普及，由于电杆是粗、笨重的构件，随着组装杆节数的增加，下段所承受的纵向压力也增大，预应力杆混凝土本身处于预压状态，而且目前我国混凝土普遍在C50以下，这对混凝土受压是极为不利的。因此，部分预应力杆，在这方面相对显得更有优势。

（2）非预应力筋对预应力筋的影响。非预应力筋对预应力筋的影响有有利影响与不利影响两个方面：①有利影响：非预应力筋对混凝土的预压变形起约束作用，使混凝土的收缩徐变值减少，从而使预应力筋由于混凝土收缩徐变产生的变形得以降低；②不利影响：当混凝土发生收缩徐变时，由于非预应力筋的存在，阻碍了混凝土收缩徐变的发展，使混凝土中产生拉应力，从而降低了电杆的抗裂能力。

不利影响若超过了有利影响，因此，应考虑非预应力筋对预应力筋所产生的影响（以往不考虑，简化预应力筋的计算，但当非预应力筋较多时，误差较大）。规范规定，在计算预应力筋的合力时，要减去非预应力筋产生的压力，而非预应力筋的压力则按混凝土收缩徐变所引起的预应力损失值计算。（该法计算结果偏于安全，因为非预应力筋的存在，混凝土的收缩徐变引起的预应力损失，比不配置非预应力筋时小）。

（3）正截面承载力计算公式。

$$\alpha = \frac{f_{py}A_p + f_y A_s}{f_{cm}A + 1.5(f_{py} - \sigma_{po})A_p + 1.5f_y A_s + f'_{py}A_p + f'_y A_s}$$

$$M = f_{cm}A \frac{(r_1 + r_2)}{2} \frac{\sin\pi\alpha}{\pi} + (f'_{py}A_p r_p + f_y A_s r_s) \frac{\sin\pi\alpha}{\pi}$$

$$+ [(f_{py} - \sigma_{po})A_p r_p + f_y A_s r_s] \frac{\sin\frac{3}{2}\pi\alpha}{\pi}$$

（4）部分预应力杆的预应力损失计算。部分预应力电杆的预应力损失值计算同预应力电杆一样，按有关公式进行计算。

预应力钢筋及非预应力钢筋的合力及合力点的偏心距可按下列公式计算：

$$N_{po} = \sigma_{po} + \sigma_{po}'A_p - \sigma_{l5}A_s\sigma_{l5}'A_s'$$

$$e_{po} = \frac{\sigma_{po}A_py_p - \sigma_{po}'A_p'y_p' - \sigma_{l5}A_sy_s + \sigma_{l5}'A_s'y_s'}{\sigma_{po}A_p + \sigma_{po}'A_p' - \sigma_{l5}A_s - \sigma_{l5}'A_s'}$$

式中　A_p、A_p'——受拉区、受压区的预应力钢筋的截面面积；

　　　A_s、A_s'——受拉区、受压区的非预应力钢筋的截面面积；

　　　σ_{po}、σ_{po}'——受拉区、受压区的预应力钢筋合力点处混凝土法向应力为零时的预应力钢筋应力；

　　　σ_{l5}、σ_{l5}'——受拉区、受压区的预应力钢筋在各自合力点处的混凝土收缩和徐变引起的损失值；

　　　y_p、y_p'——受拉区、受压区的预应力钢筋合力点至换算截面重心的距离；

　　　y_s、y_s'——受拉区、受压区的非预应力钢筋合力点至换算截面重心的距离。

第四节　正常使用极限状态抗裂、变形和裂缝宽度验算

一、裂缝宽度控制

（1）对于按正常使用极限状态设计的混凝土，新规范对裂缝及裂缝宽度给出了新的控制标准（见表9-9）。

表 9-9　　　　裂缝控制等级，混凝土拉应力限制系数及最大裂缝宽度允许值　　　　mm

结构构件　工作条件	钢筋种类	钢筋混凝土结构		预应力混凝土结构 [2]
		Ⅰ、Ⅱ、Ⅲ级钢筋	冷拉Ⅱ、Ⅲ、Ⅳ级钢筋	碳素、钢丝、刻痕钢丝、钢绞线、热处理钢筋、低碳冷拔钢丝
室内正常环境下一般构件 [1]		三级 0.3（0.4）	三级 0.2	二级 $\alpha_{ct}=0.5$
露天或室内高湿度环境		三级 0.2	二级 $\alpha_{ct}=0.5$	一级

[1]　对处于年平均相对湿度小于60%，且可变荷载标准值与恒载标准值之比大于0.5的受弯构件，其最大裂缝宽度允许值可采用括弧内数字。

[2]　表中预应力结构构件的混凝土拉应力限制系数以及最大裂缝宽度允许值仅适用于正截面的验算。

进行结构设计时，应根据使用要求选用不同的裂缝控制等级，裂缝控制等级应符合下列规定：

一级：严格要求不出现裂纹，按荷载短期效应组合进行计算时，电杆受拉边缘混凝土不应产生拉应力。

二级：一般要求不出现裂纹，按荷载长期效应组合进行计算时，电杆受拉边缘混凝土不应产生拉应力，而按荷载短期效应组合进行计算时，电杆受拉边缘混凝土允许产生拉应力，但拉应力不应超过 $\alpha_{ct}\gamma f_{tk}$。

其中　f_{tk}——混凝土抗拉强度标准值；

　　　α_{ct}——混凝土拉应力限制系数；

146

γ——受拉区混凝土塑性影响系数。

三级：允许出现裂缝，最大裂缝宽度按荷载短期效应组合并考虑长期效应组合的影响进行计算，其计算值不应超过允许值。

根据新规范要求，电杆新标准 GB396—94、GB4623—94 分别对普通杆、预应力杆、部分预应力杆的抗裂性要求及裂缝宽度作出了相应要求，见表 9-10。

根据以上划分情况，一级、二级均属于预应力范畴，不必作裂缝宽度验算，而三级则适用于钢筋混凝土电杆或部分预应力电杆，必须进行裂缝宽度验算。新国标中分别给予的裂缝宽度为 0.2 mm 与 0.1 mm（在正常使用状态下）。

所谓一级就是构件保持零应力或压应力，也就是说构件处于减压状态。

二级是构件处于有限拉应力状态，在这种条件下，构件在短期荷载效应内即使可能出现裂缝，一般说来裂缝宽度也较小，因此，不必作裂缝宽度验算。

表 9-10　　　　裂缝控制等级及要求

裂缝控制等级	对裂缝要求	荷载效应组合	验算要求
一 级	严格要求不出现裂缝	短 期	$\sigma_{sc} - \sigma_{pc} \leq 0$
二 级	一般要求不出现裂缝	短 期	$\sigma_{sc} - \sigma_{pc} \leq \alpha_{ct}\gamma f_{tk}$
		长 期	$\sigma_{lc} - \sigma_{pc} \leq 0$
三 级	允许出现裂缝	短期并考虑长期影响	$\omega_{max} \leq [\omega]$

（2）新规范划分裂缝控制等级主要考虑了三个方面因素。

1）结构构件工作的环境条件，分为室内正常环境和露天或室内高湿环境两类。

2）结构构件种类。

3）结构种类和钢筋种类，按结构种类分为钢筋混凝土结构和预应力混凝土结构；按钢筋种类分为热轧钢筋、冷拉钢筋和高强钢丝、热处理钢筋三类。

热轧钢筋不容易腐蚀，高强钢丝与热处理钢筋容易腐蚀，一旦出现裂缝，会严重影响结构耐久性。冷拉钢筋作为预应力钢筋时，经常处于较高应力下，对腐蚀的敏感程度介于热轧钢筋和高强钢丝、热处理钢筋之间。

（3）裂缝成因及控制理由。因为混凝土抗拉强度比其抗压强度低得多，当钢筋混凝土电杆受到外荷载作用时，或是混凝土收缩和温度作用而产生的外加变形受到钢筋或其他约束时，或因钢筋腐蚀而产生体积膨胀时，混凝土中便会产生拉应力，该拉应力超过其抗拉强度时混凝土即会开裂。此外，冻融和化学作用等也会导致混凝土开裂。所以，对截面有拉应力的钢筋混凝土电杆在正常使用阶段出现裂缝是难免的。但从外观及使用要求、耐久性（寿命）要求，必须控制其裂缝宽度。

从耐久性要求看，钢筋的锈蚀程度及控制措施主要取决于混凝土在大气中的碳化进展，水泥的水化作用产生了高碱性的氢氧化钙水化产物，可以使钢筋在碱性环境中受到保护抑制锈蚀，当混凝土发生碳化作用产生了碳酸钙改变了这种碱性环境，并且当其发展到钢筋表面时，或有氯化物渗透到钢筋表面时，钢筋产生锈蚀。裂缝存在，大气中的二氧化碳很容易经裂缝渗透到混凝土中，加快裂缝处混凝土的碳化速度，加速了钢筋的锈蚀过程，使结构安全度迅速降低，故对钢筋混凝土电杆裂缝宽度控制在 0.2 mm 以内。大量实验及工程调查结果表明：在此范围内钢筋表面只有轻微的锈蚀。

考虑到钢材对锈蚀的敏感性（如热处理钢筋），另外，碳素钢丝、刻痕钢丝、冷拔低碳钢丝及钢绞线由于直径较小（≤5 mm），锈蚀后截面损失较大，在高应力下容易发生脆断，为此裂缝控制更加严格。

二、抗裂计算

（一）正常使用极限状态正截面验算

预应力电杆应分别按下列规定进行正截面抗裂验算：

1）严格要求不出现裂缝的电杆：

$$\sigma_{sc} - \sigma_{pc} \leqslant 0 \text{（按荷载短期效应组合）} \tag{9-7}$$

2）一般要求不出现裂缝的电杆：

$$\sigma_{sc} - \sigma_{pc} \leqslant \alpha_{ct} \gamma f_{tk} \text{（按荷载短期效应组合）} \tag{9-8}$$

$$\sigma_{lc} - \sigma_{pc} \leqslant 0 \text{（按荷载长期效应组合）} \tag{9-9}$$

式中　σ_{sc}、σ_{lc}——荷载短期效应组合、长期效应组合下抗裂验算边缘的混凝土法向应力；

　　　　σ_{pc}——扣除全部预应力损失后在抗裂验算边缘混凝土的预压应力；

　　　　f_{tk}——混凝土的抗拉强度标准值。

纯受弯时　　　　　　　$$\sigma_{pc} = \frac{N_{pc}}{A_o} = \frac{\sigma_{ccn} - \sigma_l}{A_o}$$

$$\sigma_{sc} = \frac{M_k}{W_o}$$

$$A_o = A + (\alpha_E - 1)A_p$$

$$W_o = \frac{A_o}{4\gamma_2}(r_1^2 + r_2^2)$$

式中　W_o——换算截面受拉边缘的弹性抵抗矩；

　　　　A_o——换算截面积；

　　　　γ——受拉区混凝土塑性影响系数，$\gamma = 2 - 0.4\dfrac{r_1}{r_2}$；

　　r_1、r_2——分别为验算截面处的内外半径。

在荷载的短期效应组合及长期效应组合下的抗裂验算边缘的混凝土法向应力计算：

受弯电杆：

$$\sigma_{sc} = \frac{M_s}{W_o}, \sigma_{lc} = \frac{M_l}{W_o}$$

偏心受拉和偏心受压电杆：

$$\sigma_{sc} = \frac{M_s}{W_o} \pm \frac{N_s}{A_o}, \sigma_{lc} = \frac{M_l}{W_o} \pm \frac{N_l}{A_o} \text{（当轴向力为拉力时取正号，压力时取负号。）}$$

式中　M_s、M_l、N_s、N_l——按荷载的短期效应组合、长期效应组合计算的弯矩值与轴向力值。

（二）正常使用极限状态下斜截面验算

1. 混凝土主拉应力

$$\sigma_{tp} \leqslant 0.85 f_{tk} \text{（严格要求不出现裂缝的电杆）} \tag{9-10}$$

$$\sigma_{tp} \leqslant 0.95 f_{tk}（一般要求不出现裂缝的电杆）\tag{9-11}$$

2. 混凝土主压应力

$$\sigma_{cp} \leqslant 0.6 f_{tk}（对严格和一般要求不出现裂缝的电杆）\tag{9-12}$$

式中　σ_{tp}、σ_{cp}——混凝土的主拉力、主压力。

3. 裂缝宽度验算

钢筋混凝土电杆和部分预应力电杆（使用阶段允许出现裂缝）应进行裂缝宽度验算；按荷载的短期效应组合并考虑长期效应组合的影响所求得的最大裂缝宽度 W_{max} 不应超过标准要求。即标准检验弯矩下裂缝宽度的要求，对普通杆 $\leqslant 0.20$ mm，对部分预应力杆 $\leqslant 0.10$ mm。

(1) 根据 GBJ10—89 提供的最大裂缝宽度公式。

$$W_{max} = \alpha_{cr} \psi \frac{\sigma_{ss}}{E_s} \left(2.7c + 0.1 \times \frac{d}{\rho_{te}} \right) \nu$$

考虑裂缝间纵向受拉钢筋应变不均匀系数 ψ：

$$\psi = 1.1 - \frac{0.65 f_{tk}}{\rho_{te} \sigma_{ss}}$$

式中　ρ_{te}——以有效受拉混凝土截面面积计算的纵向受拉钢筋配筋率，$\rho_{te} = \dfrac{A_s + A_p}{A_{te}}$；

　　A_{te}——有效受拉混凝土截面面积，对受弯、偏心受压、偏心受拉的电杆可取 $A_{te} = 0.5A$；$\rho_{te} < 0.01$ 时，取 0.01；

　　α_{cr}——构件受力特征系数，对受弯和偏心受压构件，$\alpha_{cr} = 2.1$；

　　σ_{ss}——按荷载短期效应组合计算的钢筋混凝土电杆纵向受拉钢筋的应力或预应力混凝土电杆纵向受拉钢筋的等效应力；

　　c——最外层纵向受拉钢筋边缘至受拉区混凝土边缘的距离（mm），当 $c < 20$ 时，取 $c = 20$；

　　d——钢筋直径：当用不同直径的钢筋时，$d = \dfrac{4 (A_s + A_p)}{\mu}$；

　　μ——纵向受拉钢筋截面总周长；

　　ν——纵向受拉钢筋表面特征系数，对变形钢筋：$\nu = 0.7$；对光面钢筋：$\nu = 1.0$；对冷拔低碳钢丝：$\nu = 1.25$。

当 $\psi < 0.4$ 时取 0.4；当 $\psi > 1.0$ 时取 $\psi = 1.0$；对直接承受重复荷载的电杆，取 $\psi = 1.0$。

当采用 Ⅲ 级钢筋作为纵向受拉钢筋，且其强度设计值取为 340 N/mm² 时，应将计算求得的最大裂缝宽度乘以系数 1.0。

(2) σ_{ss} 的计算。

1) 钢筋混凝土电杆（受弯）：按荷载的短期效应组合计算，电杆纵向受拉钢筋应力或等效应力可按下式计算：

$$\sigma_{ss} = \frac{M_s}{0.87 h_o A_s}$$

式中　A_s——受拉区纵向钢筋截面面积；

　　h_o——截面有效高度对环形截面 $h_o = 2r_2 - r_s$。

2）预应力混凝土电杆（受弯）：预应力杆的纵向受拉钢筋等效应力按下式计算：

$$\sigma_{ss} = \frac{M_s - N_{po}(Z - e_p)}{(A_p + A_s)Z}$$

式中　Z——受拉区纵向非预应力和预应力钢筋合力点至受压区合力点的距离，按下式计算；

　　　e_p——混凝土法向预应力等于零时全部纵向预应力钢筋和非预应力钢筋合力 N_{po} 的作用点至受拉区纵向预应力和非预应力钢筋合力点的距离。

$$Z = \left[0.87 - 0.12\left(\frac{h_o^2}{e}\right) \right]h_o$$

$$e = \frac{M_s}{N_{po}} + e_p$$

三、挠度验算

其一般表达式为：
$$f \leqslant [f]$$

式中　f——在考虑了荷载长期效应组合使构件挠度随时间增长的情况下，用荷载短期效应组合计算出的构件最大挠度值。在计算挠度值时取材料的强度标准值；

　　　$[f]$——允许挠度值。

在正常使用极限状态中，由于是验算性质，要求较小的结构可靠度，所以在设计表达式中荷载项采用标准值，在承载力项、材料强度也采用标准值。钢筋混凝土电杆和预应力混凝土电杆在正常使用极限状态下的挠度，可根据电杆刚度的变化情况用结构力学的方法计算。如后面简化方式一节中所述采用假设条件简化刚度公式（对锥形截面），最后用积分求导出简易的挠度计算公式，计算结果应符合标准要求。

1. 受弯电杆刚度计算

架空输电线路的钢筋混凝土电杆，根据杆型结构和受力情况不同，刚度计算分成两类构件计算：

（1）主要承受轴向压力的压弯电杆，如带拉线的转角杆。

这类构件受力时，截面全部受压或受拉的拉应力很小，不致出现裂缝，刚度按阶段 I 计算。

（2）受弯电杆和主要承受弯矩的压弯电杆，如单柱电杆和拉线单柱电杆的主杆。

这类构件裂缝的出现和开展是不可避免的；刚度应按阶段 II 计算。

新规范中分别给出了长期刚度公式与短期刚度公式：

（1）长期刚度。

$$B_L = \frac{M_s}{M_L(\theta - 1) + B_s}$$

式中　M_s、M_L——按荷载短期效应组合和荷载长期效应组合计算的弯矩值；

　　　B_s——荷载短期效应组合下受弯电杆的刚度；

　　　θ——考虑荷载长期效应组合对挠度增大的影响系数。

（2）短期刚度。

1）钢筋混凝土电杆（受弯）：

$$B_s = \frac{E_s A_s h_o^2}{1.15\psi + 0.2 + 6\alpha_E\rho}$$

2）预应力混凝土电杆（受弯）：

①预应力杆（要求不出现裂缝）：

$$B_s = 0.85 E_c I_o$$

②部分预应力杆（允许出现裂缝）：

$$B_s = \frac{E_c I_o}{1.2 + \left(1 - \dfrac{M_{cr}}{M_s}\right)\left(1.2 + \dfrac{0.25}{\alpha_E\rho} - 2\right)}$$

$$M_{cr} = (\sigma_{pc} + \gamma f_{tk}) W \quad ❶$$

上三式 ψ——裂缝间纵向受拉钢筋应变不均匀系数；

α_E——钢筋与混凝土的弹性模量比；

ρ——纵向受拉钢筋配筋率；

$\rho = \dfrac{A_s}{A}$——钢筋混凝土受弯电杆；

$\rho = \dfrac{A_p + A_s}{A}$——预应力混凝土受弯电杆；

M_{cr}——预应力混凝土受弯构件正截面的开裂弯矩值；

σ_{pc}——扣除全部预应力损失后在抗裂验算边缘的混凝土预压应力。

2. 考虑荷载长期效应组合对挠度增大的影响系数 θ 可按下列规定取用

钢筋混凝土电杆（受弯）：$\rho' = 0$ 时，$\theta = 2.0$；$\rho' = \rho$ 时，$\theta = 1.6$；当 ρ' 为中间数值时，θ 按直线内插法取用，此时，ρ' 为纵向受压钢筋配筋率。

四、例题计算

【例 9-1】 设计 11000 mm 长的锥形杆，梢径 170 mm，锥度 1：75，壁厚 45 mm，标准荷载 $P = 2.0$ kN（E 级），C50 混凝土，14ϕ55 碳素高强钢丝，均匀配置于杆壁中间，请进行极限承载及其正常使用状态下抗裂验算。

解 1. 极限承载力计算

（1）查附录得。

$f_{ptk} = 1570$ N/mm²（钢筋抗拉强度标准值）；

$f_{py} = 1070$ N/mm²（钢筋抗拉强度设计值）；

$f'_{py} = 400$ N/mm²（钢筋抗压强度设计值）；

$f_{cm} = 26$ N/mm²（混凝土弯曲抗压强度设计值）；

$f_{tk} = 2.75$ N/mm²（混凝土抗拉强度标准值）；

$E_s = 2.0 \times 10^5$ N/mm²（钢丝弹性模量）；

$E_c = 3.45 \times 10^4$ N/mm²（混凝土弹性模量）；

$f'_{cu} = 0.7 \times 50 = 35$ N/mm²（混凝土脱模强度）。

---

❶ 该公式仅适用于 $0.4 \leqslant \dfrac{M_{cr}}{M_s} \leqslant 1.0$ 的情况下。

（2）几何参数计算。

埋深 1.90 m 处混凝土横截面：

$$r_2(\text{外半径}) = \frac{170}{2} + \frac{11000 - 1900}{150} = 146 \ (\text{mm})$$

$$r_1(\text{内半径}) = 146 - 45 = 101 \ (\text{mm})$$

$$A = \pi(r_2^2 - r_1^2) = 34900 \ (\text{mm}^2)$$

钢丝面积计算：

$$A_p = n \cdot \frac{\pi}{4} \cdot D^2 = \frac{\pi}{4} \times 5^2 \times 14 = 275 \ (\text{mm}^2)$$

（3）张拉控制应力计算。

$$\sigma_{con} = 0.75 f_{ptk} = 0.75 \times 1570 = 1178 \ (\text{N/mm}^2)$$

（4）预应力损失计算。

1）锚具变形及钢筋回缩引起的损失：

$$\sigma_{l1} = \frac{\alpha}{L} E_s = \frac{1}{11000} \times 2.0 \times 10^5 = 18 (\text{N/mm}^2) \quad (\text{取} \ \alpha = 1)$$

2）温差引起的损失：

$$\sigma_{l2} = 2\Delta t = 40 \ (\text{N/mm}^2)$$

3）钢筋松弛引起的损失：

$$\sigma_{l4} = \psi \left(0.36 \frac{\sigma_{con}}{f_{ptk}} - 0.18 \right) \sigma_{con}$$

$$= 0.9 \times \left(0.36 \times \frac{1178}{1570} - 0.18 \right) \times 1178 = 96 \ (\text{N/mm}^2)$$

$$\sigma_{l\,\mathrm{I}} = \sigma_{l1} + \sigma_{l3} + \sigma_{l4} = 18 + 40 + 96 = 154 \ (\text{N/mm}^2)$$

4）混凝土收缩和徐变引起的损失 σ_{l5}：

$$\alpha_E = \frac{E_s}{E_c} = \frac{2.0 \times 10^5}{3.45 \times 10^4} = 5.8$$

$$A_o = A + (\alpha_E - 1)A_p = 34900 + (5.8 - 1) \times 275 = 36220 \ (\text{mm}^2)$$

$$\sigma_{pc1} = (\sigma_{con} - \sigma_{l\,\mathrm{I}})A_p/A_o = (1178 - 154) \times 275/36220 = 7.77 \ (\text{N/mm}^2)$$

$$\frac{\sigma_{pc1}}{f'_{cu}} = \frac{7.77}{35} = 0.22 < 0.5$$

$$\rho = \frac{A_p}{2A_o} = \frac{275}{2 \times 36220} = 0.0038$$

$$\sigma_{l\,\mathrm{II}} = \sigma_{l5}$$

$$\sigma_{l5} = \frac{45 + 220 \times \dfrac{\sigma_{pc1}}{f'_{cu}}}{1 + 15\rho} = \frac{45 + 220 \times 0.22}{1 + 15 \times 0.0038} = 89 \ (\text{N/mm}^2)$$

5）总的预应力损失 σ_L：

$$\sigma_l = \sigma_{l\,\mathrm{I}} + \sigma_{l\,\mathrm{II}} = 154 + 89 = 243 \ (\text{N/mm}^2)$$

$$\sigma_{po} = \sigma_{con} - \sigma_l = 1178 - 243 = 935 \ (\text{N/mm}^2)$$

（5）抗弯正截面强度计算。

$$\alpha = \frac{f_{py}A_p}{f_{cm}A + f'_{py}A_p + 1.5(f_{py} - \sigma_{po})A_p}$$

$$\alpha = \frac{1070 \times 275}{26 \times 34900 + 400 \times 275 + 1.5(1070 - 935) \times 275}$$

$$\alpha = 0.274 < 2/3$$

$$\frac{\sin \pi \alpha}{\pi} = 0.242$$

$$\frac{\sin \pi \alpha_t}{\pi} = \frac{\sin 1.5\pi \alpha}{\pi} = 0.306$$

$$r_p = \frac{r_1 + r_2}{2} = 123.5$$

$$M = f_{cm}A \frac{(r_1 + r_2)}{2} \frac{\sin \pi \alpha}{\pi} + f'_{py}A_p r_p \frac{\sin \pi \alpha}{\pi} + (f_{py} - \sigma_{po})A_p r_D \frac{\sin 1.5\pi \alpha}{\pi}$$

$$= 26 \times 34900 \times 123.5 \times 0.242 + 400 \times 275 \times 123.5 \times 0.242$$

$$+ (1070 - 935) \times 275 \times 123.5 \times 0.306$$

$$= 3.18 \times 10^7 \quad (\text{N/mm}^2)$$

$$M_k' = \frac{M}{1.43} = 2.22 \times 10^7 (\text{N} \cdot \text{mm}) = 22.2 \ (\text{kN} \cdot \text{m})$$

标准检验弯矩 $M_k = 2.0 \times (11 - 1.9 - 0.25) = 17.7$ （kN·m）

因此 $M_k' > M_k$ 满足要求。

2. 正常使用状态的验算

（1）抗裂验算。换算截面受拉边缘的弹性抵抗矩：

$$W_o = \frac{A_o}{4r_2}(r_1^2 + r_2^2) = 1.95 \times 10^6 (\text{mm}^2)$$

$$\sigma_{sc} = \frac{M_k}{W_o} = \frac{1.77 \times 10^7 \ \text{N/mm}^2}{1.95 \times 10^6 \ \text{N/mm}^2} = 9.08 \ (\text{N/mm}^2)$$

$$\sigma_{pc} = (\sigma_{con} - \sigma_L)A_p/A_o = (1178 - 243)275/36220 = 7.1 \ (\text{N/mm}^2)$$

$$\gamma = 2 - 0.4 \times \frac{r_1}{r_2} = 2 - 0.4 \times \frac{101}{146} = 1.72$$

$$\sigma_{sc} - \sigma_{pc} = 9.08 - 7.1 = 1.98$$

$$\alpha_{ct}\gamma f_{tk} = 0.5 \times 1.72 \times 2.75 = 2.37$$

因此 $\sigma_{sc} - \sigma_{pc} < \alpha_{ct}\gamma f_{tk}$ 满足要求。

（2）挠度验算。埋深处换算截面惯性矩：

$$I_o = \frac{A_o}{16}(d_2^2 + d_1^2) = \frac{3.622 \times 10^4}{16} \times (292 + 202) = 2.85 \times 10^8 (\text{mm}^4)$$

埋深处截面刚度：

$$B = 0.85E_c I_o = 0.85 \times 3.45 \times 10^4 \times 2.85 \times 10^8 = 8.36 \times 10^{12} (\text{mm}^2 \cdot \text{N})$$

代入挠度简化公式，得：

$$f = \frac{Pl_1^2}{B}(0.5l + 100) = \frac{2000 \times 8850^2}{8.36 \times 10^{12}} \times (0.5 \times 11000 + 100)$$

$$= 105 \text{ (mm)} < \frac{l_1 + l_3}{70} = 130$$

$$l_1 = 11000 - 1900 - 250 = 8850 \text{ (mm)}$$

满足要求。

【例 9-2】 $\phi190 \times 12$ 杆型壁厚 45 mm，配筋为 $12\phi12$，假设均匀配置于杆壁中间，C40 混凝土，计算其极限弯矩并进行正常使用状态下的裂缝宽度、挠度验算。

解 （1）基本参数的计算。电杆埋深处（2 m）的横截面积：

$$A = \frac{\pi}{4}(d_2^2 - d_1^2) = 39300 \text{ (mm}^2)$$

钢筋总面积：$A_s = 12 \times \frac{\pi}{4} \times 12^2 = 1357 \text{(mm}^2), r_s = \frac{r_1 + r_2}{2} = 139 \text{(mm)}$

查附录：$f_{cm} = 21.5$ N/mm²，$f_y = 310$ N/mm²。

（2）极限承载力的计算。

$$\alpha = \frac{f_y A_s}{2.5 f_y A_s + f_{cm} A} = \frac{310 \times 1357}{2.5 \times 310 \times 1357 + 21.5 \times 39300} = 0.222 < \frac{2}{3}$$

$$M = \frac{1}{\pi}\left[f_{cm} A \frac{r_1 + r_2}{2} \sin\pi\alpha + f_y A_s r_s (\sin\frac{3}{2}\pi\alpha + \sin\pi\alpha) \right]$$

$$= \frac{1}{\pi}[21.5 \times 39300 \times 139 \times \sin180 \times 0.222$$

$$+ 310 \times 1357 \times 139 \times (\sin270 \times 0.222 + \sin180 \times 0.222)]$$

$$= 52.1 \text{ (kN · m)}$$

用简化公式计算，得：

$$M = \left(1 - \frac{2.0}{A} k_g A_s\right) f_y A_s r_s = \left(1 - \frac{2.0}{39300} \times \frac{310}{210} \times 1357\right)$$

$$\times 310 \times 1357 \times 139 = 52.5 \text{ (kN · m)}$$

相对误差为 0.77%，标准检验弯矩：$M_r = \frac{M}{1.43} = 36.4$ (kN · m)。

（3）正常使用状态下验算。

1）裂缝宽度验算：

$$M_s = M_k = 36.4 \text{ (kN · m)}$$

$$\rho_{te} = \frac{A_s}{A_{te}} = \frac{1357}{2 \times 39300} = 0.069$$

$$h_o = r_2 + r_p = 301 \text{(mm)}$$

$$\sigma_{ss} = \frac{M_s}{0.87 h_o A_s} = \frac{36.4 \times 10^6}{0.87 \times 301 \times 1357} = 102 \text{ (N/mm}^2)$$

$$\psi = 1.1 - \frac{0.65 f_{tk}}{\sigma_{ss} \rho_{te}} = 1.1 - \frac{0.65 \times 2.45}{102 \times 0.069} = 0.874$$

$$W_{max} = \alpha_{cr} \psi \frac{\sigma_{ss}}{E_s}\left(2.7C + 0.1\frac{d}{\rho_{te}}\right)\gamma$$

$$= 2.1 \times 0.65 \times \frac{102}{2 \times 10^5} \times \left(2.7 \times 20 + 0.1 \times \frac{12}{0.069}\right) \times 0.7$$

$$= 0.035(\text{mm}) < 0.2(\text{mm})$$

符合要求。

2）挠度验算：

$$B_s = \frac{E_s A_s h_o^2}{1.15\psi + 0.2 + 6\alpha_E\rho}$$

已知：$\rho = \dfrac{A_s}{A} = \dfrac{1357}{39300} = 0.035，\alpha_E = 6.15$

刚度 $B_s = \dfrac{2 \times 10^5 \times 1357 \times 301^2}{1.15 \times 0.874 + 0.2 + 6 \times 6.15 \times 0.035} = 9.85 \times 10^{12}$ （N·mm²）

$P = 3500\ \text{N}，l_1 = 9750\ \text{mm}，l = 10000\ \text{mm}$，代入锥形杆挠度简化公式，得杆顶挠度：

$$f = \frac{Pl_1^2}{B_s}(0.51 + 1000) = \frac{3500 \times 9750^2}{9.85 \times 10^{12}} \times (0.5 \times 10000 + 100) = 172\ (\text{mm}) < \frac{l_1 + l_2}{32}$$

$$= 312.5\ \text{mm}$$

符合要求。

第五节　简化设计方法及公式介绍

一、极限承载力简化计算

环形钢筋混凝土电杆及环形预应力混凝土电杆的设计计算是一项既烦琐又复杂的工作。要使用好几个公式，尤其是预应力电杆；而且符号、数据、参数繁多，计算过程费时费力又极易出错。如能进行简化，无疑给产品设计人员、现场施工以及检验人员提供极大的方便，从而从繁重的工作中解脱出来。

我们经过对原有公式进行技术上分析处理，找出了一些规律，并应用现代科技手段——计算机对大量数据的回归处理分析，并绘成图表，最终得出精确度高、计算方便、灵活应用的电杆极限承载力简化计算公式。该公式为简单的线性方程式，计算十分方便，能快速进行对各种杆型及配筋在不同截面上的验算，反之，亦可根据承载力求算配筋。现将情况介绍如下。

（一）环形钢筋混凝土电杆的简化计算

1. 公式的转换

由 GBJ10—89《混凝土结构设计规范》给出的极限承载力（弯矩）的计算公式（受弯构件）：

$$\alpha = \frac{f_y A_s}{2.5 f_y A_s + f_{cm} A} \tag{9-13}$$

$$M = \frac{1}{\pi}\left[f_{cm} A \frac{(r_1 + r_2)}{2}\sin\pi\alpha + f_y A_s r_s (\sin\pi\alpha_t + \sin\pi\alpha) \right] \tag{9-14}$$

$$\alpha_t = 1 - 1.5\alpha \left(\alpha \geqslant \frac{2}{3}\ \text{时}，\alpha_t = 0 \right)$$

令 $\varphi = \dfrac{f_y A}{f_{cm} A}$（电杆的含钢特征值），则式（9-13）、式（9-14）可转换为：

$$\alpha = \frac{\varphi}{2.5\varphi + 1} \tag{9-15}$$

另外，假设钢筋均匀对称配置于杆壁中间，则 $r_s = \dfrac{r_1 + r_2}{2} = r$

$$M = \left[\left(1 + \frac{1}{\varphi}\right)\sin\pi\alpha + \sin\frac{3}{2}\pi\alpha\right]f_y A_s r_s \qquad (9-16)$$

令
$$k = \left(1 + \frac{1}{\varphi}\right)\sin\pi\alpha + \sin\frac{3}{2}\pi\alpha \qquad (9-17)$$

可以看出，在特定的电杆横截面积条件下，其极限承载力（弯矩 M）与钢筋强度、面积及钢筋所在圆半径成正比，

式（9-17）中，k 为钢筋强度、面积、电杆横截面积、混凝土强度等级等的综合函数。

2. k—A_s、M—A_s 关系曲线的绘制

因为目前生产的电杆均是系列化的定型产品，故此，可将各杆型规格、混凝土强度等级、钢筋种类及等级等技术参数代入式（9-16）、式（9-17）中，经过计算机对大量的数据处理分析，并绘制出不同情况下的 k—A_s 的函数关系曲线，经过分析处理，得出该曲线具有一定的规律。

设定混凝土强度等级如 C40、C50 等；钢筋品种如 I 级钢、II 级钢等；确定不同杆型如 $\phi500$、$\phi400$、$\phi300$、$\phi190$、$\phi170$、$\phi150$ 等，取不同的钢筋面积 A_s 进行最大弯矩处的横截面极限承载力计算，并绘制出 k—A_s 关系曲线图（如图 9-9）。

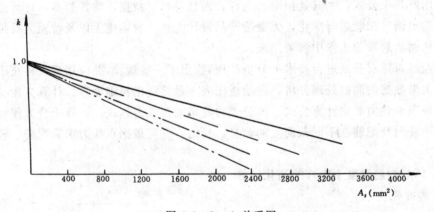

图 9-9 k—A_s 关系图

3. 简易公式的推导

从图 9-9 看出，在电杆横截面积、混凝土强度等级以及钢筋强度 f_y、半径 r_s 确定的情况下，k 与 A_s 呈现近似线性关系。根据 k—A_s 散点图回归分析，找出近似直线，从而求出直线的斜率。

在同等混凝土强度等级及钢筋强度条件下，该斜率与杆型规格有关，并服从一定的规律。经分析，最终得出环形钢筋混凝土电杆的简化公式（对各种杆型、不同截面处、不同混凝土强度等级及钢筋强度等级均适用）。

不同混凝土强度等级、不同钢筋强度可用 k_c、k_g 系数来修正。

因此，可以得出如下的简化计算公式：

$$M = \left(1 - \frac{2.0}{A} k_g k_c A_s\right) f_y A_s \textbf{❶} r_s \tag{9-18}$$

式中 k_g——钢筋强度等级变化系数；当采用 I 级光圆钢筋时，$k_g = 1$；当采用 II 级螺纹钢

时，$k_g = \frac{310}{210} = 1.48$，其他类推；

k_c——混凝土强度等级变化系数；当采用 C40 混凝土时，$f_{cm} = 21.5$，$k_c = 1.0$；当采

用 C50 混凝土时，$f_{cm} = 26$，$k_c = \frac{21.5}{26} = 0.827$，其他类推。

致于对不同壁厚的电杆，因其横截面积 A 不同，公式已自动修正。

（二）环形预应力混凝土电杆的简化计算

1. 公式转换

根据 GBJ10—89 设计规范第 4.1.18 条，沿周边均匀配置纵向预应力钢筋的环形截面
受弯构件，其正截面极限承载力（弯矩）公式为：

$$\alpha = \frac{f_{py} A_p}{f_{cm} A + f'_{py} A_p + 1.5(f_{py} - \sigma_{po}) A_p} \tag{9-19}$$

$$M = \frac{1}{\pi}\left[f_{cm} A \frac{(r_1 + r_2)}{2} \sin\pi\alpha + f'_{py} A_p r_p \sin\pi\alpha + (f_{py} - \sigma_{pc}) A_p r_p \sin\pi\alpha_t\right]$$

同样，令

$$\phi = \frac{f_{py} A_s}{f_{cm} A}, r_p = \frac{r_1 + r_2}{2} \tag{9-20}$$

$$a = \frac{f'_{py}}{f_{py}}, b = \frac{f_{py} - \sigma_{pc}}{f_{py}}，则式（9-19）、式（9-20）可转换为：$$

$$\alpha = \frac{\phi}{(1.5b + a) + 1} \tag{9-21}$$

$$M = \frac{1}{\pi}\left[\left(a + \frac{1}{\phi}\right)\sin\pi\alpha + b\sin\frac{3}{2}\pi\alpha\right] f_{py} A_p r_p \tag{9-22}$$

令 $k = \frac{1}{\pi}\left[\left(a + \frac{1}{\phi}\right)\sin\pi\alpha + b\sin\frac{3}{2}\pi\alpha\right]$，则式（9-22）可简化为：

$$M = k f_{py} A_p r_p \tag{9-23}$$

同样道理，可绘制出不同杆型规格的 k—A_p 关系曲线（如图 9-10）。

k—A_p 在一定的 A_p 值范围内为近似直线关系。

2. 技术参数

混凝土 C40：$f_{cm} = 21.5$ N/mm³，$E_0 = 3.25 \times 10^4$ N/mm²；

混凝土 C50：$f_{cm} = 26$ N/mm²，$E_0 = 3.45 \times 10^4$ N/mm²。

冷拔低碳钢丝甲级 I 组（$\phi^b 5.0$）（$\phi^b 5.0$ 以上按 $\phi^b 5.0$ 强度取值）：

$f_{ptk} = 650$ N/mm²，$f_{py} = 430$ N/mm²，$f'_{py} = 400$ N/mm²，$E_s = 2.0 \times 10^5$ N/mm²。

冷拔低碳钢丝甲级 II 组（$\phi^b 5.0$）（$\phi^b 5.0$ 以上按 $\phi^b 5.0$ 强度取值）：

$f_{ptk} = 600$ N/mm²，$f_{py} = 400$ N/mm²，$f'_{py} = 400$ N/mm²，$E_s = 2.0 \times 10^5$ N/mm²。

碳素钢丝（$\phi^b 5.0$）：

$f_{ptk} = 1570$ N/mm²，$f_{py} = 1070$ N/mm²，$f'_{py} = 400$ N/mm²，$E_s = 2.0 \times 10^5$ N/mm²。

---

❶ A_s 最大取值控制在最大配筋率之内，能保证较高的计算精度（约 1%）。

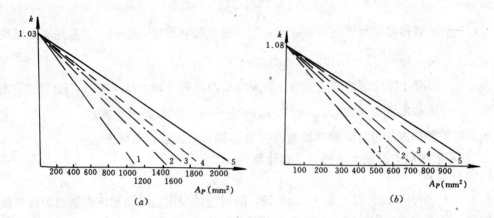

图 9-10　不同杆型的 $k-A_p$ 关系曲线

(a) 冷拔低碳钢丝；(b) 碳素钢丝

$1-\phi400\times6000\times50$，C40；$2-\phi300\times6000\times50$，C50；$3-\phi300\times6000\times50$，C40；
$4-\phi190\times12\times40$，C40；$5-\phi150\times10\times40$，C40

3. 生产工艺

采用超张拉工艺,张拉控制应力为 $0.7f_{ptk}$。混凝土脱模强度必须达到设计强度的 70%。预应力损失考虑张拉锚具变形、温差、预应力松弛、混凝土收缩徐变等引起的预应力损失。

4. 简易公式的推导

由绘制成的 $k-A_p$ 关系曲线,可求出不同杆型规格的直线斜率,该斜率同样服从一定的规律,最终可得出以下的简化公式:

(1) 冷拔低碳钢丝（甲级Ⅰ组）。

$$M = \left(1.03 - \frac{7.44}{A} \times k_c A_p\right) f_{py} A_{py} r_p \tag{9-24}$$

(2) 冷拔低碳钢丝（甲级Ⅱ级）。

$$M = \left(1.03 - \frac{6.79}{A} \times k_c A_p\right) f_{py} A_{py} r_p \tag{9-25}$$

(3) 高强碳素钢钢丝。

$$M = \left(1.08 - \frac{32}{A} \times k_c A_p\right) f_{py} A_p r_p \tag{9-26}$$

式中　k_c——混凝土强度等级变化系数,C40 混凝土：$k_c = 1.0$,C50 混凝土：$k_c = 0.827$,其他类推。

对冷拔丝或高强度钢丝,强度不同时,同样可用钢筋强度系数 k_g 来修正。如设计抗拉强度为 $1000\ \text{N/mm}^2$ 的高强钢丝,$k_g = \frac{1000}{1070} = 0.935$。

以上简化公式在 A_p 值为正常配筋范围内。如控制 $\alpha \leqslant 0.50$ 时,有较好的计算精度（1%～3%）,且冷拔丝精度高于高强钢丝,当 A_p 较大时,$k-A_p$ 点逐渐偏离直线,计算精度变差。

二、挠度简化计算

锥形杆正常使用状态下的挠度验算是比较棘手的难题,究其原因在于锥形杆的锥度变化引起截面刚度变化，难以用积分公式推导。为了方便计算，通常引入假定条件后再进行计算。

1. 锥形截面刚度变化特征

任一截面的刚度 B_x（见图 9-11），因其变化的曲线近似于抛物线形，因此，引入下式抛物线方程式来近似地来达：

$$B_x = \frac{B_2}{1 + (n-1)\left(\dfrac{x}{L}\right)^2} \qquad (9\text{-}27)$$

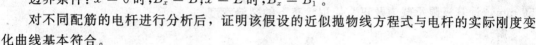

式中　$n = \dfrac{B_2}{B_1}$；

　　L——扣除埋深后的实际长度（mm）；

B_2、B_1——相应为电杆埋深处及梢端截面上的刚度（N/mm²）；

　　B_x——距埋深截面处 x 处的刚度。

图 9-11　刚度 B_x 示意图

边界条件：$x = 0$ 时，$B_x = B$；$x = L$ 时，$B_x = B_1$。

对不同配筋的电杆进行分析后，证明该假设的近似抛物线方程式与电杆的实际刚度变化曲线基本符合。

2. 锥形杆挠度公式的推导

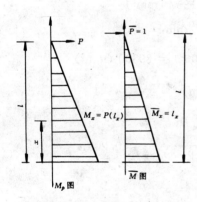

图 9-12　经过结构力学分析作出的弯矩图

根据国际要求，锥形杆采用悬臂式进行力学性能检验，即电杆受力方式统一采用集中荷载，故应用结构力学公式推导杆顶挠度公式，得其结构力学分析所作出的弯矩图如图 9-12 所示。

$$f = \int_o^l \frac{M_x \overline{M}}{B_x}\mathrm{d}x = \int_o^l \frac{P(L_1 - x)(L - x)}{B_x}\mathrm{d}x$$

$$= \int_o^{l_1} \frac{P(L_1 - x)(l - x)}{B_x}\mathrm{d}x$$

式中　M_x——集中荷载在 x 截面引起的弯矩；

　　$\overline{M}$——虚拟荷载在 x 截面引起弯矩。

最终得出

$$f = \frac{PL_1^2}{6B_2}\big[(0.2n + 1.8)L + 75n + 175\big] \quad (\mathrm{mm}) \tag{9-28}$$

上式是由 $L = L_1 + 250$，且 $L/L_1 \approx 1$ 代入公式后简化而得。

令 $k = (0.2n + 1.8)/6$，$c = (75n + 175)/6$，则锥形杆挠度公式可用如下通式表达：

$$f = \frac{PL_1^2}{B_2}(kL + c) \quad (\mathrm{mm}) \tag{9-29}$$

对不同杆型计算出的参数 n、k、c 如表 9-11 所示（壁厚为 40 mm），可见 $k \approx 0.5$，$c \approx 100$；

故直接用公式 $f = \dfrac{PL_1^2}{B_2}(0.5L + 100)$ 代替式（9-29），则更为方便（计算精度不会受到多大影响）。

3. 等径杆挠度公式的推导

由于等径杆不存在截面的变化，其截面刚度是一样的，故计算较为简单，用同样方法，可推导出等径杆的挠度公式（9-30）。

$$f = \frac{Pa\left(\dfrac{L_0^2}{4} - \dfrac{a^2}{3}\right)}{2B} \quad \text{(mm)} \quad (9-30)$$

式中　f——跨中挠度（mm）；

　　　P——集中荷载（由试验确定）（N）；

　　　L_0——跨距（mm）；

　　　a——荷载至支座中心的距离（mm）。

表 9-11　　不 同 杆 型 参 数

杆　　型	n	k	c
$\phi 190 \times 12$	6.42	0.513	109
$\phi 190 \times 11$	5.64	0.488	100
$\phi 170 \times 10$	5.95	0.50	104
$\phi 150 \times 10$	7.37	0.545	121
$\phi 150 \times 9$	6.37	0.512	109
$\phi 150 \times 8$	5.46	0.48	97

三、例题计算

【例 9-3】　$\phi 300 \times 6$ 等径杆，配筋为 $12\phi 12$（假设置于杆壁中间），C30 混凝土，壁厚为 50 mm，计算极限承载力及正常使用状态下的裂缝宽度。

解

1. 计算极限承载力

已知　　　　　　　$A_s = \dfrac{\pi}{4}d^2 \times n = \dfrac{\pi}{4} \times 12^2 \times 12 = 1357 \ (\text{mm}^2)$

查附录　　　　　　$f_{cm} = 16.5 \ \text{N/mm}^2, f_y = 210 \ \text{N/mm}^2$

环形混凝土截面积 $A = \dfrac{\pi}{4}(d_2^2 - d_1^2) = \dfrac{\pi}{4}(300^2 - 200^2) = 39300 \ (\text{mm}^2)$

钢筋所在圆半径　　　$r_s = \dfrac{300 + 200}{4} = 125 \ (\text{mm})$

方法一：代入规范公式得

$$\alpha = \frac{f_y A_s}{2.5 f_y A_s + f_{cm} A} = \frac{210 \times 1357}{2.5 \times 210 \times 1357 + 16.5 \times 39300} = 0.209$$

$\alpha_t = 1 - 1.5\alpha$

$$M = f_{cm}A(r_1 + r_2)\frac{\sin\pi\alpha}{2\pi} + f_y A_s r_s(\sin\frac{3}{2}\pi\alpha + \sin\pi\alpha)/\pi$$

$$= 16.5 \times 39300 \times \frac{(300+200)}{2} \times \frac{\sin(180 \times 0.209)}{2\pi} + 210 \times 1357 \times 125$$

$$\times [\sin(180 \times 0.209) + \sin(270 \times 0.209)]/\pi = 32.1 \times 10^6 (\text{N} \cdot \text{mm})$$

$$= 32.1 \ (\text{kN} \cdot \text{m})$$

方法二：化入简化公式得

$M = \left(1 - \dfrac{2.0}{A}A_s k_c\right)r_s A_s f_y$；因 $k_c = \dfrac{21.5}{16.5} = 1.30$，

则　　　　　　$M = \left(1 - \dfrac{2.0}{39300} \times 1357 \times 1.30\right) \times 125 \times 210 \times 1357$

$$= 32.4 \times 10^6 (\text{N} \cdot \text{mm}) = 32.4 \ (\text{kN} \cdot \text{mm})$$

相对误差：$\Delta = \dfrac{32.4 - 32.1}{32.1} = 0.9\%$。

2. 裂缝宽度的计算

短期荷载效应组合作用下电杆的弯矩：

$$M_s = M_k = \frac{M}{1.43} = \frac{33.1}{1.43} = 23.15 \quad (\text{kN} \cdot \text{m})$$

$$\rho_{te} = \frac{A_s}{A_{te}} = \frac{1357}{2 \times 39300} = 0.069$$

$$h_o = r_2 + r_p = \frac{323.3}{2} + 139 \approx 301 \quad (\text{mm})$$

$$\sigma_{ss} = \frac{M_s}{0.87 h_o A_s} = \frac{23.15 \times 10^6}{0.87 \times 301 \times 1357} = 65.1 \quad (\text{N/mm}^2)$$

$$\psi = 1.1 - \frac{0.65 f_t k}{\sigma_{ss} \rho_{te}} = 1.1 - \frac{0.65 \times 2.45}{65.1 \times 0.069} = 0.65$$

$$W_{max} = \alpha_{cr} \psi \frac{\sigma_{ss}}{E_s} (2.7C \times 20 + 0.1 \frac{d}{\rho_{te}}) \gamma = 2.1 \times 0.65 \times \frac{65.1}{2 \times 10^5}$$

$$\times (2.7 \times 20 + 0.1 \times \frac{12}{0.069}) \times 1.0 = 0.03 < 0.2 \quad (\text{mm})$$

符合要求。

【例 9-4】 将［例 9-3］中的混凝土强度等级改为 C40，其他条件不变，计算其受弯状态下的极限承载力。

解 对 C40 混凝土，查附录

$$f_{cm} = 21.5 \text{ N/mm}^2$$

代入规范公式，得 $\alpha = \dfrac{f_y A_s}{2.5 f_y A_s + f_{cm} A} = \dfrac{210 \times 1357}{2.5 \times 210 \times 1357 + 21.5 \times 39300}$

$$= 0.183 < \frac{2}{3}$$

$$M = \frac{1}{\pi} \left[f_{cm} A \frac{(r_1 + r_2)}{2} \sin \pi \alpha + f_y A_s r_s (\sin \frac{3}{2} \pi \alpha + \sin \pi \alpha) \right]$$

$$= \frac{1}{\pi} \left[21.5 \times 39300 \times 125 \times \sin 180 \times 0.183 + 210 \times 1357 \right.$$

$$\left. \times 125 \times (\sin 270 \times 0.183 + \sin 180 \times 0.183) \right] = 33.1 \quad (\text{kN} \cdot \text{m})$$

化入简化公式，得：

$$M = \left(1 - \frac{2.0}{A} \times A_s \times 1.0 \right) \times r_s A_s f_y = \left(1 - \frac{2}{39300} \times 1357 \right)$$

$$\times 125 \times 1357 \times 210 = 33.2 \quad (\text{kN} \cdot \text{m})$$

相对误差＝0.3%。

【例 9-5】 已知 $\phi 190 \times 12$ 电杆，壁厚 45 mm，配筋 $18\phi 5.0$（碳素钢丝），置于杆壁中间，C40 混凝土，张拉控制应力为 70%，分别用规范给出的公式与简化公式进行计算其受弯状态下极限承载力，并确定其应属于哪一荷载等级。

解 根据已知条件，查附录

$$f_{ptk} = 1570 \text{ N/mm}^2, f_{py} = 1070 \text{ N/mm}^2, f'_{py} = 400 \text{ N/mm}^2,$$

$$E_s = 2.0 \times 10^5 \text{ N/mm}^2, f_{cm} = 21.5 \text{ N/mm}^2, E_c = 3.25 \times 10^4 \text{ N/mm}^2 \text{。}$$

（1）计算。

基本数据计算：电杆埋深处（2.0 m）横截面积，$A = \frac{\pi}{4}(d_2^2 - d_1^2)$

其中　$d_2 = 190 + \frac{10000}{75} = 323.3$ (mm)，$d_1 = d_2 - 2 \times 45 = 233.3$ (mm)

则 $A = 3.93 \times 10^4 \ \text{mm}^2$，$r_p = \bar{r} = \frac{d_1 + d_2}{4} = 139.2$。

碳素钢丝总面积 $A_p = 18 \times \frac{\pi}{4} \times 5^2 = 3.53 \times 10^2 (\text{mm}^2)$

钢丝与混凝土的弹性模量之比 $\alpha_E = \frac{E_s}{E_c} = \frac{2.0 \times 10^5}{3.25 \times 10^4} = 6.15$

埋深处横截面换算截面积 $A_0 = A + (\alpha_E - 1) \times A_p = 4.11 \times 10^4 (\text{mm}^2)$

（2）张拉控制应力。$\sigma_{con} = 0.7 f_{ptk} = 0.7 \times 1570 = 1099$ (N/mm²)

（3）预应力损失计算。

1）锚具变形及钢筋回缩引起的损失 σ_{l1}，取 $\lambda = 1$ mm，

$$\sigma_{l1} = \frac{\lambda}{L} \times E_s = \frac{1}{12000} \times 2.0 \times 10^5 = 16.7 \text{ (N/mm}^2)$$

2）温差引起的损失 σ_{l3}；$\sigma_{l3} = 2\Delta t = 2 \times 20 = 40$ (N/mm²)。

3）钢丝松弛引起的损失：σ_{l4}；

$$\sigma_{l4} = \left(\frac{0.36 \, \sigma_{con}}{f_{ptk}} - 0.18 \right) \times \sigma_{con}$$

$$= \left(\frac{0.36 \times 1099}{1570} - 0.18 \right) \times 1099 = 79.1 \text{ (N/mm}^2)$$

第一阶段（预应力钢丝放张前）的预应力损失 $\sigma_{l\mathrm{I}}$，$\sigma_{l\mathrm{I}} = \sigma_{l1} + \sigma_{l3} + \sigma_{l4} = 16.7 + 40 + 79.1 = 135.8$ (N/mm²) > 100 N/mm²

取 $\sigma_{l\mathrm{I}} = 135.8$ (N/mm²)。

4）混凝土收缩和徐变引起的损失 σ_{l5}，由预应力产生的混凝土法向应力为：

$$\sigma_{po} = N_{po}/A_o = \frac{A_p(\sigma_{con} - \sigma_{L\mathrm{I}})}{A_o} = \frac{353 \times (1099 - 135.8)}{41100}$$

$$= 8.27 \text{ N/mm}^2 < 0.5 f'_{cu} = 14 \text{ (N/mm}^2)$$

（f'_{cu} 为混凝土脱模强度，取70%设计强度即为 28 N/mm²）

$$\rho = \frac{3.53 \times 10^2}{2 \times 4.11 \times 10^4} = 0.43\%$$

$$\sigma_{L5} = \frac{45 + 220 \times \dfrac{\sigma_{po}}{f'_{cu}}}{1 + 15\rho} = \frac{45 + 220 \times \dfrac{8.27}{28}}{1 + 15 \times 0.43\%} = 103.3 \text{ (N/mm}^2)$$

第二阶段预应力损失 $\sigma_{l\mathrm{I}} = \sigma_{l5}$

$$\sigma_L = \sigma_{L\mathrm{I}} + \sigma_{L\mathrm{I}} = 135.8 + 103.3 = 239.1 \text{ (N/mm}^2)$$

$$\sigma_{po} = \sigma_{con} - \sigma_L = 1099 - 239.1 = 860 \text{ (N/mm}^2)$$

$$\alpha = \frac{f_{py}A_p}{A_p[1.5(f_{py} - \sigma_{po}) + f'_{py}] + Af_{cm}}$$

$$= \frac{1070 \times 353}{353 \times [1.5(1070 - 860) + 400] + 39300 \times 21.5} = 0.344 < \frac{2}{3}$$

$$M = \frac{1}{\pi}\left[\left(f_{cm}A\frac{r_1+r_2}{2} + f'_{py}A_p r_p\right)\sin\pi\alpha + (f_{py}-\sigma_{po})A_p r_p\sin\frac{3\pi}{2}\alpha\right]$$ 因 $r_p = \frac{r_1+r_2}{2}$。

则
$$M = \frac{139.2}{\pi}\left[(21.5 \times 39300 + 400 \times 353)\sin(180 \times 0.344)\right.$$
$$\left. + (1070 - 860) \times 353 \times \sin(\frac{3}{2} \times 180 \times 0.344)\right]$$
$$= 41.8 \times 10^6 (\text{N} \cdot \text{mm}) = 41.8 (\text{kN} \cdot \text{m})$$

用简化公式计算，得
$$M = \left(1.08 - \frac{32}{A}A_p\right)f_{py}A_p r_p = \left(1.08 - \frac{32}{39300} \times 353\right)$$
$$\times 1070 \times 353 \times 139 = 41.6 \times 10^6 \text{ N} \cdot \text{mm}$$
$$= 41.6 \ (\text{kN} \cdot \text{m})$$

相对误差 $= \frac{41.8 - 41.6}{41.8} \times \% = 0.5\%$

$$M_{标} = M/1.43 = 29.2 \ (\text{kN} \cdot \text{m})$$

$$P_{标} = \frac{M_{标}}{9.75} = 2.99 \ (\text{kN}) \approx 3.0 \ (\text{kN})$$

因此，这电杆荷载等级属于 I 级。

【例 9-6】 对 [例 9-5] 进行抗裂验算。

解 （1）埋深处换算截面受拉边缘的弹性截面抵抗矩。

$$W_0 = \frac{A_0}{4r_2}(r_1^2 + r_2^2) = \frac{4.11 \times 10^4}{4 \times 161.7}(116.7^2 + 161.7^2) = 2.53 \times 10^6 (\text{mm}^3)$$

按荷载短期效应组合下的抗裂验算边缘的混凝土法向应力：

$$\sigma_{sc} = \frac{M_s}{W_0} = \frac{29.25}{2.53} = 11.56 \ (\text{N/mm}^2)$$

受拉区混凝土塑性影响系数 $\gamma = 2 - 0.4\frac{r_2}{r_1} = 2 - 0.4 \times \frac{166.7}{116.7} = 1.71$

混凝土拉应力限制系数 α_{ct} 取 0.5。

查附录：C40 混凝土抗拉强度标准值 $f_{tk} = 2.45 \ \text{N/mm}^2$。

则 $\alpha_{ct}\gamma f_{tk} = 0.5 \times 1.71 \times 2.45 = 2.09 \ (\text{N/mm}^2)$。

扣除全部预应力损失后在抗裂验算边缘混凝土的预压应力

$$\sigma_{pc} = (\sigma_{con} - \sigma_L)\frac{A_p}{A_o} = (1099 - 232.7) \times \frac{353}{41100} = 7.44 \ (\text{N/mm}^2)$$

$$\sigma_{sc} - \sigma_{pc} = 11.56 - 7.44 = 4.12 \ (\text{N/mm}^2) > \alpha_{ct}\gamma f_{tk}$$

故抗裂验算不合格，不能作为预应力杆，应降级处理（I 级部分预应力杆或 G 级预应力杆），但均应另行验算。

（2）作为 G 级预应力杆抗裂验算。

$$\sigma_{sc} = \frac{M_s}{W_o} = \frac{23.13}{2.53} = 9.14 \ (\text{N/mm}^2)$$

$$\sigma_{sc} - \sigma_{pc} = 9.14 - 7.44 = 1.70 < \alpha_{ct}\gamma f_{tk}$$

故抗裂验算合格。

（3）作为 I 级部分预应力杆时裂缝宽度验算。

已知 $M_s = 29.25$ kN・m，$N_{po} = (\sigma_{con} - \sigma_l)A_p = (1099 - 135.8) \times 353 = 340$ (kN)

$r_p = 139$ mm，$e_p = 139$ mm，$h_o = r_2 + r_p = 301 + 139 = 440$ (mm)

由公式：$e = \dfrac{M_s}{N_{po}} + e_p = \dfrac{29.25 \times 1000}{340} + 139 = 86 + 139 = 225$ (mm)

$$Z = \left[0.87 - 0.12 \times \left(\frac{h_o}{e}\right)^2\right]h_o = \left[0.87 - 0.12\left(\frac{301}{225}\right)^2\right] \times 301 = 197 \text{ (mm)}$$

$$\sigma_{ss} = \frac{M_s - N_{po}(Z - e_p)}{(A_p + A_s)Z} = \frac{29250 - 340(197 - 139)}{353 \times 197} = 0.137 \text{ (kN/mm}^2)$$

$$\rho_{te} = \frac{A_p}{A_{te}} = \frac{353}{0.5 \times 39300} = 0.018$$

$$\psi = 1.1 - \frac{0.65 \times 2.45}{137 \times 0.018} = 0.45$$

由裂缝宽度计算公式：

$$W_{max} = 2.1 \times 0.45 \times \frac{197}{2 \times 10^5} \times \left(54 + 0.1 \times \frac{5}{0.018}\right)$$

$$\times 1.0 = 0.076 < 0.1 \text{ (mm)}$$

符合要求。

【例 9-7】 ［例 9-5］中如果将混凝土强度等级改为 C50，进行极限承载力及挠度计算。

解 （1）极限承载力计算。

查附录：C50 混凝土，$f_{cm} = 26$ N/mm²，$E_c = 3.45 \times 10^4$ N/mm²，$f_{tk} = 2.75$ N/mm²

$$\alpha_E = \frac{E_s}{E_c} = \frac{2.0 \times 10^5}{3.25 \times 10^4} = 5.80$$

$$A_b = A + (\alpha_E - 1) \times A_p = 39300 + 4.8 \times 353 = 4.10 \times 10^4 (\text{N/mm}^2)$$

有关预应力损失基本不变，混凝土收缩和徐变引起的损失 σ_{L5}。

假设脱模强度仍为 70% 设计强度，$f'_{cu} = 35$N/mm²

$$\sigma_{e5} = \frac{45 + 220 \times \dfrac{8.27}{35}}{1 + 15 \times 0.43\%} = 91.1(\text{N/mm}^2)$$

$$\sigma_l = 135.8 + 91.1 = 226.9(\text{N/m}^2), \quad \sigma_{po} = \sigma_{con} - \sigma_L = 872 \text{ (N/mm}^2)$$

$$\alpha = \frac{1070 \times 353}{353 \times [1.5(1099 - 872) + 400] + 39300 \times 26} = 0.294 < \frac{2}{3}$$

$$M = \frac{139.2}{\pi}[(26 \times 39300 + 400 \times 353) \times \sin(180 \times 0.294)$$

$$+ (1070 - 872) \times 353 \times \sin(270 \times 0.294)]44.2 \times 10^6(\text{N・mm})$$

$$= 44.2 \text{ (kN・m)}$$

标准检验弯矩 $M_k = \dfrac{44.2}{1.43} = 30.9$ (kN・m)，仍作为 I 级（I 级时 $M_k = 29.25$ (kN・m)）。

用简化公式计算，得

$$M = (1.08 - \frac{32}{A} \times A_p \times \frac{21.5}{26}) \times f_{py} A_p r_p$$

$$= (1.08 - \frac{32}{39300} \times 353 \times \frac{21.5}{26}) \times 1070 \times 353 \times 139.2 = 44.3 \text{ (kN · m)}$$

相对误差＝0.2%

（2）挠度验算。

作为 G 级预应力杆，100%标准检验弯矩下不得出现裂缝，其荷载短期效应组合作用下的短期刚度：

$$B_s = 0.85 E_c I_o$$

其中　$I_o = \frac{\pi}{64}(d_2^4 - d_1^4) = \frac{\pi}{64}(323.3^4 - 233.3^4) = 3.91 \times 10^8 \text{ mm}^4$

$E_c = 3.45 \times 10^4 \text{ N/mm}^2$

所以，$B_s = 0.85 \times 3.45 \times 10^4 \times 3.91 \times 10^8 = 1.08 \times 10^{13} (\text{N · mm}^2)$。

已知：$P = 2500 \text{ N}, l_1 = 9750 \text{ mm}, l = 10000 \text{ mm}$ ，代入锥形杆挠度简化公式，得：

梢端挠度：$f = \frac{P l_1^2}{B_s}(0.5l + 100) = \frac{2.50 \times 9750^2}{1.08 \times 10^{13}} \times (0.5 \times 10000 + 100)$

$$= 112 \text{ (mm)} < \frac{l_1 + l_3}{70} = 143 \text{ (mm)}$$

符合要求。

第十章 外加剂的应用技术

第一节 外加剂的定义、分类

1. 定义

在混凝土（包括砂浆、净浆）拌合时或拌合前掺入的掺量不大于水泥重量的5％（特殊情况除外），并能对混凝土的正常性能按要求而改性的工业产品。

2. 分类

从主要功能上划分有五大类：

（1）改善混凝土拌合物流变性能的外加剂，如减水剂、引气剂和泵送剂等。

（2）调节混凝土凝结时间和硬化性能的外加剂，如缓凝剂、早强剂等。

（3）改善混凝土耐久性的外加剂，如引气剂、防水剂、阻锈剂等。

（4）改善混凝土其他性能的外加剂，如膨胀剂、引气剂、防冻剂等。

（5）调节混凝土含气量的外加剂，如引气剂、加气剂等。

3. 混凝土外加剂的定义

（1）减水剂（塑化剂）。在不影响混凝土工作性的条件下，能使单位用水量减少，或在不改变单位用水量的条件下，可改善混凝土的工作性；或同时具有以上两种效果，又不显著改变含气量的外加剂。

（2）高效减水剂（超塑化剂）。在不改变混凝土工作性的条件下，能大幅度地减少单位用水量，并显著地提高混凝土的强度；或不改变单位用水量的条件下，可显著地改善混凝土工作性的减水剂。

（3）早强剂。能提高混凝土的早期强度并对后期强度无显著影响的外加剂。

（4）早强减水剂。兼有早强作用的减水剂。

从化学成份分类则可分为无机盐类及有机物类；

从外观上划分可分为干粉与水剂两类；

目前，外加剂的应用已相当广泛、普及，尤其是高效减水剂、早强高效减水剂在高强混凝土中已发挥出巨大的效果，取得了很好的经济效益。下面着重介绍高效减水剂的作用原理及其试验与应用技术。

第二节 高效减水剂的作用原理

从品种上，目前常用的高效减水剂有三类：

（1）多环芳香族磺酸盐类。如 NF、FDN、WDF—5、SN—Ⅱ 等主要成份为芳香族磺酸盐甲醛缩合物，原料是煤焦油中各馏份，萘、蒽、甲基萘等，经磺化、缩合而成，其品种繁多，其中以甲基萘磺化而成的萘系减水剂占大多数。

萘系减水剂特点是：掺量少（0.2％～0.5％），减水率大（15％以上），强度提高程度大，非引气对不同品种水泥的适应性较强，一般用于配制早强、高强及流态混凝土，对蒸养有较好的适应性。

（2）磺化古马隆树脂类。

（3）水溶性树脂（密胺树脂）类。全称为磺化三聚氰胺甲醛树脂（简称密胺减水剂），如我国产的 SM 剂，它是将三聚氰胺与甲醛反应制成三羟甲基三聚氰胺，然后用亚硫酸氢钠磺化，反应生成以三聚氰胺、甲醛、树脂磺酸盐为主要成分的一类减水剂。

特点是掺量少（0.2％～0.5％），减水率大（10％～24％），强度提高幅度大，适宜于配制早强、高强及流态混凝土，尤其是蒸养适应性好。属阴离子系、早强、非引气型高效减水剂。

高效减水剂大多为阴离子型表面活性剂，由于水泥颗粒具有较大的比表面积（可达 300 m^2/kg 以上），因此具有很大的吸附能。而高效减水剂在水泥颗粒表面上吸附，使水泥颗粒具有较强的分散作用，其分散作用的本质是：高效减水剂被水泥颗粒吸附，使水泥颗粒表面形成一层溶剂化单分子膜，在一段时间内起着阻碍或破坏水泥颗粒间凝聚的作用。但水泥中不同矿物成份对高效减水剂的吸附能力是不同的，各种矿物在水泥水化初期的吸附能力的顺序为：

$$C_3A > C_4AF > C_3S > C_2S$$

高效减水剂被水泥颗粒的吸附是在其溶解于水中并分解成带电荷的阴离子和普通金属阳离子后进行的，由于水泥颗粒在水化初期其表面带正电荷，因此大分子的阴离子被水泥颗粒吸附，并在水泥颗粒表面形成一层溶剂化的单分子膜，使水泥颗粒间的凝聚作用减弱，颗粒间摩擦阻力减小，因而使水泥颗粒分散，水泥浆体的流动性得到改善。

图 10-1　水泥浆的絮凝结构

从实践情况来看，水泥颗粒由于比表面积较大，遇水情况下由于水泥颗粒间分子凝聚力的作用会产生"絮凝"现象，这种"絮凝"现象使一部分拌合水（游离水）包裹在水泥颗粒之间，从而降低混凝土拌合物的流动性。而高效减水剂的作用正是使水泥颗粒产生吸附作用，使水泥颗粒表面带有相同的电荷，在电性斥力作用下，使水泥颗粒之间产生互相排斥作用而分开，打破了"絮凝"状态，释放出游离水，从而使混凝土拌合物在相同和易性条件下可使单位用水量大大减少。或在不增加用水量情况下增加流动性。因此，具有较大的减水效果（如图 10-1 所示）。

第三节　掺　加　方　法

关于高效减水剂的掺加方法有多种，各种掺加方法对混凝土的性能的影响又有所不同，常用的有以下几种：

（1）先掺法。减水剂干粉先与水泥混合，然后加入骨料与水一起搅拌。如图 10-2 所示。

优点：使用方便，省去减水剂的溶解工序和设施。

缺点：当减水剂中有粗粒子时，在拌合物中不易分散，影响混凝土质量。

图 10-2　减水剂的先掺工艺

注意事项：含有粗颗粒或受潮结块的减水剂，需经处理后方可使用；搅拌时间要适当延长并保证搅拌均匀。

（2）同掺法。预先将减水剂溶解配制成一定浓度的溶液，然后在混凝土搅拌时同水一起加入。当减水剂浓溶液加入拌合水中使用时，搅拌时间可以与未掺减水剂时一样。当减水剂浓溶液与拌合水分开但同时加入混凝土拌合物中使用时，应适当延长搅拌时间。

在低温状态下若高效减水剂溶解有困难时，可将水加热到 40～70℃，使用前一定要搅拌均匀，避免浓度不匀或因低温时减水剂析出沉淀而造成掺量不准。

优点：与先掺法相比，容易搅拌均匀，计量及自动控制比较方便。

缺点：增加了减水剂溶解、储存等工序，减水剂中的不溶物及溶解度较小的物质在存放过程中，容易发生沉淀，造成掺量不准。

注意事项：使用前要拌匀，复核浓度。

（3）后掺法（包括滞水法和分批掺加法）。混凝土拌好后，经过一定的时间才将减水剂加入到混凝土拌合物中。

优点：克服拌合物在运输途中分层离析和坍落度损失，塑化效果也较好，又可减少减水剂用量和水泥用量，提高减水剂的使用效果。

缺点：需二次搅拌。

注意事项：第一次搅拌至加减水剂后进行二次搅拌的间隔时间不能太长，以不超过 45 min 为宜，气温高，间隔时间更应短些，加减水剂后进行二次搅拌的时间要足够，以确保拌合物均匀。

在生产中具体采用何种掺加方法，视生产中的工艺要求、设备情况及生产条件而定。

第四节　高效减水剂的应用目的及注意事项

1. 应用目的

应用高效减水剂及其复合型的早强高效减水剂，其目的是对混凝土进行改性，如改善和易性、提高强度（早强、后期增强）等，达到以下效果：

（1）在同等水灰比条件下，显著提高混凝土的和易性，施工方便。

（2）在同等和易性条件下，显著减少单位体积的混凝土用水量，从而达到降低水灰比，提高混凝土强度的目的。

（3）减小水灰比，改善混凝土内部孔结构，使混凝土结构更加致密，降低孔隙率使之具有良好的耐久性能。

（4）在电杆生产中起到早强、后期增强作用，同等养护条件下可提早脱模，或同等强度下缩短蒸养时间。

（5）配制高强混凝土。

2．注意事项

(1)尽量采用强制式搅拌机，加强搅拌，适当延长搅拌时间，使混凝土拌合物更加均匀。

(2)用水量应严格控制。

（3）加强高效减水剂的计量，使掺量准确。

（4）加强电杆的早期养护，拆模后定时洒水，保持潮湿状态，以利于混凝土后期的强度增长（尤其在夏季施工时更应注意）。

（5）高效减水剂应注意存放，要保持干燥，防止受潮，不同品种不能混杂、替代使用。

（6）注意气温的变化，对水泥及混凝土凝结时间的影响。

（7）水泥品种的适应性影响。

（8）蒸养温度的影响。

总之，任何一种外加剂，在使用之前，均应结合本厂的工艺条件、原材料情况，经过试验验证后，方可使用。严禁掺入带引气成分的外加剂，否则混凝土会出现起鼓、胀裂、酥松等质量事故。严禁掺入氯盐成分的外加剂；在夏季高温季节可掺入具有缓凝作用的高效减水剂，能调节水泥的凝结时间，满足生产操作要求。

第五节　外加剂品种的选择

由于外加剂品种繁多，功能效果各异，选择外加剂时，应根据生产需要，原材料情况以及生产条件、工艺要求等因素全面考虑，并经实验论证后有选择地使用，见表10-1。

表 10-1　　　　　　　　各种外加剂的参考表

使用场合	应用外加剂的目的	适宜的外加剂
高强混凝土	1. 减少单位体积混凝土的用水量，提高混凝土的强度 2. 减少单位体积混凝土的水泥用量 减少混凝土的徐变收缩 3. 改善混凝土的和易性，易于施工成型 4. 以标号不太高的水泥代替高标号水泥。配制高强混凝土	高效减水剂： β——萘磺酸甲醛缩合物 三聚氰胺甲醛树脂磺酸盐等
早强混凝土	1. 提高混凝土早期强度 2. 缩短蒸汽养护时间 3. 加快钢模的周转速度	1. 气温在25℃以上的夏、秋季节宜选用非引气型的高效减水剂 2. 气温在−3～+20℃左右的冬春季节宜选用早强（高效）减水剂，或硫酸钠复合早强（高效）减水剂
蒸养混凝土	1. 缩短蒸养时间或降低蒸养温度 2. 节省水泥用量 3. 提高脱模强度，加快钢模周转 4. 改善施工条件，提高电杆质量	1. 复合型早强减水剂 2. 高效减水剂

早强减水剂及高效减水剂性能指标应符合表10-2的要求。

表 10-2　早强减水剂及高效减水剂性能指标[*]

性能指标 / 试验项目		早强减水剂		高效减水剂	
		合 格 品	一 等 品	合 格 品	一 等 品
减水率（%）		≥5	≥8	≥10	≥12
泌水率比（%）		≤100	≤95	≤95	≤90
含气量（%）		≤4.0	≤3.0	≤4.0	≤3.0
凝结时间（min）	初凝	−60～+120	−60～+90	−60～+90	−60～+120
	终凝	−90～+90	−90～+90	−90～+120	−90～+120
抗压强度（%）	1 d	≥130	≥140	≥130	≥140
	3 d	≥120	≥130	≥120	≥130
	7 d	≥115	≥110	≥115	≥125
	28 d	≥105	≥100	≥110	≥120
收缩率比（%）28 d		≤135		≤135	
钢筋锈蚀		应说明对钢筋有无锈蚀危害			

*　参照标准 GB8076—97《混凝土外加剂》。

170

附　录

附录一　砂和石的常规检验

一、取样与缩分

1. 取样

砂、石的取样按同产地、同规格分批进行，在料堆上取样时，取样部位应均匀分布。取样前先将取样部位表面铲除，然后由各部位抽取大致相等的砂8份，石子15份，组成一组样品。

每组样品的取样数量，对每个单项试验，应不少于附表1-1、附表1-2所规定的最少取样量。须作几项试验时，如能确保样品经一项试验后不致影响另一项试验的结果，也可用同一组样品进行几项不同的试验。

附表 1-1　　　　　　　　　　单项砂试验的最少取样量　　　　　　　　　　　kg

项　　目	筛分析	表观密度	含水率	紧密密度和堆积密度	含泥量	泥块含量	有机质含量	轻物质含量
最少取样量	4.4	2.6	1.0	5.0	4.4	10.0	2.0	3.2

2. 缩分

砂试样缩分可用分料器或人工四分法进行，四分法缩分步骤为：将所取每组样品置于平板上，在潮湿状态下拌合均匀，并堆成厚度约为20 mm的"圆饼"。然后沿互相垂直的两条直径把"圆饼"分成大致相等的四份，取其对角的两份按上述方法继续筛分，直至筛分后的样品数量略多于进行试验所需的量为止。

石子缩分是将每组样品置于平板上，在自然状态下拌合均匀，并堆成锥体，然后沿相互垂直的两条直径把锥体分成大致相等的

附表 1-2　　单项石子试验的最少取样量　　kg

项　　目	最大粒径（mm）				
	10	16	20	25	31.5
筛　分　析	10	15	20	20	30
表观密度	8	8	8	8	12
含水率	2	2	2	2	3
堆积密度、紧密密度	8	8	16	16	16
含泥量	40	40	40	40	80
泥块含量	8	8	24	24	40
针、片状含量	2	4	8	8	20
硫化物、硫酸盐	1.0				

四份，取对角的两份按上述方法继续缩分至进行试验所需要的量为止。

石子、砂的堆积密度和紧密密度及含水率检验所用的试样可不经缩分，在拌匀后直接进行试验。

二、砂的检验

（一）筛分析试验

1. 主要仪器、设备

（1）天平。称量1 kg，感量1 g。

（2）摇筛机。电动振动筛，振幅 0.5 ± 0.1 mm，频率为 50 ± 3 Hz。

（3）标准筛。孔径为 0.08、0.16、0.315、0.63、1.25（mm）的方孔筛和孔径为 2.5、5.0、10.0 mm 的圆孔筛，以及底盘和盖各一个，筛框为 300 mm 或 200 mm，质量符合 GB6003《试验筛》的要求。

（4）烘箱。温度控制在 105 ± 5℃。

（5）浅盘和硬、软毛刷等。

2. 试样制备

试验前先将试样通过 10 mm 筛，并算出筛余百分率（若试样含泥量超过 5%，则应先用水洗，然后烘干至恒重，再进行筛分）。称取每份不少于 550 g 的试样两份，分别倒入两个浅盘中，在 105 ± 5℃ 的温度下烘干到恒重❶，冷却至室温备用。

3. 试验步骤

（1）准确称取烘干试样 500 g。

（2）将孔径为 5.00、2.50、1.25、0.630、0.135、0.160（mm）的筛子按筛孔大小顺序（大孔在上，小孔在下）叠置（若试样为特细砂，应增加 0.080 mm 方孔筛一只），加底盘后，将试样倒入最上层 5.00 mm 筛内，加盖后，置于摇筛机上摇筛约 10 min（如无摇筛机，可改用手筛）。

（3）将整套筛自摇筛机上取下，按孔径从大至小，逐个用手于洁净浅盘上进行筛分，直至每分钟的筛出量不超过试样总量的 0.1% 时为止，通过的砂粒并入下一个筛，并和下一个筛中试样一起过筛，按这样的顺序进行，直至每个筛全部筛完为止。各号筛的筛余量，在生产控制检验时不得超过下式的量：

$$m_r = \frac{A\sqrt{d}}{200}$$

式中　m_r——在一个筛上的剩余量（g）；

d——筛孔尺寸（mm）；

A——筛的面积（mm²）。

否则应将该筛余试样分成两份，再次进行筛分，并以其筛余时之和作为该筛余量。

（4）称量各筛筛余试样质量（精确至 1 g），所有各筛的分计筛余量和底盘中剩余量的总和与筛分前的试样总量相比，其相差不得超过 1%。

4. 结果计算

（1）分计筛余百分率。各号筛上的筛余量除以试样总质量的百分率（精确至 0.1%）。

（2）累计筛余百分率。该号筛上分计筛余百分率与大于该号筛的各号筛上分计筛余百分率的总和（精确至 1%）。

（3）根据累计筛余百分率绘制筛分曲线，并评定该试样的颗粒级配分布情况。

（4）按下式计算砂的细度模数 μ_f（精确至 0.01）。

$$\mu_f = \frac{(\beta_2 + \beta_3 + \beta_4 + \beta_5 + \beta_6) - \beta A_1}{100 - \beta_1} \tag{附 1-1}$$

---

❶ 恒重系指相邻两次称量间隔时间不大于 3 h 的情况下，前后两称量之差小于该项数试验所要求的称量精度（下同）。

式中，β_1，β_2，…，β_6 分别为 5.00，2.50，…，0.160（mm）各筛上的累计筛余百分率。

（5）筛分析试验应采用两个试样平行试验，并以其试验结果的算术平均值作为测定值（精确至 0.1）。如两次试验所得的细度模数之差大于 0.20 时，应重新取样进行试验。

（二）砂的表观密度测定（标准方法）

1. 主要仪器设备

（1）天平。称量 1000 g，感量 1 g。

（2）容量瓶。500 ml，温度计。

（3）烘箱、干燥器、烧杯（500 ml）、浅盘、温度计、铝制料勺等。

2. 试样制备

用四分法缩取试样约 650 g，置于温度为 105±5℃的烘箱中烘干至恒重，并在干燥器中冷却至室温。

3. 测定步骤

（1）称取烘干试样 300 g（m_0），装入盛有半瓶冷开水的容量瓶中，摇转容量瓶，使试样充分搅动以排除气泡，塞紧瓶塞。

（2）静置 24 h 后，打开瓶塞，然后用滴管添水，使水面与瓶颈刻度线平齐。塞紧瓶塞，擦干瓶外水分，称其质量（m_1）。

（3）倒出瓶中的水和试样，将瓶内外清洗干净，再注入与上项水温相差不超过 2℃的冷开水至瓶颈刻度线，塞紧瓶塞，擦干瓶外水分，称其质量（m_2）。试验应在 15～25℃的温度范围内进行。从试样加水静置的最后 2 h 起至试验结束，其温度相差不应超过 2℃。

4. 结果计算

试样的表观密度 ρ_0 按下式计算（精确至 10 kg/m³）：

$$\rho_0 = \left(\frac{m_0}{m_0 + m_2 - m_1} - \alpha_t\right) \times 1000 \ (\text{kg/m}^3) \tag{附1-2}$$

式中 α_t——考虑称量时水温对表观密度影响的修正系数，可按附表 1-3 查取。

附表 1-3　　　　　　　　　不同水温下对砂的表观密度修正系数

水温（℃）	15	16	17	18	19	20	21	22	23	24	25
α_t	0.002	0.003	0.003	0.004	0.004	0.005	0.005	0.006	0.006	0.007	0.008

表观密度应以两次平行试验结果的算术平均值作为测定值，如两次结果之差大于 20 kg/m³ 时，应重新取样试验。

（三）砂的表观密度测定（简易方法）

1. 主要仪器、设备

（1）天平。称量 100 g，感量 0.1 g。

（2）李氏瓶。容量 250 ml。

（3）其他设备参照表观密度的标准测定方法。

2. 试样制备

将样品在潮湿状态下用四分法缩分至 120 g 左右，在 105±5℃烘箱中烘干至恒重，并在干燥器中冷却至室温，分成大致相等的两份备用。

3. 测定步骤❶

(1) 向李氏瓶中注入冷开水至一定刻度处，擦干瓶颈内部附着水，记下水的体积 (V_1)。

(2) 称取烘干试样 50 g (m_0)，徐徐装入盛水的李氏瓶中。

(3) 试样全部入瓶中后，用瓶内的水将粘附在瓶颈和瓶壁的试样注入水中，摇转李氏瓶以排除气泡，静置约 24 h 后，记录瓶中水面升高后的体积 (V_2)。

4. 结果计算

表观密度 ρ_0 按下式计算（精确至 10 kg/m³）：

$$\rho_0 = \left(\frac{m_0}{V_2 - V_1} - \alpha_t \right) \times 1000 \; (\text{kg/m}^3) \qquad (\text{附 1-3})$$

以两次试验结果的算术平均值作为测定值，如两次结果之差大于 20 kg/m³ 时，应重新取样进行试验。

（四）堆积密度、紧密密度和空隙率测定

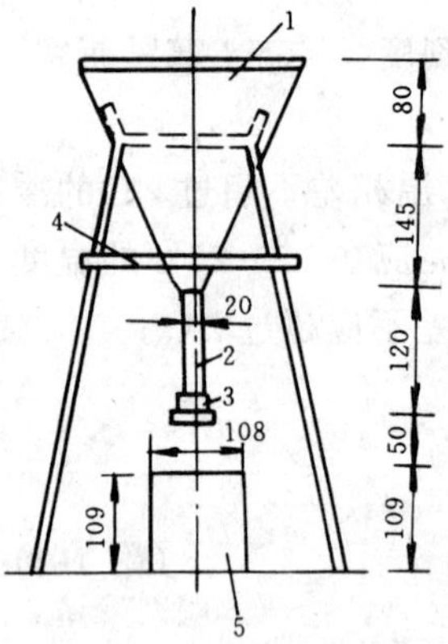

1. 主要仪器设备

(1) 台称。称量 5 kg，感量 5 g。

(2) 容量筒。金属制圆柱形筒，容积约为 1 L，内径 108 mm，净高 109 mm，筒壁厚 2 mm，筒底厚为 5 mm。

(3) 烘箱、漏斗（见附图 1-1）或铝制料勺、直尺、浅盘等。

附图 1-1　标准漏斗

（单位：mm）

1—漏斗；2—φ20 mm 管子；3—活动门；4—筛；5—金属量筒

容量筒应先校正其容积。以温度为 20±2℃ 的饮用水装满容量筒，用玻璃板沿筒口滑行，使其紧贴水面，不能夹有气泡，擦干筒外壁水分，然后称重。用下式计算筒的容积：

$$V = m'_2 - m'_1 \qquad (\text{附 1-4})$$

式中　V——容量筒容积（L）；

m'_1——容量筒和玻璃板质量（kg）；

m'_2——容量筒、玻璃板和水总质量（kg）。

2. 试样制备

用四分法缩取试样约 3 L，置于温度为 105±5℃ 的烘箱中烘干至恒重，取出并冷却至室温，用 5 mm 孔径的筛子过筛，分成大致相等的两份备用。试样烘干后如有结块，应在试验前先予以捏碎。

3. 测定步骤

(1) 称容量筒质量 m_1（kg）。

(2) 堆积密度。取试样一份，用漏斗或铝制料勺将试样从容量筒上方（不超过 50 mm）处均匀倒入容量筒，让试样以自由落体落下，装满后，使容量筒口上部成锥体，然后用直尺垂直于筒中心线，沿容器上口边缘向两边刮平，称取试样和容量筒总质量 m_2（kg）。

紧密密度：取试样一份，分二层装入容量筒。装完一层后，在筒底垫放一根直径为 10

---

❶ 在砂的表观密度试验过程中应测量并控制水的温度，允许在 15～25℃ 的温度范围内进行体积测定，但两次体积测定（指 V_1 和 V_2）的温差不得大于 2℃，从试样加水静置的最后 2 h 起，直至记录完瓶中水面高度时止，其温度相差不应超过 2℃。

mm 的钢筋，将筒按住，左右交替颠整地面各 25 下，然后再装第二层；第二层装满后用同样方法颠实（但筒底所垫钢筋的方向应与第一层放置方向垂直）。二层装完并颠实后，加料直至试样超出容量筒筒口，然后用直尺将多余的试样沿筒口中心线向两个相反方向刮平，称其质量 m_2。

4. 结果计算

（1）试样的堆积密度 ρ'_0 和紧密密度 ρ' 按下式计算（精确至 10 kg/m³）。

$$\rho'_0 \rho' = \frac{m_2 - m_1}{V} \times 1000 \ (\text{kg/m}^3) \tag{附 1-5}$$

式中　V——容量筒容积（L）。

（2）空隙率 ρ'（ρ''）按下式计算（精确至 1%）。

$$\rho' = \left(1 - \frac{\rho'_0}{\rho_0}\right) \times 100\%$$

$$\rho'' = \left(1 - \frac{\rho'_0}{\rho_0}\right) \times 100\%$$

式中　ρ'、ρ''——分别为堆积与紧密状态下砂的空隙率；

　　　　ρ_0——砂的表观密度。

以两次试验结果的算术平均值作为测定值。

（五）含水率测定（标准方法）

1. 主要仪器设备

（1）天平。称量 2 kg，感量 2 g。

（2）烘箱、干燥器、浅盘等。

2. 测定步骤

（1）按规定取样，用四分法缩取试样，分成两份，每份约 500 g，分别放入已知质量的干燥容器（m_1）中称量，记下每盘试样与容器的质量（m_2），将容器连同试样放入温度为 105 ±5℃的烘箱中烘干至恒重，取出置干燥器中冷却至室温。

（2）称量烘干后的试样与容器的质量（m_3）。

3. 结果计算

试样的含水率 ω_{wc} 应按下式计算（精确至 0.1%）：

$$\omega_{wc} = \frac{m_2 - m_3}{m_3 - m_1} \times 100\% \tag{附 1-6}$$

以两次试验结果的算术平均值作为测定值。

（六）砂的含水率快速测定法

适用范围：快速测定砂的含水率，对含泥量过大及有机杂质含量较多的砂不宜采用。

1. 主要仪器设备

（1）电炉。

（2）天平。称量 1 kg，感量 1 g。

（3）炒盘、小铲。

2. 试验步骤

（1）称取砂样约 500 g（m_1）置于干净的炒盘中。

（2）置炒盘于电炉上，用小铲不断地翻拌试样，到试样表面全部干燥后，切断电源，再继续翻拌 1 min，冷却后（以免损坏天平），称试样质量（m_2）。

3. 试验结果计算

砂的含水率 ω_{wc} 按下式计算（精确至 0.1%）：

$$\omega_{wc} = \frac{m_1 - m_2}{m_2} \times 100\%$$

以两次试验结果的算术平均值作为测定值。

（七）含泥量试验（标准方法）

1. 仪器设备

（1）天平。称量 1 kg，感量 1 g。

（2）筛。孔径为 0.080 mm 及 1.25 mm 各 1 个。

（3）烘箱、洗砂用的容器及烘干用的浅盘等。

2. 试样制备

将样品在潮湿状态下用四分法缩分至约 1100 g 置于烘箱中 105±5℃下烘干至恒重，冷却至室温后，立即称取各为 400 g（m_0）的试样两份备用。

3. 试验步骤

（1）取试样一份置于容器中，并注入饮用水，使水面高出砂面 150 mm，充分拌混均匀后，浸泡 2 h。然后用手在水中淘洗试样，使尘屑、淤泥和粘土与砂粒分离，并使之悬浮或溶于水中。缓缓地将浑浊液倒入 1.25 mm 及 0.080 mm 的套筛（1.25 mm 筛放置上面）上，滤去小于 0.080 mm 的颗粒。试验前筛子的两面应先用水润湿，在整个试验过程中应注意避免砂粒丢失。

（2）再次加水于容器中，重复上述过程，直到筒内洗出的水清澈为止。

（3）用水冲洗剩留在筛上的细粒。并将 0.080 mm 筛放在水中（使水面略高出筛中砂粒的上表面）来回摇动，以充分洗除小于 0.080 mm 的颗粒。然后将两只筛上剩留的颗粒和容器中已经洗净的试样一并装入浅盘，置于温度为 105±5℃ 的烘箱中烘干至恒重。取出来冷却至室温后，称试样的质量（m_1）。

4. 结果计算

砂的含泥量 ω_c 应按下式计算（精确至 0.1%）：

$$\omega_c = \frac{m_0 - m_1}{m_0} \times 100\% \tag{附 1-7}$$

式中　m_0——试验前的烘干试样质量（g）；

　　　m_1——试验后的烘干试样质量（g）。

以两个试样试验结果的算术平均值作为测定值。两次结果的差值超过 0.5% 时，应重新取样进行试验。

（八）泥块含量试验

1. 仪器设备

（1）天平。称量 2000 g，感量 2 g。

（2）烘箱。温度控制在 105±5℃。

(3) 试验筛。孔径为 0.630 mm 及 1.25 mm 各一个。

(4) 洗砂用的容器及烘干用的浅盘等。

2. 试样制备

将样品在潮湿状态下用四分法缩分至约 3000 g，置于烘箱中，在 105±5℃下烘干至恒重，冷却至室温后，用 1.25 mm 筛筛分称取筛上的砂 400 g 分为两份备用。

3. 试验步骤

(1) 称取试样 200 g（m_1）置于容器中，并注入饮用水，使水面高出砂面约 150 mm。充分拌混均匀后，浸泡 24 h，然后用手在水中压碎泥块，再把试样放在 0.630 mm 筛上，用水淘洗，直至水清澈为止。

(2) 保留下来的试样应从筛里取出，装入浅盘后，置于温度为 105±5℃烘箱中烘干至恒重，冷却后称量（m_2）。

4. 结果计算

砂的泥块含量 ω 应按下式计算（精确至 0.1%）：

$$\omega = \frac{m_1 - m_2}{m_1} \times 100\%$$ (附 1-8)

式中　ω——泥块含量（%）；

　　m_1——试验前的干燥试样质量（g）；

　　m_2——试验后的干燥试样质量（g）。

取两次试样试验结果的算术平均值作为测定值。两次结果的差值超过 0.4% 时，应重新取样进行试验。

三、碎石或卵石的试验

（一）筛分析试验

1. 主要仪器设备

(1) 台称。称量 10 kg，感量 10 g。

(2) 天平。称量 1 kg，感量 1 g。

(3) 套筛。孔径为 40.0、31.5、25.0、20.0、16.0、10.0、5.0 和 2.50（mm）圆孔筛，以及筛的底盘和盖各一只，其规格和质量应符合 GB6003—85《试验筛》的规定（筛框内径均为 300 mm）。

(4) 烘箱、容器、浅盘等。

(5) 摇筛机：电动振动筛，振幅 0.5±0.1 mm，频率 50±3 Hz。

2. 试样制备

按规定取样，用四分法将样品缩分至略多于附表 1-4 所规定的试样数量，取两份试样放在 105±5℃烘箱中烘干至恒重或风干后备用（缩取所余试样留作表观密度、堆积密度测定之用）。

3. 试验步骤

(1) 按附表 1-4 规定称取试样。

附表 1-4　　　筛分所需试样的最少用量

最大公称粒径（mm）	10.0	16.0	20.0	25.0	31.5
试样用量不少于（kg）	2.0	3.2	4.0	5.0	6.3

（2）将试样按筛孔大小顺序逐个过筛，用摇筛机筛分，套筛摇 10 min，取下套筛（或用手筛）。当每号筛上筛余层的厚度大于试样的最大粒径值时，应将该号筛上的筛余颗粒分成两份，再次进行筛分。直至各筛每分钟通过量不超过试样总量的 0.1% 为止。通过的颗粒并入下一号筛中，并和下一号筛中的试样一起过筛，这样顺序进行，直到各号筛全部筛完为止（当筛余颗粒的粒径大于 20.0 mm 时，在筛分过程中允许用手指拨动颗粒）。

（3）称取各筛筛余的重量，精确至试样总重量的 0.1%。在筛上的所有分计筛余量和筛底剩余的总和与筛分前测定的试样的总量相比，其相差不得超过 1%，如超过 1%，则须重新试验。

4. 结果计算

（1）计算分计筛余百分率和累计筛余百分率（计算方法同砂的筛分析），分别精确至 0.1% 和 1.0%。

（2）取两次试验测定值和算术平均值作为试验结果。根据各筛的累计筛余百分率，评定该试样的颗粒级配。

（二）表观密度测定（简易方法）

此法不宜用于最大粒径超过 40 mm 的碎石或卵石。

1. 主要仪器设备

（1）天平。称量 5 kg，感量 5 g。

（2）广口瓶。容积 1000 ml，磨口，并带玻璃片。

（3）筛（孔径 5 mm）、烘箱、毛巾、刷子等。

2. 试样制备

将来样筛去 5 mm 以下的颗粒，用四分法缩分至附表 1-5 规定的数量，称取两份备用。

附表 1-5　　表观密度试验所需的试样最少用量

最大粒径（mm）	10.0	16.0	20.0	25.0	31.5
试样最少用量（kg）	2	2	2	3	3

3. 测定步骤

（1）淘洗试样去除表面尘土等杂质。

（2）将试样浸水饱和（20±2℃水中浸泡 24 h），然后装入广口瓶中。装试样时广口瓶应倾斜放置，注满饮用水，玻璃片覆盖瓶口，以上下左右摇晃的方法排除气泡。

（3）气泡排尽后，再向瓶中注入饮用水至水面凸出瓶口边缘，然后用玻璃片沿瓶口迅速滑行，使其紧贴瓶口水面。擦干瓶外水分后，称取试样、水、瓶和玻璃片总质量（m_1）。

（4）将瓶中试样倒入浅盘中，置于 105±5℃ 的烘箱中烘干至恒重。然后取出放在带盖的容器中冷却至室温后称量（m_0）。

（5）将瓶洗净，重新注入饮用水，用玻璃板紧贴瓶口水面，擦干瓶外水分后称量（m_2）。

试验时称各项重量可以在 15～25℃ 温度范围内进行，但从试样加水静置的最后 2 h 起直至实验结束，其温度相差不应超过 2℃。

4. 结果计算

试样的表观密度 ρ_0 按下式计算（精确至 10 kg/m³）：

$$\rho_0 = \left(\frac{m_0}{m_0 + m_2 - m_1} - \alpha_t \right) \times 1000 \ (kg/m^3)$$

（附 1-9）

式中 α_t——水温对表观密度影响的修正系数，见附表1-3；

m_0——试样烘干后的质量（g）。

以两次试验结果的算术平均值作为测定值，两次结果之差应小于 20 kg/m³，否则应重新取样试验。

（三）堆积密度和空隙率测定

1. 主要仪器设备

（1）磅称。称量 50 kg，感量 50 g。

（2）容量筒。金属制，规格见附表1-6，容量筒应先校正其容积，以温度为 20±2℃的饮用水装满量筒，用玻璃板沿筒口滑移使其紧贴水面，擦干筒外壁水份后称重，用下式计

附表 1-6　　　　　　　　　　容量筒的规格要求及取样数量

碎石或卵石的最大粒径（mm）	容量筒容积（L）	容量筒规格		筒壁厚度（mm）	取样数量（kg）
		内径	净高		
10.0, 16.0, 20.0, 25.0	10	208	294	2	40
31.5, 40.0	20	294	294	3	80

注　测定紧密度时，对最大半径为 31.5、40 mm 的集料，可采用 10 L 的容量筒。

算筒的容积（V）：

$$V = m'_2 - m'_1 \qquad\qquad (附 1\text{-}10)$$

式中 m'_1——容量筒和玻璃板重量（kg）；

m'_2——容量筒、玻璃板和水总重（kg）。

（3）烘箱、取样铲等。

2. 试样制备

按规定取样，用四分法缩取试样不少于附表1-6规定的数量，放于浅盘中，在 105±5℃的烘箱中烘干至恒重，也可以摊在清洁的地面上风干，拌匀后分成两份备用。

3. 测定步骤

（1）称容量筒质量 m_1（kg）。

（2）取试样一份，置于平整干净的地板（或铁板）上，用取样铲将试样从容量筒上方 50 mm 处均匀倒入，让试样以自由落体落下，装满后，使容量筒上部试样成锥体，然后用直尺垂直于筒中心线，沿容器上口边缘向两边刮平，称取试样和容量筒总质量（m_2）。

4. 结果计算

（1）堆积密度 ρ'_0 按下式计算（精确至 10 kg/m³）。

$$\rho'_0 = \frac{m_2 - m_1}{V} \times 1000 \ (\text{kg/m}^3) \qquad\qquad (附 1\text{-}11)$$

以两次试验结果的算术平均值作为测定值。

（2）空隙率。

$$\rho' = \left(1 - \frac{\rho'_0}{\rho_0}\right) \times 100\%$$

式中 ρ_0——表观密度。

（四）含水率测定

1. 主要仪器设备

（1）天平。称量 5 kg，感量 5 g。

（2）烘箱、浅盘等。

2. 测试步骤

（1）按附表 1-7 规定的数量称取试样，分成两份备用。

附表 1-7　碎石或卵石含水率测定的最少取样数量

最大公称粒径（mm）	10.0	16.0	20.0	25.0	31.5
试样用量不少于（kg）	2	2	2	2	3

（2）将一份试样装入干净的容器中，称取试样和容器的总质量（m_1），并在 $105\pm5℃$ 的烘箱中烘干至恒重。

（3）取出试样，冷却后称取试样与容器的总质量（m_2）。

3. 结果计算

试样的含水率 $\omega_含$ 按下式计算（精确至 0.1%）：

$$\omega_含 = \frac{m_1 - m_2}{m_2 - m_3} \times 100（\%）\tag{附 1-12}$$

式中　m_1——烘干前试样与容器总质量（g）；

m_2——烘干后试样与容器总质量（g）；

m_3——容器质量（g）。

以两次试验结果的算术平均值作为测定值。

（五）含泥量试验

1. 仪器设备

（1）台秤。称量 10 kg，感量 10 g。对最大粒径小于 15 mm 的碎石或卵石应用称量为 5 kg，感量为 5 g 的天平。

（2）试验筛：孔径为 1.25 m 或 0.080 mm 筛各一个。

（3）容器：容积约 10 L 的瓷盘或金属盒盘。

（4）烘箱、浅盘。

2. 试样制备

按规定取样，试验前，将来样用四分法缩分至附表 1-8 所规定的量（注意防止细粉丢失）。取两份试样放在 $105\pm5℃$ 的烘箱内烘干至恒重，冷却至室温后分成两份备用。

3. 试验步骤

（1）称取一份试样（m_0）装入冲洗容器中摊平，并注入饮用水，使水面高出石子表面 150 mm，充分搅拌后，浸泡 2 h，用手在

附表 1-8　含泥量试验所需的试样最小重量

最大粒径（mm）	10.0	16.0	20.0	25.0	31.5
试样量不少于（kg）	2	2	6	6	10

水中淘洗试样约 1 min。缓缓地将浑浊液倒入 1.25 mm 及 0.080 mm 的套筛（1.25 mm 筛放置上面）上，滤去小于 0.080 mm 的颗粒。试验前筛子的两面应先用水湿润。在整个试验过程中应注意避免大于 0.080 mm 的颗粒丢失。

（2）再次加水于容器中，重复上述过程，直至洗出的水清澈为止。

（3）用水冲洗留在筛上的细粒，并将 0.080 mm 筛放在水中（使水面略高出筛内颗粒）

来回摇动，以充分洗掉小于 0.080 mm 的颗粒。然后，将两只筛上剩留的颗粒和容器已洗净的试样一并装入浅盘，置于烘箱中，在 105±5℃ 下烘干至恒重，取出冷却至室温后，称量（m_1）。

4. 结果计算

含泥量 ω_c 应按下式计算（精确 0.1%）：

$$\omega_c = \frac{m_0 - m_1}{m_0} \times 100(\%)$$

式中　m_0——试验前烘干试样的量（g）；

　　　m_1——试验后烘干试样的量（g）。

以两次试验结果的算术平均值作为测定值。如两次结果的差值超过 0.2%，应重新取样进行试验。

（六）粘土块含量试验

1. 仪器设备

(1) 台秤。称量 20 kg，感量 20 g；称量 10 kg，感量 10 g。

(2) 天平。称量 5 kg，感量 5 g。

(3) 试验筛。孔径 2.50 mm 及 5.00 mm 筛各一个。

(4) 洗石用水筒及烘干用浅盘等。

2. 试样制备

按规定取样，试验前，将样品用四分法缩分至略大于附表 1-8 所示的量，缩分时应注意防止所含粘土块被压碎。缩分后的试样在 105±5℃ 烘箱内烘干至恒重，冷却至室温后分成两份备用。

3. 试验步骤

(1) 筛去 5 mm 以下颗粒，称量（m_1）。

(2) 将试样在容器中摊平，加入饮用水使水面高出试样表面，浸水 24 h 后，把水放出，用手压碎粘土块，然后把试样放在 2.5 mm 筛上摇动淘洗，直至洗出的水清澈为止。

(3) 将筛上的试样小心地从筛中取出，在烘箱中 105±5℃ 下烘干至恒重。取出冷却至室温后称量（m_2）。

4. 结果计算

泥块含量 ω 应按下式计算（精确至 0.1%）：

$$\omega = \frac{m_1 - m_2}{m_1} \times 100\%$$

式中　m_1——5.0 mm 筛筛余量（g）；

　　　m_2——试验后烘干试样的量（g）。

将以上两个试样试验结果的算术平均值作为测定值，如两次结果的差值超过 0.2%，应重新取样进行试验。

附录二　混凝土的坍落度试验

本方法适用于骨料最大粒径不大于 40 mm、坍落度值不小于 10 mm 的混凝土拌合物稠度测定。

一、坍落度试验所用设备应符合的规定

（1）坍落度筒是由薄钢板或其他金属制成的圆台形筒（见附图 2-1）。其内壁应光滑、无凹凸部位。底面和顶面应互相平行并与锥体的轴线垂直。在坍落度筒外三分之二高度处安两个手把，下端应焊脚踏板。筒的内部尺寸为：

底部直径：200 ± 2 mm

顶部直径：100 ± 2 mm

高　　度：300 ± 2 mm

筒壁厚度：不小于 1.5 mm

（2）捣棒是直径 16 mm、长 600 mm 的钢棒，端部应磨圆。

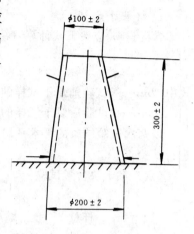

附图 2-1　坍落度筒

二、坍落度试验步骤

（1）湿润坍落度筒及其他用具，并把筒放在不吸水的刚性水平底板上，然后用脚踩住两边的脚踏板，使坍落度筒在装料时保持位置固定。

（2）把按要求取得的混凝土试样用小铲分三层均匀地装入筒内，使捣实后每层高度为筒高的 1/3 左右。每层用捣棒插捣 25 次。插捣时应沿螺旋方向由外向中心进行，每次插捣应在截面上均匀分布。插捣筒边混凝土时，捣棒可以稍稍倾斜。插捣底层时，捣棒应贯穿整个深度，插捣第二层和顶层时，捣棒应插透本层至下一层的表面。

浇灌顶层时，混凝土应灌到高出筒口。插捣过程中，如混凝土沉落到低于筒口，则应随时添加。顶层插捣完后，刮去多余的混凝土，并用抹刀抹平。

（3）清除筒边底板上的混凝土后，垂直平稳地提起坍落度筒。坍落度筒的提离过程应在 5～10 s 内完成。

从开始装料到提起坍落度筒的整个过程应不间断地进行，并应在 150 s 内完成。

（4）提起坍落度筒后，测量筒度与坍落后混凝土试体最高点之间的高度差，即为该混凝土拌合物的坍落度值。

坍落度筒提起后，如混凝土发生崩塌或一边剪坏现象，则应重新取样另行测定。如第二次试验仍出现上述现象，则表示该混凝土和易性不好，应予记录备查。

（5）观察坍落后的混凝土试体的粘聚性及保水性。粘聚性的检查方法是用捣棒在已坍落的混凝土锥体侧面轻轻敲打。此时，如果锥体逐渐下沉，则表示粘聚性良好。如果锥体倒坍、部分崩坍或出现离析现象，则表示粘聚性不好。

保水性以混凝土拌合物中稀浆析出的程度来评定，坍落度筒提起后如有较多的稀浆从底部析出，锥体部分的混凝土也因失浆而骨料外露，则表明此混凝土拌合物的保水性能不好。如坍落度筒提起后无稀浆或仅有少量稀浆自底部析出，则表示此混凝土拌合物保水性良好。

混凝土拌合物坍落度以毫米为单位，结果表达精确至 5 mm。

附录三 混凝土的抗压强度试验

（一）试验条件

1. 试件尺寸

试件可为离心环形试件，亦可为立方体试件，①立方体试件尺寸应根据混凝土中骨料最大粒径按附表 3-1 选定；②离心环形试件尺寸为 $\phi300\times85\times70.7$（外径×宽度×厚度）；③离心环形试件专用压具尺寸为 70.7×70.7 mm²。

2. 试验机

精度误差≥±2%，量程 1000 kN 或 2000 kN，使试件预期破坏荷载值不小于全量程的 20%，也不大于全量程的 80%，如测定 C40、C50 混凝土，对 100×100 试件应选择 1000 kN 量程，对 150×150×150 试件应选择 2000 kN 量程。

附表 3-1　　　立方体试件尺寸的选定依据

试件尺寸（mm）	骨料最大粒径（mm）	试件尺寸换算系数
100×100×100	30	0.95
150×150×150	40	1.00
200×200×200	60	1.05

（二）试验步骤

（1）将试件擦拭干净，测量尺寸，并检查外观。试件尺寸测量精确至 1 mm，并据此计算试件承压面积。如实测尺寸与公称尺寸之差不超过 1 mm，按公称尺寸进行计算。

试件承压面的不平度应为：100 mm 不超过 0.05 mm，承压面与相邻面的不垂直度不应超过±1°。

离心环形试件，应在压力机上分割成三块。

（2）将试件安放在试验机下压板上，立方体试件的承压面应与成型时的顶面垂直。试件的中心应与试验机下压板中心对准（对环形试块还应与专用压具中心线对正）。开动试验机，当压板与试件接近时，调整球座，使接触均衡。

混凝土试件的试验应连续而均匀地加荷，加荷速度为：0.3～0.5 MPa/s（<C30 混凝土），0.5～0.8 MPa/s（≥C30 混凝土），当试件接近破坏而开始迅速变形时，停止调整试验机油门，直到试件破坏，然后记录破坏荷载。

（三）结果计算

混凝土立方体试件抗压强度按下式计算：

$$f_{cc} = K \frac{P}{A}$$

式中　f_{cc}——混凝土立方体试体抗压强度（N/mm²）；

$\quad\quad$ P——破坏荷载（N）；

$\quad\quad$ A——试件承压面积（mm²）；

$\quad\quad$ K——试件尺寸换算系数，按附表 3-1 取值，对于离心试块，取 0.90。

混凝土立方体试件抗压强度计算应精确至 0.1 N/mm²，以三个试件测值的算术平均值作为该组试件的抗压强度值。三个测值中的最大值或最小值，如有一个与中间值的差值超过中间值的 15%，取中间值作为该组试件的抗压强度值。如有两个测值与中间值的差均超过 15%时，则该组试件的试验结果无效。

附录四　钢筋的拉伸及冷弯试验

（一）主要仪器、设备

（1）万能材料试验机（精确度±1%）。

（2）游标卡尺（精确度±0.02 mm）。

（3）打点机。

（二）取样

从每批同一截面尺寸的钢筋中任取四根，于每根钢筋距端部 500 mm 处截取一定长度的钢筋作试样，两根作拉伸试验，两根作冷弯试验。

（三）试验步骤

1. 拉伸试验

（1）根据钢筋直径 d_0 确定试件的标距长度。原始标距 $l_0 = 5d_0$，如钢筋长度比原始标距长许多，可以标出相互重叠的几组原始标距。

（2）在钢筋的纵肋上标出标距端点，并沿标距长度以 d_0 或 5.10 mm 作分格标志。

（3）试验机测力盘指针调零，并使主、副指针重叠。

（4）将试件固定在试验机夹头内，开动机器进行拉伸。拉伸速度：屈服前，应力增加速度为 10 MPa/s；屈服后，试验机活动夹头在荷载下的移动速度应不大于 $0.5\,l_c/\mathrm{min}$（l_c 为两夹头之间的距离）。

（5）拉伸中，测力盘指针停止转动时的恒定荷载，或第一次回转时的最小荷载，即为屈服点荷载 P_s（N）。按下式可求得试件的屈服点：

$$\sigma_s = \frac{P_s}{F_o} \tag{附 4-1}$$

式中　σ_s——屈服点（MPa）；

　　　P_s——屈服点荷载（N）；

　　　F_o——试件（钢筋）公称横截面（mm²）。

σ_s 应计算至 1 MPa，小数点后数字按四舍五入法处理。

（6）测得屈服荷载后，连续加荷直至试件拉断，由测力盘读出最大荷载 P_b（N）。按下式可求得试件的抗拉强度。

$$\sigma_b = \frac{P_b}{F_o} \tag{附 4-2}$$

式中　σ_b——抗拉强度（MPa）；

　　　P_b——最大荷载（N）；

　　　F_o——试件（钢筋）公称横截面（mm²）。

σ_b 计算精度同 σ_s。

（7）伸长率测定。

1）将已拉断的试件在断裂处对齐紧密对接，尽量使其轴线位于一条直线上。如拉断处由于各种原因形成缝隙，则此缝隙应计入试件拉断后的标距部分长度内。

2）如拉断处到邻近标距端点的距离大于 $(1/3) l_0$ 时，可用卡尺直接测出已被拉长的标距长度 l_2（mm）。

3）如拉断处到邻近标距端点小于或等于 $(1/3) l_0$ 时，可按下述移拉法来确定 l_1。

在长段上从拉处 O 取基本等于短段格数，得 B 点，接着取等于长段所余格数（偶数见附图 4-1（a）之半，得 C 点；或者取所余格数（奇数见附图 4-1（b）），减 1 与加 1 之半，得 C 与 C_1 点。移位后的 l_1 分别为 $AO+OB+2BC$ 或者 $AO+OB+BC+BC_1$。

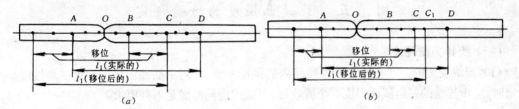

附图 4-1　用移位法计算标距

4）如用直接测量所求得的伸长率能达到标准规定值，则可不采用移位法。

5）伸长度按下式计算：

$$\delta = \frac{l_1 - l_0}{l_0} \times 100\%　\qquad（附 4-3）$$

式中　δ——伸长率%，精确至 1%；

　　　l_0——原始标距长度（mm）；

　　　l_1——试件拉断后直接测量或由移位法确定的标距部分的长度（mm）精确至 0.1

　　　　　mm。如试件在标距点上或标距外断裂，则试验结果无效，应重作试验。

2. 冷弯试验

检查钢筋弯曲变形性能，并显示其缺陷。

（1）试件长度 $L \approx 5d_0 + 150$ mm，d_0 为钢筋的公称直径（mm）。

（2）选择弯心直径和弯曲角度（见建筑钢材章节）。

（3）调节两支持辊间的距离，使其等于 $d + 2.1d_0$。

（4）按附图 4-2（a）放置试件，然后平稳地施加压力，钢筋挠着弯心，弯曲到规定的弯曲角。如附图 4-2（b）、图 4-2（c）所示。

检查试件弯曲处的外面及侧面，如无裂缝、断裂或起层，即可判为冷弯试验合格。

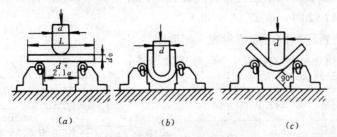

附图 4-2　钢筋冷弯试验装置

（a）装好的试件；（b）弯曲 180°；（c）弯曲 90°

（四）结果评定

在拉伸试验的两根试件中，如果其中一根试件的屈服点、抗拉强度和伸长率三个指标有一个指标达不到钢筋标准中的规定数值，应再抽取双倍（四根）钢筋重作试验，如仍有一根试件指标达不到标准规定数值，则拉伸试验项目判为不合格。

在冷弯试验中，如有一根试件不符合标准要求，应同样抽取双倍钢筋重作试验，如仍有一根不符合标准要求，冷弯试验项目判为不合格。

附录五 混凝土强度的检验评定

（一）统计方法评定

（1）当混凝土的生产条件在较长时间内能保持一致，且同一品种混凝土强度变异性能保持稳定时，应由连续的三组试件组成一个验收批，其强度应同时满足下列要求：

$$mf_{cu} \geqslant f_{cu \cdot k} + 0.7\sigma_0; f_{cu \cdot min} \geqslant f_{cu \cdot k} - 0.7\sigma_o$$

且

$$f_{cu \cdot min} \geqslant 0.9 f_{cu \cdot k}(C20 以上)$$

式中　mf_{cu}——同一验收批混凝土立方体抗压强度的平均值（N/mm²）；

　　　$f_{cu \cdot k}$——混凝土立方体抗压强度标准值（N/mm²）；

　　　σ_o——验收批混凝土立方体抗压强度的标准差（N/mm²）；

　　　$f_{cu \cdot min}$——同一验收批混凝土立方体抗压强度的最小值（N/mm²）。

σ_o 根据前一个检验期内同一品种混凝土试件的强度数据，按下式确定：

$$\sigma_o = \frac{0.59}{m} \sum_{i=1}^{m} \Delta f_{cu \cdot i}$$

式中　$\Delta f_{cu \cdot i}$——第 i 批立方体试件抗压强度中最大值与最小值之差。

m 为前一个检验期不超过三个月同一品种混凝土强度数据的总批数（$\geqslant 15$）。

（2）当混凝土的生产条件在较长时间内不能保持一致，且混凝土强度变异性能不能保持稳定时，或在前一个检验期内的同一品种混凝土没有足够的数据用以确定验收该批混凝土立方体抗压强度的标准差时，应由不少于 10 组的试件组成一个验收批，其强度应同时满足下列要求：

$$mf_{cu} - \lambda_1 sf_{cu} \geqslant 0.9 f_{cu \cdot k}$$

$$f_{cu \cdot min} \geqslant \lambda_2 f_{cu \cdot k}$$

式中　sf_{cu}——同一验收批混凝土立方体抗压强度的标准差（N/mm²），当 sf_{cu} 的计算值小于 $0.06 f_{cu \cdot k}$ 时，取 $sf_{cu} = 0.06 f_{cu \cdot k}$；

　　　λ_1、λ_2——合格判定系数，可按附表 5-1 取用。

混凝土立方体抗压强度的标准差 sf_{cu} 按下式计算：

附表 5-1　合格判定系数

试件组数	10～14	15～24	≥25
λ_1	1.70	1.65	1.60
λ_2	0.90	0.85	

$$sf_{cu} = \sqrt{\frac{\sum_{i=1}^{n} f_{cu \cdot i}^2 - nm^2 f_{cu}}{n-1}}$$

式中　$f_{cu \cdot i}$——第 i 组混凝土试件的立方体抗压强度值（N/mm²）；

n——一个验收批混凝土试件的组数。

（二）非统计方法评定

按非统计方法评定混凝土强度时，其所保留强度应同时满足下列要求：

$$mf_{cu} \geqslant 1.15f_{cu \cdot k}$$

$$f_{cu \cdot min} \geqslant 0.95f_{cu \cdot k}$$

（三）混凝土强度的合格性判断❶

当检验结果满足以上规定时，则该批混凝土强度判为合格，否则为不合格。

由不合格混凝土制成的构件，应进行鉴定。对不合格的构件必须及时处理。

由于离心混凝土强度与标准试块强度之间存在着不可比关系，两者无论成型、养护、试块尺寸均不相同，评定时，引入一些系数，如试块尺寸效应系数、离心强度提高系数等等。

根据电杆标准规定：离心试块为 $\phi300$ mm×85 mm×70.7 mm 的环形试块，分割为 70.7 mm×70.7 mm×70.7 mm 的三个试块，作离心混凝土强度检验评定。计算公式为：

$$f_{cu \cdot o} = 0.90P/A$$

由于离心混凝土试块与混凝土电杆的养护工艺、成型工艺相同，比较接近实际，在许多厂家中均采用。也可用立方试块，但在评定混凝土强度时必须有立方试块与离心试块强度对比系数，工厂提供对本厂适宜的离心混凝土强度提高系数以便修正。

GBJ107—87 标准规定：标准试块尺寸为 15 cm×15 cm×15cm，10 cm×10 cm×10 cm 和 20 cm×20 cm×20 cm 试块分别乘以系数 0.95 和 1.05。

（四）混凝土电杆厂混凝土生产水平评价（GBJ107—87 标准）

混凝土的生产质量水平，可根据统计周期（1 个月）内混凝土强度标准差和试件强度不低于要求强度等级的百分率按下表划分。

计算公式：

$$\sigma = \sqrt{\frac{\sum_{i=1}^{N} f_{cu \cdot i}^2 - N\mu^2 f_{cu}}{N - 1}}$$

$$P = \frac{N_o}{N} \times 100\%$$

附表 5-2　混凝土生产质量水平（≥C20）

生产质量水平评定指标	优良	一般	差
混凝土强度标准差 (N/mm²)	≤3.5	≤5.0	>5.0
强度不低于要求强度等级的百分率 P（%）	≥95	>85	≤85

注　统计周期可取一个月。

式中　$f_{cu \cdot i}$——统计周期内第 i 组混凝土试件的立方体抗压强度值（N/mm²）；

μf_{cu}——统计周期内 N 组混凝土试件立方体强度的平均值（N/mm²）；

N——统计周期内相同强度等级的混凝土试件组数（$N \geqslant 25$）；

---

❶ 对于按 TJ10—74 设计的构件，以 GBJ107—87 标准来评定混凝土质量时，则必须把混凝土强度换算为混凝土强度等级，再进行评定。混凝土强度等级用符号 C 表示，换算关系为：

$$强度等级 = \frac{标号}{10} - 2 （如 400 号混凝土用 C38 表示）$$

N_O——统计周期内试件强度不低于要求强度等级的组数。

附录六　工厂试验室设备配备要求

为了保证产品质量，加强各关键工艺工序的质量控制，电杆厂必须配备一整套必要的检测仪器设备及其手段，建立健全试验室，能独立地对原材料进行进厂的质量把关，以及成品出厂的质量把关。

一、试验室应能进行以下几个检测项目

（一）原材料的进厂检验

（1）砂、石的质量检验。

（2）钢材的质量检验。

（3）水泥，如不具备条件，必须有质保书，必要时可委托试验。

（二）半成品的质量检验

（1）混凝土试块的制作及强度、坍落度检验。

（2）冷拔丝的机械性能检验。

（三）电杆成品的质量检验

（1）外观质量检验。

（2）力学性能检验。

二、试验室仪器设备配备（见附表 6-1）

附表 6-1　　　　　　　　　　　试验室仪器设备配备

材料名称	试验项目	仪器设备名称	规格型号	量　　　程	精确度	生产厂家	备　　注
水 泥	水泥胶砂 抗压强度 抗折强度	液压试验机	YE—300	0～300kN	±1%		
		抗折试验机	DKZ—2500				
		标准养护室		温度 20±3℃ 湿度≥90%			
		三联试模	40×40×160				数套
	胶砂成型	磁砂振动台	JZT—85A				
		胶砂搅拌机	ST195				
	净浆稠度 试验	净浆搅拌机	SJ130				
		水泥稠度仪					附试锥、锥模
		电动跳桌					
	凝结时间	凝结时间测定仪					附试件、圆模 （同水泥稠度 仪）
	安定性	雷氏夹					数个
		沸煮箱					1 个
	细度、 比表面积	标准筛					
		维勃比表面仪					
	烧失量、 化学成份	烘箱		105±5℃ 恒温			
		天平		0～1000g	10mg		

材料名称	试验项目	仪器设备名称	规格型号	量　程	精确度	生产厂家	备　注
砂、石	砂、石筛分析等	砂子标准筛					1套
		石子标准筛					1套
		磅称		100（50）kg			1台
		台称		5kg	5g		
		普通天平		1kg	1g		
		烘箱	105±5℃				
		普通天平		2kg	2g		
		金属筒		1～2L			
		容量瓶、烧杯		500ml			
钢筋	强度、伸长率、弯曲	万能试验机	WE—600（100）	0～60 kN 0～100 kN	±1%		
混凝土	坍落度	坍落度筒					附一只捣棒
	强度	液压试验机（万能试验机）	YE—2000（1000）	0～2000 kN 0～1000 kN	±1%		
		离心环形试模	φ300×85×70.7				附抗压夹具一件
		立方试模	10×10、15×15				数套
电杆	外观质量及几何尺寸偏差	钢卷尺		0～20m 0～3m	±1mm		
		钢直尺		0～150mm 0～300mm	±0.5mm		
		深度游标卡尺		0～125mm	±0.02mm		1只
		角尺	90°		±1′		1件
	力学性能	电杆力学试验数量仪		荷载 0～20kN 0～200kN 挠度 0～1400mm			1台
		读数显微镜		0～6mm	±0.01mm		1只
		百分表		0～10mm	±0.01mm		2只

附　　表

附表1　钢筋的计算截面面积及公称质量

附表1

直径 d (mm)	不同根数钢筋的计算截面面积（mm²）														单根钢筋公称质量（kg/m）
	6	8	10	12	14	16	18	20	22	24	26	28	30	32	
3	42.4	56.5	70.7	84.8	99.0	113.1	127.2	141.4	155.5	169.6	183.8	197.9	212.1	226.2	0.055
4	75.4	100.5	125.7	120.8	175.9	201.1	226.2	251.3	276.5	301.6	326.7	351.9	377.0	402.1	0.099
5	117.8	157.1	196.3	235.6	274.9	314.2	353.4	392.7	432.0	471.2	510.5	549.8	589.0	628.3	0.154
5.5	142.5	190.1	237.6	285.1	332.6	380.1	427.6	475.2	522.7	570.2	617.7	665.2	712.7	760.3	0.185
6.0	169.6	226.2	282.7	339.3	395.8	452.4	508.9	565.5	622.0	678.6	735.1	791.7	848.2	904.8	0.222
6.5	199	265	332	398	465	531	597	664	730	796	863	929	995	1062	0.260
8	302	402	503	603	704	804	905	1005	1106	1206	1307	1407	1508	1608	0.395
8.2	317	422	528	634	739	845	951	1056	1162	1267	1373	1479	1584	1690	0.432
10	471	628	785	942	1100	1257	1414	1571	1728	1885	2042	2199	2356	2513	0.617
12	679	905	1131	1357	1583	1810	2036	2262	2488	2714	2941	3167			0.888
14	924	1232	1539	1847	2155	2463	2771	3079	3387	3695					1.21
16	1206	1608	2011	2413	2815	3217	3619	4021							1.58
18	1527	2036	2545	3054	3563	4072									2.00
20	1885	2513	3142	3770	4398	5027									2.47
22	2281	3041	3801	4562	5322	6082									2.98

注　表中直径 $d=8.2$ mm 的计算截面面积及公称质量仅适用于有纵肋的热处理钢筋。

附表2　混凝土强度及弹性模量取值

附表2　　　　　　　　　　　　　　　　　　　　　　　　　　　　　　　　　N/mm²

强度种类		符号	混凝土等级							
			C25	C30	C35	C40	C45	C50	C55	C60
强度标准值	轴心抗压	f_{ck}	17	20	23.5	27	29.5	32	34	36
	弯曲抗压	f_{cmk}	18.5	22	26	29.5	32.5	35	37.5	39.5
	抗　拉	f_{tk}	1.75	2.0	2.25	2.45	2.6	2.75	2.85	2.95
强度设计值	轴心抗压	f_c	12.5	15	17.5	19.5	21.5	23.5	25	26.5
	弯曲抗压	f_{cm}	13.5	16.5	19	21.5	23.5	26	27.5	29
	抗　拉	f_t	1.3	1.5	1.65	1.8	1.9	2.0	2.1	2.2
	弹性模量（×10⁴）	E_o	2.80	3.00	3.15	3.25	3.35	3.45	3.55	3.6

附表3 钢筋的弹性模量

钢 筋 种 类	E_s	钢 筋 种 类	E_s
Ⅰ级、冷拉Ⅰ级钢筋	2.1×10^5	冷拉Ⅱ、Ⅲ、Ⅳ钢筋及刻痕钢丝、钢绞线	1.8×10^5
Ⅱ、Ⅲ、Ⅳ级钢筋、热处理钢筋 碳素钢丝、低碳冷拔钢丝	2.0×10^5		

附表4　钢筋强度取值

钢筋种类、等级符号			强度标准值 f_{yk}或f_{ptk}, f_{psk}	受拉强度设计值 f_y 或 f_{py}	受压强度设计值 f'_y 或 f'_{py}	备 注
	Ⅰ级		235	210	210	A_s、AY_s
Ⅱ级	$d \leqslant 25$		335	310	310	20MnSi、20MnNb
	$d = 28-40$		315	290	290	
Ⅲ级			370	340	340	25MnSi
Ⅳ级			540	500	400	40Si₂MnV 45Si₂MnV 45Si₂MnTi
冷 拉	Ⅰ		280	250	210	
	Ⅱ		450	380	310	
	Ⅱ		430	360	290	
	Ⅲ		500	420	340	单 控
	Ⅳ		700	580	400	单 控
热 处 理 钢 筋			1470	1000	400	40Si₂Mn ($d=6$) 45Si₂Cr ($d=10$) 48Si₂Mn ($d=8.2$)
碳 素 钢 丝	$\phi4$		1670	1130	400	
	$\phi5$		1570	1070	400	
刻痕钢丝	$\phi5$		1470	1000	360	
钢 绞 线	$d=9.0$		1670	1130	360	$7\phi3.0$
	$d=12.0$		1570	1070	360	$7\phi4.0$
	$d=15.0$		1470	1000	360	$7\phi5.0$
冷拔低碳钢丝	甲级		Ⅰ组 / Ⅱ组 / Ⅰ组 / Ⅱ组			
		$\phi4$	700 / 650 / 460 / 430		400	
		$\phi5$	650 / 650 / 430 / 400			
	乙级	$\phi3-5$	550	320 / 250	320 / 250	焊接骨架和焊接网 绑扎骨架和绑扎网

注　1. 钢筋混凝土结构中，轴心受拉、小偏心受拉构件的钢筋抗拉强度设计值如大于310N/mm²，仍按310N/mm²取用，其他构件的受拉钢筋设计强度如大于340N/m²，取340N/mm²。

　　2. 直径大于12mm 的Ⅰ级钢筋，如经冷拉，不得利用冷拉后强度。

附表5 普通杆钢筋面积与标准检验弯矩值对照表

（一）C50 混凝土，$f_{cm}=26\text{N/mm}^2$；I 级圆钢：$f_y=210\text{N/mm}^2$。

附表 5-1　　　　　　　　　标准检验弯矩值　　　　　　　　kN·m

杆型 横截面积 ×10⁴ (mm²) As (mm²)	φ500	φ400	φ300	φ230×15	φ230×12	φ190×18	φ190×15	φ190×12	φ170×10	φ150×10
	8.29	5.5	3.93	5.44	4.92	5.34	4.81	3.93	3.02	3.77
600									10.3	9.4
700									12.0	10.9
800									13.6	12.4
900									15.2	13.8
1000									16.7	15.2
1100	35	27.5	19.3	27.3	24.5	26.7	24	21.5		
1200	38	29.9	21.0	29.6	26.6	29.0	26	23.3		
1300	41	32.3	22.6	32	28.7	31.3	28.1	25.1		
1400	44	34.6	24.2	34.3	30.8	33.6	30.1	26.9		
1500	47.4	37.0	25.8	36.6	32.8	35.8	32.1	28.7		
1600	50.4	39.3	27.3	38.9	34.9	38.1	34.1	30.4		
1700	53.4	41.5	28.9	41.1	36.9	40.3	36	32.1		
1800	56.4	43.8	30.4	43.4	38.9	42.5	38	33.8		
1900	59.4	46.0	31.9	45.6	40.8	44.6	39.9	35.5		
2000	62.3	48.3	33.4	47.8	42.8	46.8	41.8	37.2		
2100	65.3	50.5	34.9	50	44.7	48.9	43.7	38.8		
2200	68.2	52.7	36.3	52.1	46.7	51.0	45.6	40.5		
2300	71.2	54.8	37.8	54.3	48.6	53.1	47.4	42.1		
2400	74.0	57.0	39.2	56.4	50.5	55.2	49.3	43.7		
2500	76.9	59.1	40.7	58.5	52.3	57.3	51.1	45.3		
2600	79.8	61.3	42.1	60.6	54.2	59.3	52.9	46.9		
2700	82.6	63.4	43.5	62.7	56	61.4	54.7	48.5		
2800	85.5	65.4	44.9	64.8	57.9	63.4	56.5	50.0		
2900	88.3	67.5	46.3	66.8	59.7	65.4	58.3	51.6		
3000	91.1	69.6	47.7	68.9	61.5	67.4	60	53.1		
3200	96.6									
3400	102.1									
3600	107.5									
3800	112.9									
4000	118.2									

（二）C40 混凝土，$f_{cm}=21.5\text{N/mm}^2$；I 级圆钢：$f_y=210\text{ N/mm}^2$。

附表 5-2　　　　　　　　　标 准 检 验 弯 矩 值　　　　　　　　kN·m

横截面积 $\times 10^4$ (mm^2) A_s (mm^2)	$\phi500$ 8.29	$\phi400$ 5.5	$\phi300$ 3.93	$\phi230\times15$ 5.44	$\phi230\times12$ 4.92	$\phi190\times18$ 5.34	$\phi190\times15$ 4.81	$\phi190\times12$ 3.93	$\phi150\times10$ 2.77	$\phi170\times10$ 3.02
600								12.0	9.3	10.2
700								13.9	10.8	11.8
800								15.8	12.2	13.4
900								17.6	13.6	14.9
1000								19.4	15.0	16.5
1100	34.9	27.3	19.1	27.0	24.3	26.5	23.7	21.2		
1200	37.9	29.6	20.7	29.3	26.3	28.7	25.7	23.0		
1300	41	31.9	22.2	31.6	28.4	31.0	27.7	24.8		
1400	44	34.2	23.8	33.9	30.4	33.2	29.7	26.5		
1500	47	36.5	25.3	36.1	32.4	35.4	31.6	28.2		
1600	50	38.7	26.8	38.3	34.3	37.5	33.5	29.9		
1700	52.9	40.9	28.3	40.5	36.3	39.7	35.4	31.5		
1800	55.9	43.1	29.8	42.7	38.2	41.8	37.3	33.2		
1900	58.8	45.3	31.2	44.8	40.1	43.9	39.2	34.8		
2000	61.7	47.5	32.7	47.0	42.0	46.0	41.0	36.4		
2100	64.5	49.6	34.1	49.1	43.9	48.0	42.9	38.0		
2200	67.4	51.7	35.5	51.2	45.7	50.1	44.7	39.6		
2300	70.2	53.8	36.9	53.2	47.6	52.1	46.4	41.1		
2400	73	55.9	38.3	55.3	49.4	54.1	48.2	42.7		
2500	75.8	57.9	39.7	57.3	51.2	56.1	50.0	44.2		
2600	78.6	60.0	41.1	59.4	53.0	58.1	51.7	45.7		
2700	81.4	62.0	42.4	61.4	54.8	60.0	53.5	47.2		
2800	84.1	64.0	43.8	63.4	56.5	62.0	55.2	48.7		
2900	86.8	66.0	45.1	65.3	58.3	63.9	56.9	50.2		
3000	89.5	68.0	46.4	67.3	60.0	65.8	58.6	51.7		
3200	94.9									
3400	100									
3600	105									
3800	111									
4000	116									

（三）C50 混凝土，$f_{cm}=26N/mm^2$；Ⅱ级螺纹钢：$f_y=310 \text{ N}/mm^2$。

附表 5-3   标 准 检 验 弯 矩 值   kN·m

横截面积 ×10⁴ (mm²) / As (mm²) 杆型	φ500	φ400	φ300	φ230×15	φ230×12	φ190×18	φ190×15	φ190×12	φ170×10	φ150×10
	8.29	5.50	3.93	5.44	4.92	5.34	4.81	3.93	3.02	2.77
400									9.3	10.2
500									11.5	12.6
600									13.6	14.9
700									15.7	17.2
800									17.7	19.5
900									19.7	21.7
1000									21.7	23.8
1100	51.1	39.8	27.7	39.4	35.4	38.6	34.5	30.8		
1200	55.6	43.2	30	42.7	38.3	41.8	37.4	33.4		
1300	60.0	46.5	32.2	46	41.2	45.0	40.3	35.8		
1400	64.3	49.7	34.4	49.2	44.1	48.2	43.1	38.3		
1500	68.7	53	36.6	52.4	46.9	51.3	45.8	40.7		
1600	72.9	56.2	38.7	55.6	49.7	54.4	48.6	43.1		
1700	77.2	59.3	40.8	58.7	52.5	57.5	51.3	45.5		
1800	81.4	62.5	42.9	61.8	55.3	60.5	53.9	47.8		
1900	85.6	65.6	45	64.9	58	63.5	56.6	50.1		
2000	89.7	68.6	47	67.9	60.6	66.4	59.2	52.4		
2100	93.8	71.6	49.1	70.9	63.3	69.4	61.8	54.6		
2200	97.9	74.7	51.1	73.9	65.9	72.3	64.4	56.9		
2300	102	77.6	53.1	76.8	68.5	75.1	66.9	59.1		
2400	106	80.6	55.0	79.7	71.1	78	69.4	61.3		
2500	110	83.5	57	82.6	73.7	80.8	71.9	63.5		
2600	113.9	86.4	58.9	85.5	76.2	83.6	74.4	65.6		
2700	117.8	89.3	60.9	88.3	78.8	86.4	76.9	67.8		
2800	121.7	92.2	62.8	91.2	81.3	89.2	79.3	69.9		
2900	125.6	95	64.7	94	83.8	91.9	81.7	72.1		
3000	129.5	97.8	66.6	96.8	86.2	94.7	84.2	74.2		
3200	137.1	103.4	70.4							
3400	144.6	109	74.1							
3600	152.1	114	77.8							
3800	159.4	120	81.5							
4000	166.7	125.2	85.1							

194

（四）C40 混凝土，$f_{cm}=21.5\,\text{N/mm}^2$；Ⅱ级螺纹钢：$f_y=310\,\text{N/mm}^2$。

附表 5-4 　　　　　　　　　　标 准 检 验 弯 矩 值 　　　　　　　　　　kN・m

杆型 横截面积 $\times 10^4$ (mm²) As (mm²)	$\phi500$ 8.29	$\phi400$ 5.5	$\phi300$ 3.93	$\phi230\times15$ 5.44	$\phi230\times12$ 4.92	$\phi190\times18$ 5.34	$\phi190\times15$ 4.81	$\phi190\times12$ 3.93	$\phi170\times10$ 3.02	$\phi150\times10$ 2.77
400								11.8	10.1	9.2
500								14.6	12.4	11.3
600								17.4	14.7	13.4
700								20.0	17.0	15.4
800								22.7	19.1	17.4
900								25.2	21.3	19.3
1000								27.8	23.3	21.2
1100	50.7	39.2	27.2	38	34.0	38.8	34.8	30.3		
1200	55	42.5	29.4	41.2	36.8	42.1	37.7	32.7		
1300	59.3	45.7	31.5	44.3	39.5	45.2	40.5	35.1		
1400	63.6	48.9	33.6	47.3	42.2	48.4	43.3	37.4		
1500	67.8	52	35.7	50.4	44.9	51.5	46.0	39.8		
1600	72	55.1	37.8	53.3	47.5	54.5	48.7	42.1		
1700	76.1	58.1	39.8	56.3	50.2	57.5	51.4	44.3		
1800	80.2	61.2	41.8	59.2	52.7	60.5	54	46.6		
1900	84.2	64.1	43.8	62.1	55.3	63.5	56.6	48.8		
2000	88.3	67.1	45.8	64.9	57.8	66.4	59.2	51.0		
2100	92.2	70	47.8	67.8	60.3	69.3	61.8	53.2		
2200	96.2	72.9	49.7	70.6	62.8	72.1	64.3			
2300	100.1	75.8	51.6	73.3	65.2	75.0	66.8			
2400	104	78.6	53.5	76.1	67.6	77.8	69.3			
2500	107.8	81.4	55.4	78.8	70.0	80.6	71.8			
2600	111.6	84.2	57.3	81.5	72.4	83.3	74.2			
2700	115.4	87.0	59.2	84.2	74.8	86.1	76.7			
2800	119.2	89.8	61.1	86.9	77.2	88.8	79.1			
2900	122.9	92.5	62.9	89.5	79.5	91.5	81.5			
3000	126.6	95.3	64.7	92.1	81.9	94.2	83.9			
3200	133.9									
3400	141.2									
3600	148.4									
3800	155.5									
4000	162.5									

注　1. 表中标准检验弯矩用极限弯矩除 1.43 求得。

　　2. $\phi150$、$\phi170$ 壁厚为 40 mm，$\phi190\times12$ 壁厚为 45 mm，$\phi500$ 壁厚为 60 mm，其他壁厚均为 50mm。

　　3. 钢筋均匀配置于杆壁正中间。

附表6 预应力杆钢筋面积与极限弯矩值对照表

（一）C40 混凝土：$f_{cm}=21.5\,\text{N/mm}^2$；冷拔低碳钢丝（甲级 I 组），$f_{ptk}=650\,\text{N/mm}^2$，$\sigma_{con}=0.70f_{ptk}$（采用超张拉工艺）。

附表 6-1　　　　　　　　　　　　　极 限 弯 矩 值　　　　　　　　　　　　　kN·m

横截面积 A_p×10⁴ (mm²) \ 杆型	φ500	φ400	φ300	φ230×15	φ230×12	φ190×15	φ190×12	φ190×11	φ170×10	φ150×10
	8.29	5.50	3.93	5.45	4.91	4.81	3.93	3.76	3.02	2.77
250	—	—	—	—	—	16.2	14.7	14	12.5	11.4
300	—	—	—	—	—	19.4	17.5	16.7	14.9	13.5
350	—	—	18.7	25.5	23	22.5	20.2	19.3	17.1	15.6
400	37.4	29.3	20.5	29.0	26.1	25.5	22.9	21.8	19.3	17.5
450	41.9	32.8	22.9	32.5	29.2	28.5	25.5	24.3	21.4	19.4
500	46.4	36.2	25.2	35.8	32.2	31.4	28.0	26.7	23.5	21.2
550	50.9	39.6	27.4	39.2	35.1	34.3	30.5	29	25.4	23
600	55.3	42.9	29.6	42.4	38.0	37.1	32.9	31.3	27.4	24.7
650	59.7	46.2	31.7	45.6	40.8	39.9	35.3	33.5	29.2	26.3
700	64	49.4	33.8	48.8	43.6	42.6	37.6	35.7	31	27.9
750	68	52.5	35.8	51.9	46.3	45.2	39.8	37.8	32.7	29.4
800	72.6	55.6	37.8	54.9	49	47.8	42	39.8	34.4	30.9
850	76.8	58.6	39.7	57.9	51.6	50.3	44.1	41.8	36	32.3
900	80.9	61.6	41.5	60.8	54.1	52.8	46.2	43.8	37.6	33.7
950	85	64.5	43.4	63.7	56.6	55.2	48.2	45.7	39.1	35
1000	89.1	67.4	45.2	66.5	59.1	57.6	50.1	47.5	40.6	36.3
1050	93.1	70.2	46.9	69.2	61.5	59.9	52	49.3		
1100	97.1	72.9	48.6	71.9	63.8	62.2	53.9	51		
1150	101	75.6	50.2	74.6	66.1	64.4	55.7	52.7		
1200	105	78.3	51.9	77.2	68.4	66.5	57.5	54.4		
1250	109	80.9	53.4	79.8	70.6					
1300	112	83.5	55	82.3	72.7					
1350	116									
1400	120									
1450	124									
1500	127									
1550	131									
1600	134									
1650	138									
1700	141									

（二）**C50 混凝土**：$f_{cm}=26N/mm^2$；冷拔低碳钢丝（甲级 I 组）：$f_{ptk}=650N/mm^2$，$\sigma_{con}=0.70f_{ptk}$（采用超张拉工艺）。

附表 6-2　　　　　　　　　　极 限 弯 矩 值　　　　　　　　　　kN·m

横截面积×10⁴ (mm²) / Ap (mm²) 杆型	φ500 8.29	φ400 5.50	φ300 3.93	φ230×15 5.45	φ230×12 4.91	φ190×15 4.81	φ190×12 3.93	φ190×11 3.76	φ170×10 3.02	φ150×10 2.77
300									15.0	13.7
350				25.7	23.2	22.6	20.4	19.5	17.4	15.8
400		29.5	20.8	29.3	26.3	25.8	23.3	22.1	19.7	17.9
450	42.1	33.1	23.2	32.8	29.5	28.8	25.9	24.7	21.9	19.9
500	46.7	36.7	25.6	36.2	32.6	31.8	28.5	27.2	24	21.8
550	51.2	40.1	27.9	39.7	35.6	34.8	31.1	29.6	26.1	23.7
600	55.7	43.5	30.2	43	38.6	37.7	33.6	32.1	28.2	25.5
650	60.2	46.9	32.5	46.4	41.6	40.6	36.1	34.4	30.2	27.3
700	64.6	50.2	34.7	49.7	44.5	43.4	38.6	36.7	32.1	29
750	69	53.5	36.8	52.9	47.4	46.2	41	39	34	30.6
800	73.4	56.7	38.9	56.1	50.2	49	43.3	41.2	35.8	32.2
850	77.7	59.9	41	59.2	52.9	51.7	45.6	43.3	37.6	33.8
900	82.0	63	43	62.3	55.6	54.3	47.8	45.4	39.3	35.3
950	86.3	66.1	45	65.4	58.3	56.9	50	47.4	40.9	36.8
1000	90.5	69.2	46.9	68.3	60.9	59.4	52.1	49.4	42.6	38.2
1050	94.6	72.2	48.8	71.3	63.5	61.9	54.2	51.4	44.2	
1100	98.8	75.1	50.6	74.2	66	64.4	56.2	53.3	45.7	
1150	103	78	52.4	77.0	68.5	66.8	58.2	55.2	47.2	
1200	107	80.9	54.2	79.8	70.9	69.1	60.2	57	48.7	
1250	111	83.7	55.9	82.6	73.3	71.5	62.1	58.8	50.1	
1300	115	86.5	57.6	85.3	75.7	73.7	64	60.6		
1350	119									
1400	123									
1450	127									
1500	131									

（三）**C40 混凝土**：$f_{cm}=21.5\text{N/mm}^2$；**碳素高强钢丝**：$f_{ptk}=1570\text{N/mm}^2$，$\sigma_{con}=0.70f_{ptk}$（采用超张拉工艺）。

附表 6-3　　　　　　　　　　　　极 限 弯 矩 值　　　　　　　　　　　kN・m

杆型 横截面积 ×10⁴(mm²) Ap(mm²)	φ500	φ400	φ300	φ230×15	φ230×12	φ190×15	φ190×12	φ190×11	φ170×10	φ150×10
	8.29	5.50	3.93	5.45	4.91	4.81	3.93	3.76	3.02	2.77
100							14.5	13.9	12.4	11.3
150		27.3	19.1				21.2	20.2	17.8	16.1
200		35.8	24.6	35.4	31.7	30.9	27.3	26.0	22.2	20.1
250		43.7	29.5	43.2	38.5	37.5	32.8	31.0	26.3	23.4
300	67.5	51.0	33.7	50.4	44.7	43.5	37.5	35.4	29.4	25.9
350	77.5	57.7	37.3	57	50.2	48.9	41.5	39.0	31.7	27.6
400	87.2	63.8	40.3	63	55.2	53.6	44.8	42.0	33.4	28.7
450	96.3	69.2	42.7	68.3	59.4	57.6	47.5	44.3	34.4	29.3
500	105	74.1	44.6	72.9	63.1	61.1	49.5	46.0	34.9	
550	113	78.3	46.0	76.9	66.1	63.9	50.9	47.1	34.9	
600	121	81.9	46.9	80.4	68.6	66.2	51.9	47.8		
650	128	84.9	47.4	83.2	70.3	68	52.3	48.1		
700	134	87.4	47.5	85.5	72.0	69.2	52.4			
750	140	89.4		87.3	73	70.1				
800	145	90.9		88.7	73.6	70.5				
850	150	92.0		89.6	73.8	70.6				
900	155	92.7		90						
950	159	93.1		90.2						
1000	162	93.1								
1050	165									
1100	168									
1150	170									
1200	172									

（四）C50 混凝土：$f_{cm}=26\text{N/mm}^2$；碳素高强钢丝（甲级 I 组）：$f_{ptk}=1570\text{ N/mm}^2$，$\sigma_{con}=0.70f_{ptk}$（采用超张拉工艺）。

附表 6-4　　　　　　　　　　　　　　极 限 弯 矩 值　　　　　　　　　　　　　　kN·m

杆型 横截面积 ×10⁴ (mm²) Ap (mm²)	φ500	φ400	φ300	φ230×15	φ230×12	φ190×15	φ190×12	φ190×11	φ170×10	φ150×10
	8.29	5.50	3.93	5.45	4.91	4.81	3.93	3.76	3.02	2.77
100									12.7	11.4
150									18.3	16.6
200		36.3	29.2	35.9	32.2	31.5	28.0	26.7	23.4	21.1
250		44.6	30.5	44.1	39.5	38.5	34	32.3	27.9	25
300	68.4	52.5	35.4	51.0	46.2	45.1	39.4	37.3	31.7	28.1
350	78.9	59.9	39.7	59.2	52.5	51.2	44.2	41.8	34.8	30.7
400	89.1	66.8	43.5	65.9	58.3	56.7	48.4	45.6	37.3	32.6
450	99	73.1	46.8	72.2	63.5	61.7	52	48.8	39.3	34.0
500	108	79	49.6	77.9	68.1	66.2	55.1	51.5	40.6	34.8
550	117	84	51.8	83.1	72.3	70.1	57.6	53.7	41.5	35.2
600	126	89	53.7	87.7	75.9	73.5	59.5	55.3	41.9	35.7
650	134	93.4	55.1	91.8	79	76.4		56.5	41.6	
700	142	97.1	56.1	95.4	81.6	78.8		57.3		
750	149	100	56.7	98.5	83.8	80.8		57.7		
800	156	103	57	101	85.5	82.3		57.7		
850	162	106	57	103	86.9	83.4				
900	168	108		105	87.8	82.4				
950	174	109		106	88.4	84.7				
1000	179	110		107	88.7	84.8				
1050	184	111		108	88.3					
1100	188	112								
1150	192	112								

注　1. φ150、φ170 壁厚均为 40 mm；φ190×11、φ190×12 壁厚为 45 mm；φ500 壁厚为 60 mm，其他壁厚均为 50 mm。

　　2. 钢筋均匀配置于杆壁正中间。

附表7　部分预应力杆钢筋面积与极限弯矩值对照表

（一）C50 混凝土：$f_{cm}=26N/mm^2$；冷拔底碳钢丝（甲级I组），辅筋：乙级冷拔低碳钢丝 $f_y=250N/mm^2$，$A_s=\dfrac{A_p}{2}$。

附表 7-1　　　　　　　　　　　极 限 弯 矩 值　　　　　　　　　　kN·m

横截面积×10⁴ (mm²) 〔杆型〕 / A_p (mm²)	φ500 8.29	φ400 5.5	φ300 3.93	φ230×15 5.45	φ230×12 4.91	φ190×15 4.81	φ190×12 3.93	φ190×11 3.76	φ170×10 3.02	φ150×10 2.77
250				23.7	21.4	20.9	18.9	18	16.1	14.7
300		28.6	20.2	28.4	25.5	25	22.5	21.5	19.1	17.4
350	42.3	33.2	23.3	32.9	29.6	29	26	24.8	22	20.0
400	48.2	37.8	26.4	37.4	33.6	32.9	29.4	28.1	24	22.5
450	54	42.2	29.4	41.8	37.5	36.7	32.8	31.2	27.5	25
500	59.8	46.6	32.4	46.1	41.4	40.4	36	34.3	30.2	27.3
550	65.6	50.9	35.3	50.4	45.2	44.1	39.2	37.3	32.7	29.6
600	71.2	55.2	38.1	54.6	48.9	47.7	42.3	40.3	35.2	31.8
650	76.9	59.4	40.8	58.7	52.5	51.2	45.4	43.1	37.6	33.9
700	82.4	63.5	43.4	62.8	56.1	54.7	48.3	45.9	39.9	36
750	88	67.5	46.1	66.7	59.6	58.1	51.2	48.6	42.2	37.9
800	93.4	71.5	48.6	70.6	63	61.5	54	51.3	44.4	39.9
850	98.8	75.4	51.1	74.5	66.4	64.7	56.8	53.9	46.5	41.7
900	104	79.2	53.5	78.2	69.6	67.9	59.5	56.4	48.6	43.6
950	109	82.9	55.9	81.9	72.9	71.0	62.1	58.9	50.6	45.4
1000	115	86.6	58.2	85.5	76	74.1	64.7	61.3	52.6	47.1
1050	120	90.3	60.5	89.1	79.1	77.1	67.2	63.6	54.5	
1100	125	93.8	62.7	92.6	82.2	80.1	69.6	65.9	56.4	
1150	130	97.3	64.9							
1200	135	101	67.0							

注　1. φ150、φ170 壁厚均为 40mm；φ190×11、φ190×12 壁厚为 45mm；φ500 壁厚为 60mm，其他壁厚均为 50mm。

　　2. 钢筋均匀配置于杆壁正中间。

（二）C50 混凝土：$f_{cm}=26\text{N}/\text{mm}^2$；冷拔低碳钢丝（甲级 I 组），辅筋：II 级螺纹钢 f_y $=310 \text{ N}/\text{mm}^2$，$A_s=\dfrac{A_p}{2}$。

附表 7-2　　　　　　　　　　　　　极 限 弯 矩 值　　　　　　　　　　　　　kN・m

杆型 ＼ 横截面积×10⁴ (mm²) ＼ A_p (mm²)	φ500	φ400	φ300	φ230×15	φ230×12	φ190×15	φ190×12	φ190×11	φ170×10	φ150×10
	8.29	5.5	3.93	5.45	4.91	4.81	3.93	3.76	3.02	2.77
250	32	25.2	17.8	25	22.5	22	19.9	19	16.9	15.4
300	38.3	30.1	21.2	29.8	26.9	26.3	23.6	22.6	20.1	18.3
350	44.5	35	24.5	34.6	31.1	30.4	27.3	26	23.1	21
400	50.7	39.7	27.8	39.3	35.3	34.5	30.9	29.5	26	23.6
450	56.9	44.3	30.9	43.9	39.4	38.5	34.4	32.8	28.9	26.2
500	62.9	49	34	48.4	43.5	42.5	37.8	36	31.6	28.6
550	69	53.5	37	52.9	47.4	46.3	41.1	39.1	34.3	31
600	74.9	57.9	39.9	57.3	51.3	50.1	44.4	42.2	36.8	33.2
650	80.8	62.3	42.7	61.6	55.1	53.8	47.5	45.2	39.3	35.4
700	86.6	66.6	45.5	65.8	58.8	57.4	50.6	48.1	41.7	37.6
750	92.4	70.8	48.2	70	62.4	60.9	53.6	50.9	44.1	39.7
800	98.1	74.9	50.9	74	66.0	64.4	56.5	53.7	46.4	41.7
850	104	79	53.4	78	69.5	67.8	59.4	56.4	48.6	43.6
900	109	82.9	56	81.9	72.9	71.1	62.2	59	50.8	45.5
950	115	86.9	58.4	85.8	76.3	74.3	64.9	61.6	52.9	47.4
1000	120	90.7	60.9	89.5	79.6	77.5	67.6	64.1	54.9	49.2
1050	126	94.5	63.2	93.3	82.8	80.7	70.2	66.5	56.9	51.0
1100	131	98.2	65.5	96.9	86.0	83.7	72.8	68.9	58.9	52.7
1150	136	102	67.8	100.5	89.1	86.8	75.3	71.3	60.8	54.4
1200	141	105	70.1	104	92.1	89.7	77.7	73.6	62.7	56.1

注　1. φ150、φ170 壁厚均为 40 mm；φ190×11、φ190×12 壁厚为 45 mm；φ500 壁厚为 60 mm，其中壁厚均为 50 mm；

　　2. 钢筋均匀配置于杆壁正中间。

附表 8 等径杆（预应力）配筋与极限弯矩值对照表

（一）φ500 等径杆（壁厚 60 mm）

C50 混凝土，$f_{cm}=26$ N/mm²；

采用：①冷拔低碳钢丝（甲级 I 组）；$f_{ptk}=650$ N/mm²；

②碳素高强钢丝：$f_{ptk}=1570$ N/mm²；采用超张拉工艺 $\sigma_{con}=0.70f_{ptk}$，$r_p=$ 225mm；电杆断面横截面积 $A=8.29\times10^4$ mm²。

附表 8-1　　　　　　　　　　　　　　极 限 弯 矩 值　　　　　　　　　　kN·m

种类	钢筋配置			N 轴 向 力（kN）						
	根数	直径 (mm)	A_p (mm²)	0	40	80	120	160	200	240
冷拔低碳钢丝	36	φ6.0	1018	92	100	107	114	121	127	134
	40	φ6.0	1131	101	109	116	123	129	136	142
	44	φ6.0	1244	111	118	125	131	137	144	149
	48	φ6.0	1357	120	126	133	139	145	151	157
	52	φ6.0	1470	128	135	141	148	153	159	164
碳素高强钢丝	24	φ5.0	471	103	110	116	123	128	134	139
	28	φ5.0	550	117	124	130	135	140	145	150
	32	φ5.0	628	131	136	142	146	151	155	159
	36	φ5.0	707	143	148	153	157	161	164	167
	40	φ5.0	786	154	158	163	166	169	172	175
	44	φ5.0	864	164	168	171	174	177	179	181

（二）φ400 等径杆（壁厚 50 mm）

C50 混凝土，$f_{cm}=26$ N/mm²

采用：①冷拔低碳钢丝（甲级 I 组）；$f_{ptk}=650$ N/mm²；

②碳素高强钢丝：$f_{ptk}=1570$ N/mm²；采用超张拉工艺 $\sigma_{con}=0.70f_{ptk}$，$r_p=175$ mm；电杆断面横截面积 $A=5.5\times10^4$ mm²。

附表 8-2　　　　　　　　　　　　　　极 限 弯 矩 值　　　　　　　　　　kN·m

种类	钢筋配置			N 轴 向 力（kN）						
	根数	直径 (mm)	A_p (mm²)	0	40	80	120	160	200	240
冷拔低碳钢丝	28	φ6.0	792	56.2	61.9	67.2	72.3	77.0	81.4	85.3
	32	φ6.0	905	63.3	68.8	73	78.6	83	87.1	90.8
	36	φ6.0	1018	70.3	75.4	80.2	84.7	88.8	92.6	96
	44	φ6.0	1244	83.4	88	92.3	96.2	99.7	102.9	105.8
	40	φ6.0	1131	76.9	81.8	86.3	90.5	94.4	97.7	101
	48	φ6.0	1357	89.6	93.9	97.9	101.6	104.9	107.8	110.4

种类	钢筋配置			N 轴 向 力 (kN)						
	根数	直径 (mm)	A_p (mm²)	0	40	80	120	160	200	240
碳素高强钢丝	28	φ5.0	471	75.7	79.6	83.1	86.0	88.6	90.6	92.1
	32	φ5.0	550	84.3	87.4	90.1	92.3	94.0	95.3	96.0
	36	φ5.0	628	91.6	94.1	95.9	97.3	98.2	98.7	98.7
	40	φ5.0	707	97.6	99.2	100	101	101	101	100
	44	φ5.0	786	102	103	104	104	103	102	101

(三) φ300 等径杆（壁厚 50 mm）

C50 混凝土，$f_{cm}=26 \text{ N/mm}^2$

采用：①冷拔低碳钢丝（甲级 I 组）；$f_{ptk}=650 \text{ N/mm}^2$；

②碳素高强钢丝：$f_{ptk}=1570 \text{ N/mm}^2$；采用超张拉工艺 $\sigma_{con}=0.70 f_{ptk}$，$r_p=125$ mm；电杆断面横截面积 $A=3.93×10^4 \text{ mm}^2$。

附表 8-3 　　　　　极 限 弯 矩 值　　　　　kN·m

种类	钢筋配置			N 轴 向 力 (kN)						
	根数	直径 (mm)	A_p (mm²)	0	40	80	120	160	200	240
冷拔低碳钢丝	24	φ6.0	679	33.7	37.5	40.9	44	46.7	49	50.9
	28	φ6.0	792	38.6	42.1	45.2	48	50.4	52.4	54
	32	φ6.0	905	43.2	46.4	49.3	51.8	53.9	55.6	57
	36	φ6.0	1018	47.6	50.5	53.1	55.4	57.2	58.7	59.8
	40	φ6.0	1131	51.8	54.4	56.8	58.8	60.4	61.7	62.6
碳素高强钢丝	20	φ5.0	393	43	45.2	46.9	48.1	48.9	49.1	48.9
	24	φ5.0	471	48	49.4	50.4	50.8	50.8	50.4	49.4
	28	φ5.0	550	51.8	52.5	52.7	52.5	51.8	50.7	49.1
	32	φ5.0	628	54.5	54.4	54	53.1	51.9	50.2	48.1
	36	φ5.0	707	56.2	55.5	54.5	53	51.2	49	46.5

附表 9　等径杆(普通杆)配筋与标准检验弯矩值对照表

(一) φ500 等径杆（壁厚 60 mm）

C40 混凝土，$f_{cm}=21.5 \text{ N/mm}^2$；I 级光圆钢筋 $f_y=210 \text{ N/mm}^2$；II 级螺纹钢 $f_y=310$ N/mm²，$r_s=220$ mm，电杆断面横截面积 $A=8.29×10^4 \text{ mm}^2$。

钢筋配置				N 轴 向 力 (kN)											
种类	根数	直径(mm)	A_s(mm²)	0	20	40	60	80	100	120	140	160	180	200	220
I	14	14	2155	66.1	68.7	71.3	73.8	76.3	78.7	81.1	83.4	85.7	87.9	90.1	92.2
	16	14	2463	74.8	77.3	79.8	82.2	84.6	86.9	89.2	91.5	93.7	95.8	97.9	99.9
	18	14	2771	83.3	85.6	88.1	90.5	92.8	95.0	97.2	99.4	101.5	103.5	105.5	107.5
	14	16	2815	85	87	89	92	94	96	98	101	103	105	107	108.6
	20	14	3079	92	94.0	96.3	98.6	100.8	103.0	105.1	107.1	109.2	111.1	113.1	114.9
级	16	16	3217	95.4	97.7	99.9	102.2	104.3	106.5	108.6	110.6	112.6	114.5	116.4	118.3
	18	16	3620	106	108.2	110.3	112.5	114.5	116.6	118.5	120.5	122.4	124.2	126	127.8
	20	16	4022	116.3	118	121	123	125	126	128	131	132	134	135	137
	18	22	6843	118	186	188	189	191	192	193	195	196	197	199	200
	20	22	7604	201	203	205	206	207	209	210	211	213	214	215	216
II	14	14	2155	94	97	99	101	103	106	108	110	112	114	116	117
	16	14	2463	106	109	111	113	115	117	119	121	123	125	126	128
	18	14	2771	118	120	122	124	126	128	130	132	134	135	137	139
	14	16	2815	120	122	124	126	128	130	132	133	135	137	139	140
	20	14	3079	130	132	133	135	137	139	141	143	144	146	148	149
级	16	16	3217	135	137	138	140	142	144	146	147	149	151	152	154
	18	16	3620	149	151	153	154	156	158	159	161	163	164	166	167
	20	16	4022	163	165	167	168	172	173	173	175	176	177	179	180

（二）ϕ400 等径杆（壁厚 50 mm）

C40 混凝土，$f_{cm}=21.5$ N/mm²；I 级光圆钢筋 $f_y=210$ N/mm²；II 级螺纹钢 $f_y=310$ N/mm²，$r_s=175$ mm，电杆断面横截面积 $A=5.5\times10^4$ mm²。

钢筋配置				N 轴 向 力 (kN)											
种类	根数	直径(mm)	A_s(mm²)	0	20	40	60	80	100	120	140	160	180	200	220
I	12	12	1357	33.2	35.3	37.4	39.3	41.3	43.1	44.9	46.7	48.4	50	51.5	53
	14	12	1584	38.4	40.4	42.3	44.2	46.1	47.8	49.6	51.2	52.8	54.4	55.8	57.2
	16	12	1810	43.3	45.3	47.2	49	50.7	52.5	54.1	55.7	57.2	58.7	60.1	61.4
	12	14	1847	44.2	46.1	47.9	49.8	51.5	53.2	54.9	56.4	58	59.4	60.8	62.1
	14	14	2155	50.8	52.6	54.4	56.1	57.7	59.3	60.9	62.4	63.8	65.1	66.4	67.7
级	16	14	2463	57.2	58.9	60.6	62.2	63.8	65.3	66.8	68.2	69.5	70.8	72	73.2
	18	14	2771	63.5	65.1	66.7	68.2	69.7	71.2	72.5	73.9	75.1	76.3	77.5	78.6
	14	16	2815	64.3	66	67.6	69.1	70.6	72	73.4	74.7	75.9	77.1	78.2	79.3
	20	14	3079	69.6	71.2	72.7	74.1	75.6	76.9	78.2	79.5	80.7	81.8	82.9	83.9
	16	16	3217	72.3	73.8	75.3	76.7	78.1	79.5	80.7	82	83.1	84.2	85.3	86.3
	18	16	3620	80.1	81.5	82.9	84.3	85.5	86.8	88	89.1	90.2	91.2	92.2	93.1
	20	16	4022	87.7	89.1	90.4	91.6	92.8	94	95.1	96.2	97.2	98.2	99.1	99.9

钢筋配置 种类	根数	直径(mm)	A_s(mm²)	\(N\) 轴向力 (kN) 0	20	40	60	80	100	120	140	160	180	200	220
II 级	12	12	1357	47.5	49.4	51.2	53	54.7	56.3	57.9	59.5	60.9	62.3	63.7	64.9
	14	12	1584	54.6	56.4	58.1	59.7	61.3	62.9	64.4	65.8	67.2	68.5	69.7	70.9
	12	14	1847	62.6	64.2	65.8	67.4	68.9	70.3	71.7	73	74.3	75.5	76.7	77.8
	14	14	2155	71.6	73.2	74.6	76.1	77.5	78.8	80.1	81.3	82.5	83.6	84.7	85.7
	16	14	2463	80.4	81.8	83.2	84.6	85.9	87.1	88.3	84.4	90.5	91.5	92.5	93.4
级	18	14	2771	89	90.3	91.6	92.9	94.1	95.2	96.3	97.4	98.4	99.3	100	101
	14	16	2815	90.2	91.5	92.8	94	95.2	96.4	97.5	98.5	99.5	100	101	102
	20	14	3079	97.4	98.7	99.9	101	102	103	104	105	106	107	108	109
	16	16	3217	101	102	104	105	106	107	108	109	110	111	111	112
	18	16	3620	112	113	114	115	116	117	118	119	120	120	121	122
	20	16	4022	122	123	124	125	126	127	128	129	130	130	131	132

（三）φ300 等径杆（壁厚 50 mm）

C40 混凝土，$f_{cm}=21.5\ \text{N/mm}^2$；I 级光圆钢筋 $f_y=210\ \text{N/mm}^2$；II 级螺纹钢 $f_y=310\ \text{N/mm}^2$，$r_s=125\ \text{mm}$，电杆断面横截面积 $A=3.93\times10^4\ \text{mm}^2$。

附表 9-3 标准检验弯矩值   kN·m

钢筋配置 种类	根数	直径(mm)	A_s(mm²)	\(N\) 轴向力 (kN) 0	20	40	60	80	100	120	140	160	180	200	220
I 级	12	12	1357	23.1	25	26	27	28	29	30	31	32	33	34	35
	14	12	1584	27	28	29	30	31	32	33	34	35	36	37	37
	16	12	1810	30	31	32	33	34	35	36	37	38	39	40	40
	12	14	1847	30	32	33	34	35	36	37	38	39	39	40	41
	14	14	2155	35	36	37	38	39	40	41	42	42	43	44	44
级	12	14	2413	38	40	41	42	42	43	44	45	46	46	47	47
	16	14	2463	39	40	41	42	43	44	45	45	46	47	47	48
	18	16	2771	43	44	45	46	47	48	49	49	50	50	51	51
	14	16	2815	44	45	46	47	48	48	49	50	50	51	51	52
	20	14	3079	47	48	49	50	51	52	52	53	54	54	55	55
	16	16	3217	49	50	51	52	53	53	54	55	55	56	56	57
II 级	12	12	1357	33	34	35	36	37	38	39	40	40	41	42	42
	14	12	1584	37	39	40	41	41	42	43	44	45	45	46	46
	12	14	1847	43	44	45	56	46	47	48	49	49	50	50	51
	14	14	2155	49	50	51	51	52	53	54	54	55	55	56	56
	16	14	2463	55	56	56	57	58	58	59	60	60	61	61	61

注 1. 假设钢筋均匀配置于杆壁中间。

2. 表中标准检验弯矩 M_k 为极限弯矩 M 除以 1.43 求得。

附图一　钢筋混凝土电杆标准检验弯矩图

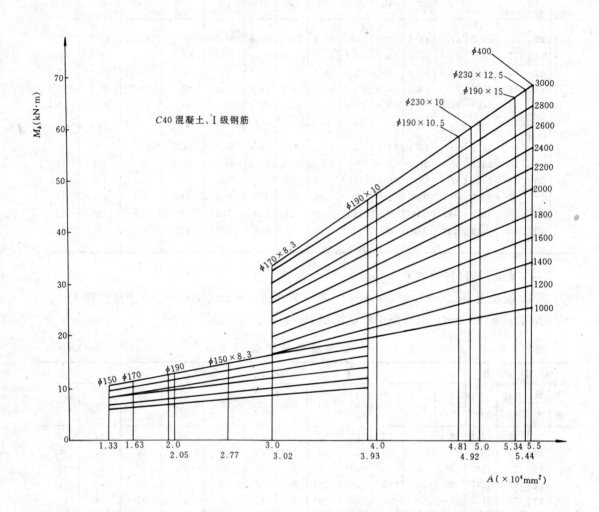

参 考 文 献

1 吴科如，张雄．建筑材料．上海：同济大学出版社，1995
2 蒋大骅，张仁爱．钢筋混凝土构件计算手册．上海：科学技术出版社，1995
3 莫鲁，符萍芳．混凝土结构工程施工及验收手册．北京：地震出版社，1994
4 重庆建筑工程学院，南京工学院．混凝土学．北京：中国建筑工业出版社，1983
5 张冠伦，王玉吉，孙振平，张云理．混凝土外加剂原理与应用．第2版．北京：中国建筑工业出版社，1996
6 李启云．热工基础及设备．第2版．南京：南京工学院出版社，1988
7 浙西电力技工学校．输电线路设计基础．北京：水利电力出版社，1985
8 胡级蕾等．高压输电线路钢筋混凝土电杆设计．北京：中国建筑工业出版社，1965
9 周兆桐等．混凝土构件生产工艺．长春：辽宁科学技术出版社，1988
10 能源部东北电力设计院．电力工程高压送电线路设计手册．北京：水利电力出版社
11 车宏亚．钢筋混凝土结构原理．天津：天津大学出版社，1990

图书在版编目(CIP)数据

混凝土电杆生产工艺设计质量控制/姚杨,张鸿编著.
郑州:黄河水利出版社,1999.11(2000.11 重印)
ISBN 7-80621-330-9

Ⅰ.混… Ⅱ.①姚… ②张… Ⅲ.①混凝土-电杆-
设计②混凝土-电杆-生产过程-质量控制
Ⅳ.TU528.79

中国版本图书馆 CIP 数据核字(2000)第 56268 号

责任编辑:张思敬

出版发行:黄河水利出版社
    地址:河南省郑州市金水路 11 号 邮编:450003
    发行部电话:(0371)6302620 传真:6302219
    E-mail:yrcp@public2.zz.ha.cn
印 刷:郑州文华印刷厂

开 本:787mm×1092mm 1/16   印 张:13.5
版 次:1999 年 11 月 第 1 版   印 数:3081－4080
印 次:2000 年 11 月 郑州第 2 次印刷   字 数:312 千字

定 价:40.00 元